JN026392

人々を魅了する製品（モノ）の「生命」とはなにか

生態系の進化と製品の創造に見る、イノベーション機能の進化学

梓澤 昇❖著

三省堂書店／創英社

……先人達は新しい機能を持つ製品を創り出し、人々が困っているコトから解放すると共に、欲しいコト・夢を叶え、人々の生活・環境をイノベーションして、人々を魅了してきた……

まえがき

先人達は「人々の欲しいモノの開発」をどのように考えてきたのだろうか。

人々の声に耳を傾けるだけでなく、「何かを生み出す」ことを第一に考え、人々が「何を求めているかを予測」し、人々が「それに気付く前に生み出す」ことに集中し、人々が「何を求めているかを現場から学び」、創りたいモノの「生命」を知り尽くし『どんな場合でも使い心地良く』、『頑丈で使い易く』『老若男女誰でも使いたくなるモノ』などの「モノ創りの信念」の基、「人々を喜ばせるモノをどうやれば提供出来るか」を考えてきたのではないだろうか

では、先人達はどのようにして、「人々を満足させるモノ」、「生活を豊かにするモノ」を次々と考え、創り出してきたのだろうか。

その創造の原動力は、先人たち自身が愛する人達の「苦労しているコト」を解決して楽にしてあげたい、「欲しがっているコト」を実現してあげたい、という動機だった。

人々を魅了する製品を創ってきた先人達にとっては、このような強い想い(理念）が製品開発への熱い情熱となって、「他分野の智慧」（各分野で利用されている新技術・発明発見を吸収した智慧）の獲得に加え、新製品実現に不足する「新しい智慧」の創造、すなわち、不足する新技術の開発や発明・発見の新しい活用を貪欲に進め、世界に先駆けた「モノ創り智慧の創造」を行ってきた。

このように、モノ創りには過去や他分野の智慧を効率的にIT技術を利用することに加え、アナログ的な人の発想による新しい機能の創造が最重要である。

すなわち「人々が困っているコト」「人々が欲しいコト」を実現する「新しい機能の創造」を「他分野の智慧」と「新しく創造したモノ創り智慧」の組合せにより実現し、人々を魅了する製品を創ってきた。戦後スーパーヒットした「人々を魅了する製品」には時代を先取りした「イノベーション機能」である「素晴らしい機能」が創り出されており、そのことがヒットの第一要因と考えられる。

一方、先人の先祖である生態系は38億年前、生命に致命的な影響を与える強い紫外線や荷電粒子が到達しない深い海の中で、生物の根本である一つの細胞の生命（メタン生成細菌）として誕生した。生命が誕生した海水にはメタンや炭酸ガスなどの有機物があるのみで、原核生物は乏しい有機物から食料となる物にできるように、環境に順応して苦難の中で生き延びて、古細菌と真正細

菌の２種類の細菌に持続的進化を始めた。その後、度々発生する突然変異を利用し、「光合成細菌」への進化で従来生物環境を破壊すると共に、その後の生物を大発展させる「酸素生成機能」という破壊的イノベーション機能の創造や、弱肉強食の世界を生き残るために、現生物に繋がる「合体する細胞群が必要機能を分担するイノベーション機能」の創造による「多細胞生物」への持続的進化を始めとして、現代科学をもっても実現できない「イノベーション機能」を含め、38億年の進化過程で膨大なイノベーション機能を創造して来た。

生態系が38億年掛けた進化で創造してきた膨大な各種イノベーション機能を「先祖からの贈られた智慧」としてモノ・イノベーション機能の創造にも活用すべきと考える。

アインシュタインが「創造の秘密は、アイデアの源を隠すことだ…他の領域からアイデアを借りてきて、それを組み合わせて発想する」と云っていたように、「他分野の智慧、生態系の智慧」は新しいモノ・イノベーション機能の創造の第一のKeyポイントである。また、新しく開発された技術や発明発見を「人が困っているコト」「人が欲しいコト」の実現のための新しい活用方法を創造する「新しいモノ創り智慧」が新しいモノ・イノベーション機能の創造の第二のKeyポイントである。

本書ではまず、人々の欲しいモノとは何で、さらに人々を魅了するモノとは何かを検討し、魅了するモノの「生命」とは何かを検討する。次に先人達が「他分野の智慧」と「新しく創造したモノ創り智慧」により「人々が困っているコト」を解消し、「人々が欲しいコト」を実現する「新しいモノ・イノベーション機能」を創造して人々を魅了するに到ったモノを分析する。人々の移動と産業活動に応える「動力のイノベーション機能」の創造と進化を分析する。さらに、38億年と進化を続けてきた生態系が生存繁栄に不可欠であった「進化のイノベーション機能」の数々を学ぶ。これら、先人達と生態系の「イノベーション機能の創造」に学んで、「イノベーション機能の創造」を検討する。以上を踏まえて、人々を魅了する製品（モノ）の生命（いのち）となる「製品の目標機能」の創造について、製品の構成・色あせない機能・目標機能の創り方を述べて、延いては、日本のモノ創りの発展に貢献出来ればと考える。

推薦の辞

一世を風靡する、人の心をときめかせる製品やサービスはどうして生まれたのでしょうか。

それを読み解くヒントが本書には詰まっています。大手電機会社の主力工場の設計者としてヒット製品を連発した著者が、他分野のヒット製品、ヒットサービスに分析を加え、さらに生物の進化論、エコシステムとも比較して、ヒットには何が必要なのかを詳しく解説しています。（本書にはヒットのための必要条件が記されています。）

ぜひ、本書を読んでヒット製品、ヒットサービスを世に送り出しましょう。

2022年4月吉日

元・日立製作所社長　前NEDO＊理事長　古川一夫

（NEDO：新エネルギー・産業技術総合開発機構）

目 次

第1章

モノの「生命」とは何か

ポール・ナースは「生命とは何か」で生態系の生命の軸となるのは、①基本単位の細胞であり、②遺伝子暗号が生命の基、③自然淘汰による進化、④生命は化学工場、⑤情報で制御される生命であり、複製機能と代謝機能を持つ細胞で進化するものと述べている。人々に提供される家電・自動車などの生活製品、産業・公共設備用製品、インターネット他情報関連ソフトなどの「モノ」（ハード製品及び情報ソフト製品全てを「モノ」と呼ぶことにする）が、人々に好まれ、人々を魅了するに到る、その「モノの生命」は何かを考える。

1.1節　人々の欲しいモノとは何か

モノ創りする時、①人々が「不自由に感じている・困っているコト」、②人々が生活を豊かにしたいコト、③人々の夢・願望するコトに加えて、市場の「風」を先取りするコトを分析して、これらから「人々が欲しいモノは何か」を考察することが第一番に重要である。コンシューマー（一般消費者・生活用品）における「人々の欲しいコト」は日々の生活の中で「不都合を感じるコト」（重労働であった水汲み、洗濯、掃除等）から解放して貰うことに始まり、「生活を豊かにしたいコト」（ラジオ、テレビ等娯楽用機器）へと進み、「人々の夢であるコト」（何時でも何処でも話せる・観られるスマホ等）へと展開されてきている。

(1) 不都合を感じるコト・困っているコト

機械化前の「家事できつい仕事」の順位は、①風呂他の水汲み、②手洗い洗濯であった。

a1) 井戸からの水汲み

水汲みへの要望は図1.1.1のように辛い重い水桶運搬からの解放から始まり、井戸と滑車の発明で、井戸水の釣瓶汲み機能へと進化した。さらに、手押しポンプの発明で手押しポンフ汲上機能が創り出され「釣瓶汲みからの解放」となったが、人々の欲望はもっと楽への方向にエスカレートし、そのニーズに応えて、井戸水汲みポンプが創られ、井戸ポンプによる家庭用電気水道機能が完成し、人々は「重労働であった水汲み」から完全開放された。イ）著者の家に昔、家庭用井戸ポンプが来た時、おばあちゃんが「ビビー」ときそうだからいやだと蛇口に触れなかった事を思い出した。

(a1) 井戸の水汲み
川の水の運搬(辛い重い水桶運搬からの解放) ➡滑車の発明
➡井戸水の釣瓶汲み(繰返しの釣瓶引上げからの解放)➡手押しﾎﾟﾝﾌﾟの発明
➡手押しﾎﾟﾝﾌ汲上「大幅に楽になった」が (手押しからの解放)と更に欲望は高まる
➡(電気ﾎﾟﾝﾌﾟ水道の開発) ➡家庭用井戸ﾎﾟﾝﾌﾟ「水汲みから完全開放」
➡井戸水使用不可となる井戸水の水質法規制化➡公共上水道
・・・人は「きついコト」から解放されると「願望するコト」へと要求が変化する

(a2) 手洗い洗濯:
盥+洗濯板(冬の冷たい水での手洗いからの解放)
➡ 電気洗濯機(渦巻式)(洗濯・すすぎ⇔手絞りからの解放)
➡二槽式洗濯機(脱水付)(槽入替え等拘束時間からの解放)
➡全自動洗濯機「洗濯からの完全開放」
➡ライフスタイルの変化(共稼ぎ、帰宅が遅い等)住む環境の変化(室外に干す場所がない・排気ガス・花粉が気になる)より「新たな要求」「乾燥機能」よりそれらの家庭用に
➡全自動洗濯乾燥機も発売される。

人は「きついコト」から解放されると更に楽を求め、次々と「願望するコト」がエスカレート

図1.1.1 人々の欲しい機能 {不都合を感じるコト・困っているコト}

a2) 手洗い洗濯

図のように盥＋洗濯板での「冬の冷たい水での手洗い」が長らく続いてきた。

妻の苦労を見かね電気技術者が一般家庭で購入できる価格の渦巻式電気洗濯機機能を開発したことにより、洗濯すすぎのみの電気洗濯機機能により「冷たい水での手洗い」から解放した。さらに洗濯—すすぎ—脱水までの全自動洗濯機機能が登場し、加えて「乾燥機能」を加えた全自動洗濯乾燥機も発売され、冷たい手洗い洗濯から完全に開放された。

人々は「きついコト」から解放されると更に楽を求め、次々と「願望するコト」がエスカレートして、次々と新しい機能が開発され、その不都合を感じることから完全開放まで進化する。すなわち、「不都合を感じるコト」は「苦境が生態系を進化させた要因」であったように、どのジャンル、ビジネスにおいても「不便解決が第一に人々の要求するコト」である。また、人々のライフスタイルや住む環境等の「市場の風」と「使える新技術」により内容が大きく変化する。「市場の要求するコト」が次々とエスカレートしている分野・業界は市場が活性化されている為、進歩発展が続く。「市場の風」と「使える新技術」に目を配り、次の「要求されるコト」を創造するコトが重要である。

(2) 生活を楽しみたいコト

人々は不都合を感じるコト・困っているコトから解放されると、人々の欲しいコトは「生活を楽しみたいコト」へと変化していく、すなわち、人々は衣食住が確保されると「音楽」他の「生活を楽しむゆとり」へと要求されるコトが変化していく

b1) 音楽を楽しむコト：

音楽は図1.1.2のように小鳥のさえずりなど鳴き声を真似する事から始まったとされ、民族固有の音楽を楽しんできた。コンサートや演奏会で「音楽を楽しむコト」が上層階級の特権であった。

ラジオの発明・普及が「家庭で音楽を楽しむ」音楽鑑賞機能を創り出した。さらに人々の「好きな音楽を好きな時に聴きたい」欲望に応えて、レコードが発明されレコード鑑賞機能が産まれ、「生の音楽会と同じ音質の音楽を家庭で聞きたい」との要望に応え、ステレオ装置機能が創り出された。その後、移動中に音楽を聞きたいに応え、ウォークマン他の携帯プレーヤー機能が創られ、さらに「自分好みの曲の最新アルバムを聞きたい」に応え、ipod (iphone) 機能へ、自分好みの曲を高音質の音楽を楽しみたいに応え、ハイレゾ機能へと進んできた。すなわち、家族・友達と一緒に「与えられた音楽を楽しむコト」から、「自分好みの音楽好きな時・処で楽しむコト」へと要求が技術進歩と共

に変化する。「音楽を楽しむコト」の関連ビジネスは演奏会よりスタート、今も芸術文化の中心として盛んに行われており、楽しむ機器はラジオ⇒ステレオ装置・ウォークマン⇒ipod（iphone）と推移し、音楽媒体はレコード⇒テープ・CD⇒ハイレゾデータと変遷して、音楽サービスはレンタル⇒曲の配信のビジネスに発展している。

b2）映像を楽しむコト：

映像を楽しむコトは図1.1.2のように、写真の発明で映画が創られ、映画館で人々が映像を楽しんでいる。映画館の観客数は1958年をピークにカラーTV普及で減少しているが、「最新映画を早く観て楽しみたい」との要望により根強い人気があり、映像を楽しむ機能のTopに映画機能が残っている。

カラーTVが東京五輪で大巾普及すると、家庭のカラーTV放送で映像を楽しむようになった。家で好きな時に映像を楽しみたい欲望に応えて、VTR・LD・DVDが開発され、加えてレンタル・映像チャネルが加わり、家庭で新しい映像を楽しむ機能が出来上がった。さらに、「映画館並みの映像を楽しみたい」欲望に応えて、高精細TV、フラット大型画面TVが売り出された。家で映像を楽しむから「好きな映像を好きな時に一人で楽しむ」要望もあり、Net配信、ipadなども出てきて、「TVで与えられた映像を楽しむコト」は「自

b1）音楽を楽しむコト：
音楽は小鳥のさえずりなど鳴き声を真似する事から始まったとされ、民族固有の音楽を楽しんできた。
＊コンサートや演奏会で「音楽を楽しむコト」が上層階級から始まった。
➡ ラジオの誕生が音楽の文化を変えた⇔家庭で「音楽を楽しむコト」発見
➡「好きな音楽を好きな時に聴きたい」⇔レコード
➡「生の音楽会と同じ音質の音楽を家庭で聞きたい」⇔ステレオ装置
➡ 移動中に音楽を聞きたい⇔ウォークマン(テープ、CD)⇔レンタル
➡ ┌➡「自分好みの曲の最新アルバムを聞きたい」⇔ ipod(iphone)
　 └➡「自分好みの曲を高音質で楽しみたい」⇔ ハイレゾ
・・・家族・友人と一緒に「与えられた音楽を楽しむコト」から
「自分好みの音楽を好きな時・所で楽しむコト」へと要求が技術進歩と共に変化

b2）映像を楽しむコト：
＊映画館で映像を楽しむコト⇔ 1958年ピークに観客数は カラーTV普及で20%に、70年以降15%で推移
＊家庭で映像を楽しむ⇔カラーTV東京五輪で大巾普及
➡家で新しい映像を楽しむ⇔VTR・LD・DVD ⇔レンタル・映像チャネル
➡「映画館並みの映像を楽しむ」⇔高精細TV、フラット大型画面TV
➡「好きな映像を好きな時に一人で楽しむ」⇔インターネット配信、iPod、スマートホン
・・・「TVで与えられた映像を楽しむコト」は「自分で選んだ映像・大きく高精細な映像を楽しむ」や「何時でも何処でも映像を楽しむ」と要望は技術進歩と共に多様化している

図1.1.2　人々の欲しい機能 ｛生活を楽しみたいコト｝

分で選んだ映像・大きく高精細な映像を楽しむ」や「何時でも何処でも映像を楽しむ」と要望は技術進歩と共に多様化している

コンシューマー分野の「生活を楽しみたいコト」は生活にゆとり（食料確保、戦いからの解放）が出来て、古くは民族、そして「家族と一緒に楽しむコト」から始まり、「個人・仲間で楽しむコト」へと多様化した。各年代のライフスタイルや地域・流行・景気等の「市場の風」と「新技術で革新される機器」により楽しみ方が多様化し、「人々の要求するコト」も多様化している。景気や若者が先導する「市場の風」と「好みの動向」に目を配り、次に来る「要求されるコト」を予想することが重要である。

(3) 人々の夢・願望するコト

「人々の夢の実現」をめぐって歴史上で最も有名なのは「鳥のように空を飛べたら」を実現したライト兄弟の「人類史上初の有人飛行成功」であったが、ほかにも、「人々の夢」は多く実現されている。「難病を治してあげたい」の願望がISP細胞創造されたように、研究者・設計者の夢が「革新的なモノ」を創造している。

c1)「何時でも何処でも連絡・話したい」:

図1.1.3のように、離れた処の人に早く連絡したい・話したい等の願望に応え、有線電話機能が発明された。交換手での待ち時間の不満に応えて、ダイヤル式電話器・自動交換機能が開発された。外出者と急いで連絡をしたい要望に応え「ポケベル」機能が創られたが、最寄りの電話を探す不便やニーズに応えて、「無線＋携帯電話」に進化して、「何時でも何処でも連絡・話したい」との夢の機能が実現された。人の願望はエスカレートし、その後「電話機能＋インターネット機能＋音楽・映像端末機能」と進化続けている。

c2)「思い出を共有したい」:

図のように、その時の記録として写真を残したいとの願望より、写真乾板機能が発明された。しかし、撮影時間長く不便との不都合に応え写真フィルム機能が発明された。人々の「撮った写真を直ぐ見たい」との願望によりインスタントカメラが開発されたが、皆で共有に不便との要望からデジカメが発明されると、さらに願望がエスカレートした「撮った写真を直ぐ送りたい」の願望に応え、メールでの送受信が加わり、さらに携帯にデジカメ機能追加され、思い出をその場ですぐに共有できる夢が実現した。

「思い出を共有したい」で発明された写真は媒体を「印画紙」から「電子デー

c1）何時でも何処でも連絡・話したい
＊人々は離れた処の人に早く連絡・話したい➡有線電話の発明
⇔(交換手・待ち時間の不便) ➡「ダイヤル式電話器・自動交換機」に進化
⇔(外出者と連絡出来ない不便) ➡「ポケベル 」
⇔ (最寄りの電話を探す不便) ➡「無線＋携帯電話」に進化
・・・「何時でも何処でも連絡・話したい」夢の機能は実現された。
・・・人の願望はエスカレートし、その後「電話機能＋インターネット機能＋音楽・映像端末機能」と進化し続けている。
c2）思い出を共有したい
＊その時の人の写真を残したい➡写真乾板の発明
⇔ (撮影時間長く不便) ➡写真フィルムの発明
⇔「撮った写真を直ぐ見たい」➡インスタントカメラの開発
⇔ (皆で共有に不便) ➡デジカメの発明
⇔ (撮った写真を直ぐ送りたい) ➡メールでの送受信➡携帯にデジカメ機能追加
・・・「思い出を共有したい」で発明された写真は媒体を「印画紙」から「電子データ+ディスプレー」へと変えながら、コダック写真の基本理念「思い出を共有し、人生を共有する」を進化させている。

図1.1.3　人々の欲しい機能｛人々の夢・願望するコト｝

タ＋ディスプレー」へと変えながら、コダック写真の基本理念「思い出を共有し、人生を共有する」を進化させている。

「夢を実現するコト」が人類の生活全般｛文化、科学、医学、交通他｝を進化させてきたと考える。「人々の夢をみるコト」は人類の特権であり、人類の文明を発展させてきたと云っても過言でない。したがって、現在の技術では途方もの無いと思われる「人々の夢」を貶さないで、大切にフォローする事が重要である。

(4) インフラ分野の人々が欲しいコト

インフラ分野（インフラ・生産設備）における「設備関連の人々が「欲しいコト（要求されるコト)」」は、第一次産業革命以来、「生産設備で要求されるコトの主機能」を実現する機械・電気機器が主機として開発されてきた。市場環境の変化に伴い、生産設備で生産される製品への「新しい要求」が追加される為、生産設備で実現する機能の向上「新しい機能」が要求される。製品へのユーザーからの生の要望を聴き、日々生産設備を使って製品改良に工夫している「該当インフラの製造現場での苦労」をユーザーと一緒になって工夫する事が次の「インフラ分野で要求されるコト」を創造できる近道である。インフラ設備における欲しいと要望された機能の事例、d1）水道の配水ポンプ場の停電メンテナスフリー機能、d2）売り子に「一台ずつレジ機能」、d3）鉄鋼分野の薄板インフラ機能、d4）ジェットエンジン機能の事例を図1.1.4に示す。d1）は時々起こる瞬時停電で配水管の水の流れが止まると管に付いた水垢が浮き立ち蛇口から真赤な水が暫く出続ける不都合を対策するモノ、d2）はデ

d1）水道の配水ポンプ場の停電メンテナスフリー機能＝赤水対策
＊電力事情は改善されていたが、0.2秒～0.5秒程度の瞬時停電が時々発生していた。
・当時の配水ﾎﾟﾝﾌﾟを駆動する電動機ｼｽﾃﾑは2ｻｲｸﾙ(40ms)程度の停電で遮断され、再運転に10分以上の時間を要した。
＊配水ﾎﾟﾝﾌﾟが停止すると配水管の水の流れが数分で停止してしまう、配水管の水の流れは常に一方向である為、流れが止まると管に付いた水垢が浮き立ち、ﾎﾟﾝﾌﾟ再運転すると水需要者の蛇口から真赤な水が暫く出続けるトラブルとなって、水道関係者は大変困っていた。
＊全国のﾎﾟﾝﾌﾟ場を調べると、当時は高度成長期で、配水ﾎﾟﾝﾌﾟ場は無人化が進んでおり、各所で復旧時間を更に要して困っている ➡「お客が欲する機能」
d2）売り子に「一台ずつレジ機能」＝レジ大混雑対策
＊1984年当時Iデパートもお中元商戦、歳末商戦などイベントを実施していたが、イベントの度に、企画通り、イベントにお客が殺到してくれたが、売り子は他の売り場から補充で対応していた。
＊しかし、売り場の数台しかないレジ台数ではお客対応が追い付かず、レジ周りが大混雑となり、「お客を長い時間待たせる｝サービス低下を起こしていた。
・調べているとIデパート以外も同じ状況で困っている様子であった。➡お客の欲しい機能
d3）鉄鋼分野の薄板インフラ機能：主機能：高品質の薄板を生産する圧延機能・・圧延機械が主機
⇒新機能：軽量化対応の超薄板化機能と表面光沢化（鏡面化）機能・・主機だけでの実現が限界に
・・従来の圧延機械主機だけでの実現が限界になり、制御技術で新機能を追加
➡「主機＋制御」機能が新しい主機能に移行・・旧主機と密接連携機能が必要。
d4）ジェットエンジン機能：主機能：小形・高信頼・高推力機能(3軸⇒2軸化等）・・エンジン本体が主機
⇒新機能：燃料噴射他燃費向上の制御新機能やﾘﾓｰﾄ診断とﾒﾝﾃﾅﾝｽによる何時でも飛べる新機能
➡エンジン主機機能＋制御機能＋診断IT機能が新しい主機能に移行
単独主機での進化限界になったがエンジン主機は最重要機能のベースである。

図1.1.4　人々の欲しい機能｛インフラ分野の人々が欲しいコト｝

パートのお中元商戦、歳末商戦イベントの度に、ユーザーが殺到、売り子は補充対応したが、売り場レジ台数少なく、大混雑となり、「お客を長い時間待たせる」不都合に対策したモノ、d3）は薄板鋼鈑の高品質化に制御機能で対策したモノ、d4）は燃費向上や何時でも飛べるメンテナンス化を実現する新制御・リモート診断などの新機能のモノがユーザーの欲しい要望を実現している。

インフラ設備で要求される機能を分類すると、①生産設備で要求される機能を実現する機械・電気機器（主機）他の主機能、②ユーザーが職場で「困っている・不自由に感じている」ことを解決してくれる機能、③職場でお客が夢・願望することを満たしてくれる機能、④新技術が新しいコトを創りだすユーザーも予想外の機能、⑤「市場の風」を先取りした機能である。さらに、市場の風、該当インフラに携わる人達の問題点・願望を掴み課題を明確にして、該当インフラでの「欲しくなる機能」を分析することが重要である。

以上のように、コンシューマーにおける人々が欲しいモノは、①人々が「不自由に感じている・困っているコト」から解放してくれるモノ、②人々の生活を豊かにしてくれるモノ、③人々の夢・願望するコトをかなえてくれるモノである。インフラ設備で欲しいモノは、①生産設備で要求される生産向上図れるモノ、②該当インフラ設備の職場で「困っている・不自由に感じている」ことを解決してくれるモノ、③該当インフラ関連の人々が夢・願望することを満た

してくれるモノ、④新技術が新しいコトを創りだすユーザーも予想外のモノ、⑤「市場の風」を先取りしたモノである。

(5) まとめ

一般市民生活をしている人々の欲しいモノは日々の生活の中で、①不都合を感じるコト・困っているコトから解放して貰うことに始まり、②生活を豊かに・楽しみたいコトへと進み、③人々の夢であるコトへと展開されることが一般的である。①不都合を感じるコト・困っているコトは「喉が渇き水を飲みたい・食べ物を食べたい」などの生命に係る欲望が時代背景に関わらず最優先であり、家電普及前に手洗い洗濯のようなきつい家事からの解放要望は市民生活の豊かさへと変わるライフスタイルと共に変化していき、共稼ぎ家庭で帰宅後の夜間洗濯機の音に困るなど不都合を感じる内容へと変化を続けている。②生活を豊かに・楽しみたいコトも音楽・映像鑑賞ほか娯楽内容・携帯端末が多様化して、何時でも何処でも楽しめるように変化している。③人々の夢であるコトは科学技術の進化により飛行機に始まりスマートホン等人類の夢を次々と実現されて、「難病を治していたい」の願望を受けてISP細胞やmRNAワクチンなど「革新的なモノ」が創造されたように、人々の願望するモノが多様化しているので「市場の風」を先取りするコトが「人々の欲しいモノ」の分析に増々重要となっている。また、インフラ分野の人々が欲しいモノは、インフラ設備の主機単独の性能向上から制御機能やサービス機能などと組合せた総合性能の向上へと変遷しているが、インフラ設備の総合効率向上の為に困っているコトが機器単体改善で解決できないコトが多数あるので、それらを設備の人達と一緒になって分析することが重要である。

1.2節　人々を魅了するモノとは何か

(1) 1955 ~ 70年代のアナログ・ハードウエア中心の世界

米国ベル研究所のショックレー他が1948年に20世紀最大の発明であるトランジスタを創り出した。しかし、米国での利用は低周波の軍事用に限定されていた。創業間もない東京通信工業の井深はこのトランジスタに着目し、高い周波数の必要な放送電波受信ラジオ用に改善して携帯トンジスタラジオを開発することを着想した。そして、人々の「持ち歩き何処でも何時でも楽しみたい願望機能」を先取りし、55年に世界初の携帯トランジスタラジオを実現し、世界の人々を魅了した。日本エレクトロニクス業界はこの開発の成功を始めとして、トランジスタTVや電卓、そしてLSI電卓、更にVHS方式ビデオデッキ、ウォークマンなどエレクトロ二クス新技術を活用し「人々が欲しがる機能」を先取りして実現して、人々を魅了するモノを次々と創り出し（詳細は2章参照）、エレクトロニクス家電分野で独占に近い世界シェアを取った。さらに、メモリー他半導体の市場でも日本エレクトロニクス業界が80％以上のシェアを独占した。これらの原動力はソニーの前身の東通工やSHARPなど当時出来たての若い企業であり、新技術・新製品を夢見る若い技術者が居り、将来出て来る「人々が欲しがる機能」を先取りした機能を考え続けた。さらに、日本が蓄積してきたアナログ技術とものづくりの徒弟制度の中で「機械の音より性能劣化を聴き分け事前修理する」おもちゃをものづくりの現場力を以って自分達で工夫して創って育ち、モノ創りが好きで好きでたまらない若者が創業間もない企業でモノ創りに携わり、次々と世の中に無いモノを創り出せたと考える。

しかし、この日本エレクトロニクス業界の独占状態が貿易問題に発展し85年のプラザ合意（為替が240円➡120円/ドルの円安）までに至った。加えて、ベンチャー的に「将来、お客が欲しがる機能の製品にアプローチ」してきた企業が大企業へと発展過程でものづくり現場力を疎かにした。そのため、20世紀の終わりと時期を合せて、日本エレクトロニクス業界から『将来お客が欲しがる機能にアプローチ』する「若い企業」「夢見る若い技術者」が消えてしまったかのように見え、時代がディジタル文化へ転換したことで、「人々を魅了したモノ」を創り出せなくなったのではと考える。

(2) 80年代以降のディジタル・ソフトウエア中心の世界

・μプロセッサ・パソコン・インターネットが人々を魅了している

日本のビジコン社がプログラム制御の電卓を計画し、半導体、回路、コンピュータなどの技術者が集まった創業間もないインテル社に、そのためのチップセットの開発を依頼した。コンピュータ技術者テッド・ホフの「4ビットのCPU」というアイデアのもとに嶋正利とフェデリコ・ファジンが中心となってマイクロプロセッサを誕生させた。これは、複数桁の演算処理は1桁（4ビット）の演算の反復で置き換えればよく、また外部機器の制御も、ソフトウェアのプログラム制御に置き換えればよいという機能をコンピュータの技術を活用してLSIチップで創り上げた。この「μプロセッサの誕生」は8ビット、16ビッ

第1章 第2章 第3章 第4章 第5章 第6章

ト、32ビットと急激に性能を向上させて、パソコンや携帯通信端末などのIT技術文化へとイノベーションさせ、「μプロセッサ機能」が世界の人々を魅了している。この8ビットに向上したμプロセッサとアラン・ケイの「マウス/GUIコンピュータ」アイデアを組合せて、個人がマウスで操作できるコンピュータ「パソコン「Macintosh」」をアップル社ジョブスが開発してパソコン文化のきっかけを創った。しかし当初､利用者は研究者や学生などに限られ、一般コンシューマーへの普及を見なかった。同じように大学や研究者の利用に限定されていたインターネット情報交換機能とパソコンを結合する「インターネット・エクスプローラー機能を入れたパソコンOS「Windows95」」が発売されると、一気にパソコン機能とインターネット機能が一般コンシューマーを魅了するモノに成長している。

• ディジタルでアナログ機能の表現が人々を魅了している

人々の「好きな音楽を好きな時に聴きたい」欲望に応えて、レコードが発明されたが、ゴミや針での雑音を無くしたいとの人々の欲望を受けて、中島はデジタルオーディオ録音の試作で聴いた音の感激を忘れられず実用化の研究を続けた。一方、フィリップス社は光学ビデオディスク技術でレコードに代わるモノとして研究していた。フィリップス社でこの光学ディスク試作機を見たソニーの大賀は「フィリップスの光学ディスク技術とソニーのデジタルオーディオ信号処理技術」の結合を決断し、共同開発にてCD（コンパクトディスク・デジタルオーディオシステム）を開発・発売し、2000年には3.8億枚を超えるほどの人々を魅了するモノに成長した。

また、家庭用ゲーム機として、任天堂はLSI電卓の開発でプログラム制御の電卓と同じ発想でアナログ的なゲーム内容をプログラムで切り替えることを考えて､TV画面に接続で価格を抑えた家庭用のゲーム機「ファミリーコンピュータ」本体とゲームソフトを発売し、別メーカも同様ゲーム機を発売し、これに追従した。そして、アナログ文化を得意とする日本の2社が、世界の子供達を魅了するモノを提供し続けている。

• IT技術でより便利な携帯電話機が人々を魅了している

「何時でも何処でも連絡したい、話したい」という人々の夢を実現した携帯電話に対し、「携帯電話機を使った新しいデータ通信サービスの可能性」提案を事業にするよう指示をうけた榎本は、ユーザー間でのメールのやりとりだけでなく、さまざまな情報をメールに載せて配信するサービスを提供できないかと発想した。ACCESSの提案の「HTMLで表示するブラウザ機能を非常に小さなメモリー空間で実現する」を採用し「iモード」通信を実現し、メールに載せて写真他の情報を送れるという人々を魅了するモノを携帯電話機サービスに‘99年加えた。

アラン・ケイのパーソナル・コンピュータ未来像「だれもが携帯できる情報端末」発想と日本の携帯「iモード」機能やタッチパネル操作ほかのIT技術を結合して「携帯電話（デジカメ)、音楽端末iPod、そしてインターネットコミュニケーター端末の3種ディジタル機能」を1つの端末で実現した「iPhone」をアップル社ジョブスが開発し、人々を魅了している「スマートホン機能」文化を創り出した。

(3) 半世紀以上世界を魅了し続けるモノ

• ホンダ・スーパーカブが人々を魅了している

戦後間もない1956年にオートバイク先進国にヨーロッパを実情視察し、ヨーロッパの舗装整備された道路と全く違う「砂利道、ぬかるみの悪路だらけの日本」の実情に合わせたオートバイが、日本の人々は良いはずと考えた本田と藤澤は『日本の道路でも自由に走れる4馬力』、『悪路でも乗りやすく、頑丈なもの』と『誰でも扱えるような物で、特に女の人が乗りたくなるようなバイクで、エンジンが露出していない』ことを理念に開発を開始した。本田と藤澤は「人々を幸せにしたいとの想い」で、①エンジンは、高出力、静粛性と燃費に優れた4ストローク、②車体は女性も乗り降りしやすいカタチとサイズ、③ギアの操作方法はクラッチレバーを必要としないシステムの構築、④先進性のあるデザインで、かつ親しみやすく、飽きが来ない、の4つの開発目標を設定し、社長自ら手を傷だらけにしながら、先頭に立って製品開発を実行した。こうした「本田のモノづくりに対する理念と執念」で人々を魅了する「ホンダ・スーパーカブ」を’58年に創り出した。

砂利道・泥道の悪路でも自由に走れ・乗りやすく、片手でも運転でき、女の人でも乗りたくなる「スカートでも乗れる小型オートバイ」の理念のモノが世界の160カ国以上の人々を魅了し続けて、2017年累計販売台数は1億台を突破し、半世紀以上経った現在も基本的デザインは変わらないまま世界中で販売され続けている。

• 交流電動機が人々を魅了している

蒸気機関に代わり簡単に設置できるコンパクトな動力機能を人々は熱望していた。ニコラ・テスラは多相交流という考えを1887年に発想し、その多相交流により回転する磁界を作ることが出来ると考え、交流発電機による多相交流と送電システム理論の発明、そしてその交流電力で駆動される2種の交流電動機「3相の誘導電動機、併せて3相同期電動機」を発明した。共通の発電所で発電された交流電力を送電線で使用する個別需要家の設備用にコンパクトに設置できて、騒音、振動、排ガスもない交流電動機動力機能は設備設置家から魅了あるモノとして100年以上経った現在も使い続けられており、加えてエンジン自動車に代わり電気自動車への展開が新たに始まっている。

• コンピュータ…「不可能への挑戦」の副産物が世界をイノベーションする

数学者ヒルベルトが数学というシステムを整えるべく「その数学が絶対に間違わないということを数学的に証明しよう」という運動を始め、天才数学者アラン・チューリングは「論理式が定理かどうかを数学的に論証するアルゴリズムを開発すること」という不可能な「決定問題」へ挑戦し、コンピュータの原理にあるチューリングマシンを1936年に発明した。チューリングはこの決定問題を解くために、無制限のテープと有限状態オートマトンから成る計算モデル「チューリングマシン」を提示し、機械的なプロセスで解くことが出来ない問題（停止性問題）があることを証明した。万能チューリングマシンはテープを取り換えるだけであらゆる計算を行うことができるということであり、処理の手順（プログラム）を入れ替えることで様々な処理を行えるコンピュータ機能の原理を創造した。その創造がコンピュータ・サイエンスの発展に繋がって人々を魅了し続けているが、現代のようなコンピュータの世界になっていくとは、チューリング自身も想像していなかったと考える。

大戦中、爆弾の弾道や威力を予測するためには大量の計算が必要になることから、最初のコンピュータ「ENIAC」の開発が進められ、戦後やっと完成したが、総重量30トンの巨大でありながら計算能力は現代の電卓よりも低く、さらに新しい計算をする度に、真空管の配列や配線を一から組み直さねばならず、大変不便だった。そこでノイマンは1945年「電子計算機の理論設計序説」で、コンピュータの内部にあらかじめプログラムを内蔵させておく方式を提唱し、ソフトウェアとハードウェアという概念と演算論理装置、制御装置、主記憶装置（メモリー）、入力装置、出力装置の五つの装置から構成されるノイマン型コンピュータを提唱した。1949年最初のノイマン型コンピュータ「EDSAC」を第1世代コンピュータとして開発した。これにより、プログラムを書き換えれば新しい計算を行わせることが可能になり、コンピュータの汎用性は飛躍的に高まった。

アラン・チューリングは「100年以上の未解決問題への挑戦」から「プログラムを入れ替えることで様々な処理を行えるコンピュータ機能」というイノベーション機能を創り出した。そして、フォン・ノイマンはチューリングの仮想計算機機能をフトウェアとハードウェアという概念と五つの装置（演算論理装置・制御装置・主記憶装置・入力装置・出力装置）で構成されるノイマン型コンピュータ機能を創り出したと考える。このイノベーション機能「プログラムを入れ替えることで様々な処理を行えるコンピュータ機能」は1971年のマイクロプロセッサ機能の創造に影響を与えたことを始め、今日のディジタル情報技術と今後発展が期待されるAI技術の礎となっている。

(4)「新技術」は予想外の新しい機能を創造

業界のお客も予想外の新しい機能を創造し、業界を魅了した「新技術」の事例「電動機のマイコンディジタル制御機能と交流電動のベクトル制御機能」を述べる。

・電動機のマイコンディジタル制御機能が人々を魅了している

電動機の可変速制御においてはサイリスタ・ICなどのパワーエレクトロニクス技術の進歩で低速からの可変速範囲の広い速度制御機能が開発されていたが、鉄鋼圧延機業界では、鉄板の薄板化・表面凸凹レスの光沢化の要望ニーズが高まっており、ディジタル制御化が検討されていた。しかし電動機の可変速制御は超高速処理の為、可変速制御専用の高速処理命令語を持つ専用コンピュータは経済的に使えないため、ディジタル制御化が進まなかった。そんな状況にあって1978年インテル社から16ビットマイクロプロセッサー（マイコン）i8086が発表され、マイコンディジタル制御化で経済性でもディジタル制御の可能性が見えた。しかし、電動機の制御は超高速処理の為アナログ制御で行われ、マイコン制御は無理と電動機制御分野の学会でも考えられていた。

大前氏他が当時非力なマイコン（i8086）でも処理可能なサンプリング制御方式や高精度速度・電流検出方式等の新技術を工夫しマイコンディジタル制御機能を開発し、某製鉄会社の薄板用冷間圧延設備用に納入した。その結果、速度精度を10倍以上、超極低速の速度制御など性能向上を実現し、冷間圧延機でのお客も予想しなかった次のような新しい機能を創造した。①巻き始めからの鉄鋼板のオフゲージ（売れない部分）が大幅減少（年に数億円向上/ライン）機能、②薄い鉄板を圧延出来る機能⇒ビール・ジュース等の缶に鉄鋼板が使用可となる（需要拡大）機能、③（超低速制御で）圧延ロールを圧延機から外さずに研磨でき、メンテ時間大幅減少等の新機能などを創った。それ以降、これが電動機制御分野の人々を魅了するモノ「マイコンディジタル制御機能」となった。加えて、「交流電動機のベクトル制御」の実用化も可能とした。

• 交流電動機の可変速制御「ベクトル制御機能」が人々を魅了している

電動機の可変速制御機能を利用するインフラ設備の人達は「直流電動機の可変速制御機能を持ち、ブラシレスの交流電動機の可変速制御機能」が長年要望され、世界中の技術者が研究開発を続けて来た。そんな中、1970 ~ 80年代にかけて、大容量トランジスタの開発に始まり、自己消弧の「IGBT素子」が発明され、「自己消弧機能を利用したPWM制御インバータ変換器」が実用化され、PWM制御により直流⇔交流変換するので、交流変換の基本成分は正弦波で、かつ瞬時応答による電流加減及び位相変化ができる制御性を実現できるようになった。

一方で、日本とドイツ両国の「交流電動機の可変速制御を研究していた」研究者が新しい制御理論「ベクトル制御理論」を発想し、ほぼ同時期に発表した。すなわち、電動機内部の空間的ベクトル「トルク発生の基本を磁束成分と直交する電流（トルク）成分とに分解して、トルクを直流機のようにとらえる理想的な考え」制御理論を発想し、ベクトル制御の実用である「新しいすべり周波数制御方式」を1974年に発表、くしくもドイツからはField Orientation制御「磁界ベクトルの方向を基準座標軸としてモータの電流ベクトルの大きさ・方向を瞬時値制御しようとする考え」を1979年に発表している。この両国から発想された新しい制御理論「ベクトル制御理論」は、交流電動機を直流電動機以上に可変速制御機能に実現できる制御理論で、前述の「PWM制御インバータ変換機能」と「マイコンディジタル制御機能」と組合せることで理想の「交流電動機の可変速制御機能」が実現した。

その結果、①メンテ不要な交流電動機で直流電動機以上の可変速制御性能向上、②ゼロ速度からの速度可変範囲に向上、③停止状態からのトルクを精密制御などの優れた機能を実現し、高精度な速度・トルク制御の必要な鉄鋼圧延機駆動用途や新幹線などの列車駆動用などに広く展開され、コンパクトなIPM同期電動機も開発され、電気自動車用への展開も始まった。また、高速エレベータ用途への展開では、従来エレベータで起動・停止時に乗客の感じる不快感「ふわっ」を無くすことのできる人々を魅了する機能、「精密トルク制御技術を活用し人々に「動き始め」を感じさせない「加々速度制御機能」」まで実現した。この「ふわっと」レス機能は電動機動力で駆動する電車や自動車の起動・停止及び加減速における運転制御に利用されて、乗客への快適性から新製品にはなくてはならないという「人々を魅了するモノ」になっている。

(5) 生態系が創った機能から新しい機能を創造

生態系は46億年前に地球誕生、原始海誕生を経て、原始生命体の誕生より始まり、原核生物、光合成生成細菌、真核細胞生物、多細胞生物、有性生殖の多細胞生物へと進化して、38億年かけて人類他の哺乳動物や被子植物に進化して来た。その生物の根源である細胞一つ一つが生命そのものとして「細胞」機能を進化させるために、細菌やウイルスとの共生や細胞内取込み機能、シナノバクテリアの光合成機能、アミノ酸他の物質作成のDNA情報機能、「ミトコンドリア」のエネルギー製造に資する細胞呼吸機能など現在科学技術でも追い付かない幾多のイノベーション機能を創造しており、人類は学ぶべきと考える。

多細胞生物として、㋑必要機能を分担する器官細胞に分化する機能を持つ「分化細胞」と、㋺自己複製能と分化能を同時に持ち、半永久的に増殖機能を持つ「幹細胞」など重要な機能を持つ細胞を創り出した。医療が進んで来て、損傷した網膜・心臓・肝臓などの器官の移植医療がおこなわれているが、本人と異なる細胞情報のための拒否反応や、本人と同種血液型要件など臓器の提供に関する制約などの問題に直面している。そこで、生態系の創り出した幹細胞の機能「自己複製機能と分化機能、および増殖機能」に着目して「幹細胞」であるES細胞を受精卵から樹立し再生医療他に利用を開始したが、人類の受精卵の胚細胞から創り出すことより倫理的問題が持ち上がってしまった。ショウジョウバエの触角に遺伝子「アンテナペディア遺伝子」を働かせると、本来触覚が生えるはずの部分に足が発生したという生態系細胞の分化機能に着目し、皮膚などの体細胞に4種の遺伝子を働かせて、人工的に多能性幹細胞すなわちiPS細胞を樹立し、再生医療や医薬品の早期開発に重要な機能と目されている。

(6) まとめ

食べる不都合から解放され、生活を豊かにする願望へと進んできた1950年代の時代背景を捉え、日本エレクトロニクス業界は日本の得意としたアナログ文化とハードウェアのものづくりを活かして、「持ち歩き何処でも何時でも楽しみたい願望」を先取りした「トランジスタラジオによる携帯ラジオ機能」ほか、独創的革新的な機能を次々と創り出し、それらの新製品が市民生活をイノベーションさせる機能が世界の人々を魅了させるモノとなった。しかし、これらの人々を魅了するモノは、新技術の開発と社会生活環境の変化により、生態系と同じく自然淘汰を経ながら進化を続けている。

μプロセッサの発明により発展した1980年代以降のディジタル・ソフトウエア技術の発達により、アナログ・ハードウエア中心文化からディジタル・ソフトウエア中心文化に時代が転換されると、パソコン機能、インターネット機能という人々の生活を一変させるイノベーション機能が創り出され、人々を魅了させた。さらにパソコン＋インターネットの組合せや無線通信＋携帯電話での「音楽・動画映像等」鑑賞に加え、「天気・道案内・ニュース等」の情報機能などのイノベーション機能で人々を魅了させるモノに発展し、生活の一部になりながら進化を続けている。

一方、自然淘汰を繰り返しながら進化を続けている新製品が発売される中で、半世紀以上世界を魅了し続けるモノがある。「ホンダ・スーパーカブ」は1958年に発売以来、今も基本的性能・デザインを変えないまま、世界160ヶ国以上の老若男女がその乗り易い性能・すがたに魅了され世界の砂利道・泥道の悪路を走り回っている。これはバイクライダーの文化を革新した「誰もが気軽に乗れることを徹底的に追求した操作性・すがたに加えて、実用車としての燃費の良さ」を追求する創業者の「理念」と「ものづくりへの執念」が生み出したモノと考える。ニコラ・テスラが1887年に「電気は直流の常識」を革新する「多相交流理論」の発想と併せて創り出した交流電動機動力機能は設備設置家から魅力あるモノとして100年以上も使い続けられており、さらに、個人用途の電気自動車への展開が新たに始まっている。これは交流電動機動力機能の基本機能を超える機能が創造されずに、最新の新技術を取り入れて性能・サイズを進化させてきたコトが、自然淘汰の流れに飲まれることなく世界を魅了し続けている要因と考えられる。チューリングは「100年以上の未解決問題への挑戦」から「プログラムを入れ替えることで様々な処理を行えるコンピュータ機能」という仮想計算機機能を1936年に創り出し、ノイマンはその仮想計算機をフトウェアとハードウェアという概念と五つの装置（演算論理装置・制御装置・主記憶装置・入力装置・出力装置）で構成されるノイマン型コンピュータ機能を創り出した。この「プログラムを入れ替えることで様々な処理を行えるコンピュータ機能」は1971年のマイクロプロセッサ機能の創造に影響を与えたことを始め、今日のディジタル情報技術と今後発展が期待されるAI技術の礎となっている。

また、「新技術」が予想外の新しい機能を創り出し、インフラ設備から魅力あるモノとして電動機のマイコンディジタル制御機能や交流電動機の可変速制御「ベクトル制御機能」が使い続けられている。電動機のマイコンディジタル制御機能はアナログ制御の常識を革新し、マイコンの発明により理想のゼロ速度から広い可変速範囲の精密精度の回転速度性能を実現できるマイコンディジタル制御機能への転換が、鉄鋼板のオフゲージの大幅減少や極薄い鉄板化による新しい用途への展開に繋がるインフラ設備家を魅了するモノに進化した。またこの「マイコンディジタル制御技術」と新しい「ベクトル制御理論」により産み出された交流電動機の可変速制御「ベクトル制御機能」は急峻速度応答・トルク制御は直流電動機の常識を革新して、全ての用途に適した速度・トルク性能を実現した。その速度制御性能が動力駆動利用者を魅了するモノとして、君臨する進化をとげた。この機能の創造は利用者が創造していなかった効果(エレベータ・電車・自動車の起動・停止及び加減速における不快感「ふわっと」レス）を実現している。生態系の創り出した機能を応用して創り出されたIPS細胞やmRNAワクチンなどは、生態系の創造した機能から新しいイノベーション機能が創造され始めた好例である。以上のように、ディジタル技術が進化し利用が拡大されているが、人々を魅了するモノの機能はアナログ的な人の発想により創り出されている。これら人々を魅了するモノがどのようにして創り出されたかの詳細は2章～4章で述べる。

1.3節　魅了するモノの「生命」とは何か

(1) 一般市民用製品・モノの生命

動物（生態系）の生命は、①基本単位の細胞、②生命の基となる遺伝子、③自然淘汰による進化、④エネルギーを創り出す細胞機能、⑤遺伝子情報で制御して、複製と代謝機能で細胞を進化させ続けている。

この生態系のしくみに倣って、一般市民用製品の生命を考察すると生態系の生命進化の要素①②③を引継いで①人々の困難・苦しみを解決し、人々を幸せにする遺伝子機能、②市場の変化を先取りする「人々の渇望する機能」(人々の夢やほかの人々の要望する機能)、③環境・時代背景に応じた製品機能の進化機能、加えて製品独自の機能として、④先人・生態系の獲得した智恵を新技術で進化させて夢を実現する機能、⑤生活環境を変革し進化させるイノベーション機能、⑥時代背景にあった価値の経済性機能などが考えられてきた。

①人々の困難・苦しみを解決し、人々を幸せにする遺伝子機能は有史以来生物が生き残るための第一の機能であり、製品にとっても人々が第一に必要とする機能である。しかし､この機能は社会生活の進化により次々と変遷していき、生活が豊かになった現在では人々の欲するモノは②の人々の夢やほかの人々の渇望機能へと中心が移っている。

人々の欲望は一つ満たされると、次に欲しいモノとエスカレートして行き、世の中で次々とブームのモノへと、人気の沸騰・衰退を短期間で繰り返している。次に③環境・時代背景に応じた製品機能は、人々の生活環境の変化「共稼ぎ夫妻の増加で洗濯時間・乾燥時間が限定」を捉え、洗濯機に「乾燥機能」、さらに夜間でも静かな「夜間静粛洗濯機能」などの機能を進化せるなど、時代背景に応じて製品を進化させ続けている｡一時期の日本の家電製品｢ビデオデッキ」のように、機械操作が不得意な人の立場で考えず、新技術による高級機能を次々と追加していき、人々に使い難いと敬遠された歴史があった。あくまでも製品は使う人のためにあることを忘れてはいけない。④先人・生態系の獲得した智恵を新技術で進化させて夢を実現した機能としては、目詰まりで吸引力が落ちるのを改善した「ダイソンサイクロン掃除機」が好例で、先人の「製材所の空気分離サイクロン集塵機の智慧｣を掃除機として進化させたものである。⑤生活環境を変革し進化させるイノベーション機能は創り出された当初、一般の人には従来品と全く異なる革新的機能の為受け入れられるための期間が長くかかることが多い。このイノベーション機能を持つ製品は、その機能と共生する製品「インターネットとWindows95」の発売や市場変化がきっかけで人々の注目が沸騰し大流行となることが多く､さらに､従来市場を時々破壊するケースがみられる。

しかし優れた機能を持つ製品でも⑥時代背景にあった価格の経済性機能を満たさないと、100年前の電気自動車が高価な電池他の為に市場から消え去ったように、製品として消え去る運命をたどる。以上のように定義された機能が製品の生命線として重要である。

(2) インフラ設備用システム製品・モノの生命

インフラ設備システム製品の生命も同じように、①設備システムで不便を感じるコトの解決機能、②設備システムの生産性・利便性を向上させる機能、③企業の蓄積智慧・遺伝子を新技術で進化させる機能、④設備・業界を変革させるイノベーション機能、⑤設備システムの産み出す効果に見合った経済性機能と定義できる。

インフラ設備システム製品にはその用途専用に創り出されたモノもあるが、発明された新技術で創り出されたモノを必要とされる用途に適用し、改善が繰り返されたものが多い。そのため、基本機能は変わらないが動力駆動機能のように、①設備システムで回転速度が速すぎる等の不便に対する改善として、変速ギア機能や可変速電動機機能などの可変速機能が創り出された。設備システムの大半は最終顧客向けの製品やサービスを提供するので、②システムの生産性・利便性の向上を追求したインターネットでの顧客とのコミュニケーション機能などを追加している。企業は長いモノでは100年以上も当初の基本機能を変えずに使い続け、その分野製品の性能・機能向上を③企業の蓄積智慧・遺伝子を新技術で進化させて、生産設備機能の性能を改善してきた。マイコンやベクトル制御理論など市場を一変する発明により④「マイコンディジタル制御機能」や「交流電動機のベクトル可変速制御機能」等のイノベーション機能が創り出されると大きく変革されて新しい設備業界が生まれる。優れた機能を持つ製品でも⑤設備システムの産み出す製品の生産性・利便性効果に見合った経済性機能を満たさないと導入されない。インフラ設備システム用途においてもここで定義した機能が製品の生命線のように重要であると考える。

(3) 一般の人々を魅了する製品・モノの生命

上記のように、製品は、①人々の困難・苦しみ（設備システムでの不便さ）を解決し、人々を幸せにする遺伝子機能、②市場の変化を先取りする「人々の渇望する機能」（人々の要望する生産性・利便性を向上させる機能）、③環境・時代背景に応じた製品機能の進化機能、④先人・生態系の獲得した智恵（企業の蓄積智慧）を進化させて夢を実現する機能、⑤生活環境（設備・業界）を変革し進化させるイノベーション機能、⑥時代背景（生産効果）にあった価格の経済性機能という6種の機能を持つことが必要と考えられる。このような機能を目指して創られた製品が「人々を魅了する製品」と「平凡な製品」に分かれるのは何故だろうか。すなわち、人々を魅了する製品の「生命」は何かを考える。

1946 ~ 80年代に人々を魅了したモノの生命は「トランジスタ発明の新技術」と「日本の蓄積されたアナログ技術・ハードウェアものづくり力」で市場の変化で変わる「人々の渇望を先取りする」革新的なイノベーション機能を創

り出したコトと考える。

第二次大戦前で世界経済恐慌の1936年の暗い時代に、ヒルベルトが提示した数学の未解決問題に挑戦した23歳のチューリングが無制限のテープと有限状態オートマトンから成る計算モデル「チューリングマシン（抽象機械）」を考案した。この「不可能への挑戦」の副産物である考案がテープを取り換えるだけであらゆる計算を行うことができるということであり、処理の手順（プログラム）を入れ替えることで様々な処理を行えるコンピュータ機能の原理を創造した。戦後復興の計算機需要拡大からプログラム内蔵コンピュータ機能が第三次産業革命のKeyイノベーション機能となり、現在の産業・科学に大発展した。80年代以降にディジタル・ソフトウエア技術で人々を魅了したモノの生命は「マイクロプロセッサ発明の新技術」と「コンピュータで蓄積されたディジタル技術・ソフトウェア力」で自然界と同じアナログ・ハードウエア文化の生活圏から真逆文化の生活圏に変革する「パソコン・インターネットのITイノベーション機能」を創り出したが、当初、利用者は研究者中心で一般の人達には受け入れられなかった。しかし、パソコンでのインターネット利用の利便性を改革するソフトウェア「Windows95」の公開により一気に若者の間で展開が爆発した。また、自然が好きな人々のアナログ文化をディジタル技術・ソフトウェア力で対応した「ファミコンゲームやCD音楽」は、若者を魅了して、利用が爆発した。

人々の何処でも何時でも簡単に「連絡したい」「視たい」「楽しみたい」などの願望が増々エスカレートしていった時代背景に「タッチスクリーン入力の新技術の開発」と「だれもが携帯できるパーソナル・コンピュータ「情報端末」というアラン・ケイの未来像」などの蓄積IT技術を統合してAppleのジョブスがiPhone機能を創り出し、発売と供に人々を魅了し、今までの携帯電話機・端末を駆逐してしまった。

技術進歩と共に、8ミリ映写機、ビデオテープカメラ、スマホのように次々とより便利で魅力的な記録映像機能が創り出されて魅了するモノが移り変わっている中で、50年以上も人々を魅了続けるモノもある。一つは発明された基本機能は同じでも性能が進化を続けるモノで、基本機能に替わる機能が創り出されないコンピュータ機能やマイクロプロセッサ機能がある。中には『どんな道路でも自由に走れる』、『悪路でも乗りやすく、頑丈なもの』と『老若男女誰でも乗りたくなるバイク』というバイクを知り尽くした開発者の理念で創り出され、50年たった現在もバイクの基本となっている「ホンダ・スーパーカブ機能」のように、ほとんど仕様・デザインを変えないで160ヶ国以上の人々を魅了し続けているものもある。

人々は健康で過ごしたいと思っていても、誰しも病気になり医療を受け、早く治したい・患者を救いたいと患者と医師が日々頑張っている。損傷した臓器を交換する再生医療や新型コロナウイルス禍における治療薬の早期開発など、生態系が築いてきた仕組みから学んだIPS細胞の樹立やmRNAワクチンの開発などのこれらの画期的な医療革命が人々に貢献している。

以上より一般の人々を魅了する製品の「生命」は、①「新発明の技術・先人達が蓄積してきた技術」の活用で創り出された革新的機能、②人々のエスカレートする願望に対して、人々の好きな自然に反せず、老若男女の利便性・使い心地・デザインを考えぬいた機能、③原理に基づいて創り出された基本機能で替わる機能が見出せないモノで機能は変えずに性能を進化続けたモノ、④革新的イノベーション機能の利便性を補助する第三の機能（インターネットに対するWindows95）と共生したモノ、⑤革新的イノベーション機能（パソコン、インターネット等）の利用者は当初研究者他専門家のみで、一般の人達には受け入れられない期間を克服しなければならない機能と定義できると考える。すなわち一般の人々を魅了する製品の「生命ポイント」は新発明の技術と蓄積されてきた技術を活用して、利便性・使い心地・デザイン、さらに健康を守るなど人々の渇望を先取りした革新的イノベーション機能の創造と考える。

(4) インフラ設備業界を魅了する製品・モノの生命

インフラ設備業界では発明された基本原理で創り出された蒸気機関動力、交流電力、交流電動機動力機能、コンピュータ機能のような基本機能の多くが、従来のしくみのモノから転換できずに人々の利用されるまで長い期間がかかった。しかし、これらは1度利用した人々を魅了し続け、性能の向上の勢いが止まらず、ついには産業革命を牽引していった。このように原理に基づいて創り出された機能は100年以上それに代わる機能は新たに創り出さることが少ない。回転に変換の必要なレシプロ方式の性能を向上させたタービン方式蒸気機関動力は交流電力と共生することで電気文化の社会に無くてはならないモノとなっている。また交流電動機動力機能は定速回転駆動用途の動力機能として広く利用さていたが、パワーエレクトロニクス技術とベクトル制御理論で創り出された交流電動機のベクトル可変速制御機能は業界としても予想外の効果であり、引き続き次世代の脱化石燃料の自動車の電動化への展開が進められている。

コンピュータ機能は生産の自動化、科学計算、気象予報、医療ほかの社会生活に無くてならない重要な仕事をしており、その機能を持ち運べるようにしたマイクロプロセッサ機能に展開して、一般市民のIT情報社会の中心となっている。

以上のように、設備業界を魅了する製品の「生命」は、①発明された基本原理で創り出された基本イノベーション機能で、100年以上代わる機能は創られないモノ、②顧客のニーズに応えて、基本機能を新技術で性能向上を繰り返せるモノ、③画期的な発想・理論から派生した革新的イノベーション機能と定義できる

すなわち、インフラ設備業界の人々を魅了する製品の「生命ポイント」は発明された基本原理で創り出された基本イノベーション機能とそれを業界の生産性の向上と不便性解消への要望を新技術で先取りした革新的イノベーション機能と考える。

(5) まとめ

ナースは生態系の生命とは「膨大な遺伝子情報で進化するモノ」「物理的境界をもつモノ」「化学的、物理的、情報的機械のようなモノ」と定義し、生命は一つとして細胞に依存しないモノはなく、ダーウィンは進化論で生命は一本の木のように進化してきたが、その木がどんな種から生まれたのかは依然謎のままであるとした。長い期間創り出し、細胞に蓄積してきた「遺伝子情報」は30億ものの膨大な情報となり、この情報で生物が生きていくための「エネルギー作成」「タンパク質作成」機能、そして、活き活きと若さを保つための「細胞作成・増殖」機能、さらに、細胞同志で共生・融合するための「エンドサイトーシス・エキソサイトーシス」機能などなど、生物の「生命の基」となるイノベーション機能を創り出して来た。

同じように、人々（企業）の欲しいモノ（製品）は「人々の困難・苦しみ・設備の不都合を解決し、人々を幸せにする遺伝子機能」「万人の渇望する健康を守る機能」「市場の変化を先取りする、人々の渇望する機能・生産性・利便性を向上させる機能」「環境・時代背景に応じた製品の進化機能」「先人・生態系・企業の蓄積してきた智恵を新技術で進化させて夢を実現する機能」「時代背景にあった価値の経済性」の機能を満たそうと創り出されている。しかし、これのようなモノの生命とも思える機能を全て満足したモノ(製品)でも、「人々を魅了するモノ」と「人を魅せるコトのないモノ」に分かれるのは、人々を魅

了する「生命のポイント」「新発明の技術と蓄積されてきた技術を活用して、利便性・使い心地・デザインなど人々の渇望を先取りしたノベーション機能」が欠けているからであると考える。すなわち、人々の欲しいモノの生命に加えて、新発明・発想・蓄積の技術を活用して創り出される「渇望を先取りするイノベーション機能」が人々を魅了するモノの生命であり、インフラ設備業界での魅了するモノでは「基本原理で創り出された基本イノベーション機能とそれを業界の生産性・不便性の要望を新技術で先取りしたイノベーション機能」がキーポイントと考える。

したがって、人々を魅了するモノを創り出すには「人々の要望を新技術で先取りしたイノベーション機能」の創造を追求することが最大のポイントと考えるので、次章では人々を魅了する「イノベーション機能の創造」について述べる。

第2章

先人達が世界を魅了して来た新製品のイノベーション機能

18世紀初頭、「蒸気機関」の大発明による第1次産業革命「手作業から生産機械化」のイノベーションが始まり、19世紀に大発見が続いた「電気の法則」と「石油での内燃機関」の発明による20世紀初頭の第2次産業革命「電機設備・内燃機関による大量生産化・乗り物革命」のイノベーションへと続いた。第二次大戦後「コンピュータ・トランジスタの大発明」に始まる20世紀後半の第3次産業革命「コンピュータ他による生産自動化・生活機器のエレクトロニクス化・マイクロエレクトロニクス（マイコン）化・情報（IT）化」により、モノづくりにおけるグローバル化、市民生活における家庭電化・インターネット情報化等のイノベーションがされてきた。

ここで、90年代からのコンピュータ・ICTによる生産自動化をディジタル革命及びインターネットやスマホ化展開がなされ情報革命とも呼ばれるところとなった。

過去の産業革命はいずれも大発明、大発見より引き起こされている。第3次産業革命以後、際立った大発明・発見が見当たらないが…「インダストリー4.0」をドイツ政府が提案し第4次産業革命（IoT産業革命）へと導こうとしている。モノづくり分野における「グローバル生産自動化」の次に来るモノは「機械が自分で考えて生産」へとイノベーションするのだろうか？　また、市民生活においてもIoT化家電機器や情報機器に囲まれるイノベーションが起こるのだろうか？

この章では、第一に「他分野の智慧」を組み合わせた新製品創造と第二に「新しい智慧」での新製品創造について述べる。最初の節では、アインシュタインの云う「創造の秘密は、アイデアの源を隠すことだ…。すなわち、他の領域からアイデアを借りてきて、それを組み合わせて発想すること」の典型例のように「他分野の智慧」で開発目標の新製品に魂を入れる「イノベーション機能」を創り上げて、人々を魅了してきたスーパーヒット製品のモノ創りについて分析する。

2.1節　他領域の智慧活用で創造されたイノベーション機能

第一に「他の領域からアイデアを借りてきて、それを組み合わせて発想した」こと、すなわち「他領域の智慧」により着想・創造して、先人達が世界を魅了して来た新製品のイノベーション機能をどのように創造してきたか。1945年以降の時代にイノベーション機能の創造により、世界でスーパーヒットした次の製品の考察から始める。

(1) 1967年10月　トリニトロンカラーブラウン管が完成（1968年トリニトロン発表）

(a) 発火ポイント：

・明るい・すっきりTV画像の要望　＋・ローレンスが発明のクロマトロン＋・インライン配列3電子銃のポルトカラー

(b) ニーズ：

照明のある居間でシャドーマスク方式のブラウン菅の薄暗い・ぼやけ画像をなくした「輝度・コントラストを大幅に高く」「すっきりした画像」を創り出せる画質特性のカラーテレビが欲しい、シャドーマスクよりもさらに良い画質特性を持つ方式はないものだろうか？

(c) 課題：

・第一は製造コストが高く、量産が難しい課題 「高電圧による障害、その絶縁作業の難しさがあり、前面パネル内側に垂直配列する蛍光体の細い線の数を解像度に相当する27本に細く、針金の間隔も、非常に狭くならざるを得ないなど、製造が難しい」

・第二は電子ビームをどのように3本走らせることができるかの課題

(d) イノベーション機能：

・1本の電子銃で、電子ビームを3本走らせる方式の着想により「量産可能で「美しい色、明るい画面」の新しいブラウン菅トリニトロン」機能を創造した。この開発は後々世界のブラウン管TV分野で他方式を寄せ付けず、君臨することになる。…（イ）従来市場君臨のシャドーマスク方式ブラウン菅市場を追いやったことより、このイノベーション機能は破壊的進化機能と類別した。（ロ）その機能の圧倒的な世界制覇の為、次世代の液晶TVへの展開が遅れた。Topへ上り詰めることは衰退の始まりと認識し、次の手を備えることが重要と考える。

(e)「他分野の智慧」：

ローレンス発明のクロマトロン、シャドーマスク、3電子銃インライン配列のGETV「ポルトカラー」

(f) イノベーション機能が創り出されたファクター考察：

・井深の人々の「輝度・コントラストへの不満」を解決し「すっきりした画像」にしたい想い、それの解決に利用可能な「世界中の発明・新技術」に対する井深の探求心、加えて、困難な課題を失敗と工夫を繰り返し粘り強く遂行する『井深の仲間達の「納得のいくモノ創りへの執念」』が新しい機能を創り出したと考える。

・役員会で、クロマトロンを諦める方向まで追い込まれながら、開発の仲間達を信じ、供に自ら工夫を続けたエンジニア井深社長のチャレンジ精神こそが次々と世界初のイノベーション機能を持つ製品を創造して来たと思われる。

(g) 新機能が創り出された経緯：

「月産1000台程度のクロマトロンは、‘66年中に量産のメドが立たないなら、シャドーマスクに切り換えることも考えなくてはならん」と本社幹部は本格的にシャドーマスクへの切り換えを検討し始めた。開発部の吉田・大越・宮岡は何とか現状を打破し、ばん回する手を考えていた。そんな中、吉田に、良い考え「1本の電子銃で、電子ビームを3本走らせることができないか」が浮かび実験はじめた。部下たちは実現性がないことを証明するための実験のようなものと冷ややかだったが、思いもかけない好結果が出た。実験の結果を聞いた井深は「これは、筋がいい」と感じ、これでやってみようと宮岡に話した。

1966年の暮れ、新電子銃の原型ができ上がり、7インチのクロマトロンで今までにない「カチッ」とした画面が出た。続いて、このインライン配列の3ビーム単電子銃をシャドーマスクに組み込んで、どれほどの効果があるか実験が始まった。井深は「うちの技術者は、世界一だ、できないはずがない」という想いと、「もしかしたら、駄目かもしれない。そうなったら早めに軌道修正しなくては……」という相反する考えを常に抱えていた。大越がシャドーマスクに比べて5%も明るくできるアパチャーグリル「薄い金属板に、写真化学的に細い縦孔をたくさん並べて開けたもの」の概念を提案した。アパチャーグリルの金属縦格子が振動する現象を見た井深が、「細いピアノ線を水平方向に張って振動を止める」というシンプルなアイデアを出して、それで確実に振動は止まった。

1967年10月15日、新型カラーブラウン管を組み立て、これに電気回路を組み合わせ、1台のカラーテレビが誕生し、調整を終え、電源を入れると、誰1人として口を開く者はなく「美しい色、明るい画面」を食い入るように見つめていた。井深は駆け付けて、激励の言葉をかけてやりたいと思うものの、「皆さん、ご苦労さんでした……」、それだけ言うのが精いっぱいだった。この新しいカラーテレビは、キリスト教でいうトリニティ（神と子と聖霊の三位一体）とエレクトロン（電子管）の合成語である。「トリニトロン」と命名された。トリニトロンは画質の良さ、画面のフラット性で他のカラーテレビを圧倒的に引き離し、液晶TVが普及するまで世界に君臨し、全世界で2億8000万台を販売した。

(h) トリニトロンカラーブラウン管誕生の時代背景：

’60年のカラー放送開始、加えて’64年の東京オリンピックとでカラーTVの普及が進んでいったが、日本のカラーブラン管技術は米国からの技術導入段階で独自な開発改良ができる状態になかった。日本の各社とも量産製造技術を米RCAかPHIRIPSから導入し、シャドーマスク方式ブラウン管を製造していた。Sonyは他社と異なりクロマトロン方式の原理特許のみ導入で自社開発にて細々と製造していた。オリンピック後もカラーTVは高価（14型で14~15万円）であったことと、当時のカラーブラウン管は全て暗く・ぼやけ映像で、人々は不満が残り、明るく・はっきりの映像のカラーTVと一般サラリーマンが買える低価格化が熱望されていた。

Sonyはクロマトロン方式の量産が出来ず、試行錯誤していた。Sony以外の各社は異なる方式を採用し、当時難しかった量産製造技術を海外から技術導入しており、他社との技術協力も不可能で、クロマトロン方式による量産化できる方式と明るく・すっきり映像化方式の自社開発か、クロマトロン方式の撤退かを迫られる「崖っぷち」に立たされており、クロマトロン方式での新方式開発に社長以下開発陣が昼夜を問わず邁進せざる得ない背景があった。

(2) 1971年11月　米Intel社が世界初のマイクロプロセサ「4004」を発表

(a) 発火ポイント:

・ビジコン社プログラム制御電卓要望　+・高集積IC「LSI技術」の進歩　+・汎用コンピュータ機能の進歩

(b) ニーズ:

・1968年当時、日本は電卓の小型高性能化と低価格化競争に向かい、電卓メーカの間で電卓用LSIのニーズが高かまっていた。一方、LSIを開発している米国半導体メーカは大量に販売できる専用LSIの注文を欲していた。そこで両者のニーズが一致し、日米の会社の共同開発が始まった。‘69年、日本のビジコン社はプログラム制御の電卓を計画し、インテル社にそのためのチップセットの開発を依頼した。ビジコン社の当初案ではマクロ命令による制御で、10個前後のチップが必要というものだった。これは電卓としてはプログラム次第でいろいろな電卓ができる汎用だったが、LSIとしては電卓用の「専用のチップ」であった。

(c) 課題:

これに対し、当時のインテル社の規模ではそれだけ多くの種類のチップを同時に開発するのは手に余った。どうすれば、開発するチップの種類を削減できるかを解決し、ビジコン社の要求を論理回路設計者が少数人材の中でどう実現するかの課題が残されていた。

(d) イノベーション機能:

IC技術分野とかけ離れたコンピュータ分野での「汎用コンピュータ」のアイデアを借りて、「電卓演算をプログラマブル制御で4ビットのプログラマブル演算する電卓LSI機能」すなわち、「CPU4004でのICベースのマイクロプロセッサ」というイノベーション機能を創造した。…このマイクロプロセッサのイノベーション機能は従来のマイクロエレクトロニクス分野をハード部品構成からハード+ソフト構成へと変革する破壊的技術の革新をしたが、従来のエレクトロニクス市場を破壊することなく、このイノベーション機能創造が半導体企業のもとで持続的に進化し続けていることによりに持続的進化機能と考えられるが、その後のパソコンやiPhoneと進化させる要因を創ったという点において破壊的進化機能と類別した。…このイノベーション機能は後々世界を大きく変革することになる。

(e)「他分野の智慧」:

・「汎用コンピュータの機能および構成」

(f) イノベーション機能が創り出されたファクター考察:

・創業1年のインテル社においてはLSI開発の能力が貧弱でビジコン社の要望のLSI数種の開発が不可であったという問題に対し、デッド・ホフはコンピュータ研究所勤務時代に学んだ汎用コンピュータの機能・回路構成を思い出し、その機能構成を利用すれば演算部を1つのLSIに出来ると着想し、幸いにも開発仲間にビジコン社の島（後にインテル社に移り8080を開発）が電卓システム熟知技術者だったので、マイクロプロセッサシステム「MCS-4」機能を創ることが出来た。さらに、創業間もないインテル社の経営陣の先見性が20世紀後半~21世紀を変革する「マイクロプロセッサ文化」を創り出した。すなわち、インテル社は'70年に1KビットDRAMメモリを開発した上に、半導体業界で膨大な利益を生む「メモリ分野」から地道な積重ね技術の開発投資が必要な「μプロセッサ」に事業集中した経営判断が今日の業界に君臨するインテル社となったと考えられる。…LSI数種を開発出来ない「インテル社の開発能力の危機」が新しい方式の発想に繋がった。この危機こそが新しい機能創造のチャンスを創ったと考える。他方、創り出された機能が「現状ビジネスに対し先進的なイノベーション機能」であると経営者が現状ビジネスに執着し、新機能が無視される事象もしばしば見られるところである。⇔日本の半導体業界はDRAMに事業集中し、μプロセッサ技術に遅れた。コダックはディジタルカメラを開発しながらも、フィルム写真ビジネスに執着し、ディジタルカメラの先見性に気づかない経営陣ためにチャンスを潰した。

(g) 新機能が創り出された経緯:

ビジコン社は1966年にメモリ付き電卓「Busicom161」を29万8千円で販売し、従来の2/3の価格ということもあり大ヒットした。1969年にはシャープがMOS LSIを使用した8桁電卓「マイクロ・コンベットQT-8D」を9万9800円で販売を開始し、電卓業界に衝撃を与え、日本では、LSIの使用による電卓の小型化・価格競争へ向かった。ビジコン社は電卓の動作プログラムをROMメモリの中に内蔵させ、「メモリの内容を変えるだけで違った電卓モデルを作る」ことによりコスト削減を図ろうと考え、「何種類もの電卓やビリング・

マシンなどのビジネス機器に応用できる、電卓用の汎用LSI」を開発することにした。LSIを開発している米国半導体メーカは大量に販売できる専用LSIの注文を欲しており、ニーズが一致し、日米の共同開発が始まった。

‘69年、ビジコン社はプログラム制御の電卓を計画し、インテルにそのためのチップセットの開発を依頼した。ビジコンの当初案ではマクロ命令による制御で、10個前後のチップが必要というものだった。その頃の米国半導体メーカには複雑な論理回路を設計できる技術者が乏しく、’68年設立のインテル社の技術者にはビジコン社の要求論理ブロック図を理解できず、約1か月を費やして説明したが、リーダーのデッド・ホフに電卓全般の論理は理解してもらえない状況が続いた。

8月の下旬、ホフが「4ビットのCPU」というアイデアを提案、提案はワード長が4ビットであることを除けば、汎用のコンピュータで採用されている構成であった。これが「4004を中心とした世界初のマイクロコンピュータ・チップ・セットMCS-4の原型」で複数桁の演算処理は1桁（4ビット）の演算の反復で置き換えればよく、また外部機器の制御も、ソフトウェアによる制御に置き換えればよいしくみである。このアイデアにもとづき、ビジコン社嶋正利とインテル社フェデリコ・ファジンが中心となって、1971年世界初のマイクロプロセッサ4004が完成した。電卓に使用したマクロ命令と比較して、より低い（コンピュータの機械語に近い）マイクロな命令を採用したので、CPUをマイクロプロセッサと名付けた。マイクロプロセッサ4004を動かすのに必要な三つの周辺チップ4001（ROM)、4002（RAM)、4003（シフト・レジスタ（SR)）と組み合わせセット「MCS-4」として発売した。

(h) マイクロプロセッサ「4004」誕生の時代背景:

‘69年シャープが従来の1/3の10万円を切った価格の世界初のLSI電卓を販売し、電卓業界に衝撃を与え、LSIの使用による電卓の小型化・価格競争へ向かった。それまで、’66年発売のメモリ付き電卓「Busicom161」でTop企業のビジコン社も対抗の為、プログラム制御のLSI電卓を計画した。ピジコン社は’68年ノイズ／ムーアら創業のインテル社とLSIチップセットを共同開発することに決め、電卓開発技術者を共同開発プロジェクトの為に派遣した。創業間もないインテル社は総従業員も100人に満たない状況で、ビジコン社電卓の要求論理ブロック図を理解できる技術者も居ない状態で共同開発が必須だった。インテル社は電卓用LSIの開発のため、スタンフォード大学のコンピュータ研究所から移ってきた、回路にも詳しい技術者ホフ他を割り当ててくれた。

①提携先を創業1年のインテル社に決めたこと、②インテル社の複数のLSI開発力がなかったこと、③インテル社がスタンフォード大学コンピュータ技術経験のあるホフを割りあてたこと、④ビジコン社の嶋が開発プロジェクトに加わったことの4条件がそろった偶然があった。すなわち、スタンフォード大学でコンピュータ技術経験のあるホフが、インテル社の複数のLSI開発力不足課題を解決する「4ビットのCPU」というアイデアを提案し、電卓を知り尽くした嶋ほかにより「世界初のマイクロコンピュータ・チップ・セットMCS-4」が誕生できたと考える。

(3) 1976年1月　ヤマト運輸　宅配サービス「宅急便」開始

(a) 発火ポイント:

国鉄の斜陽化他による相次ぐ業績の低迷　+・ニューヨークでの1ブロック毎の配送会社の「個人からの荷物配送」サービス

(b) ニーズ:

一般家庭向けの個人宅配は郵便局のみであり、郵便小包が届くまでに4～5日かかっており、速い宅配サービスが欲しい

(c) 課題:

（イ）「いつ、どこの家庭から出荷されるかがわからず、どこに行くかの輸送ルートも決まっていない」小口個人宅配をどのように採算性ある配送にするかの課題（ロ）全国規模の集配ネットワークの構築の課題（ハ）運輸省の全国規模の配送免許認可（地元運送業者の反対）の規制の課題

(d) イノベーション機能:

「ハブ・アンド・スポークシステム」という全国規模の集配ネットワークを築き上げ、「電話1本で集荷・1個でも家庭へ集荷・翌日配達」というイノベーション機能を創り宅配サービスを実現した。…郵政の小包郵便独占を崩すことになるが、個人⇒個人、事務所⇒事務所の少量荷物の集荷・翌日配達からスタートし、冷蔵品・ゴルフクラブなどへと荷物配送サービス機能を進化させ続けているので、持続的進化機能と類別する。

(e) 「他分野の智慧」:

米国のUPS社は「個人からの荷物配送サービス」で儲けていた。

(f) イノベーション機能が創り出されたファクター考察:

中小運送会社を引継いだ小倉が国鉄スト等市場変化で業績が絶不調となり、打開策を求めて旅立ったニューヨークで、UPSが日本の業者が避けている個

第1章 第2章 第3章 第4章 第5章 第6章

人配送のトラックを交差点の4つ角に視て、「大口の荷物を一度に多く運ぶ方が合理的で利益になる」という従来日本の発想を「小口の荷物を多数扱った方が利益になる」と転換したこと。及び、当時個人が荷物を送るには、郵便局しかなく、かつ「6キロまで、梱包し紐かけ、荷札を付けて郵便局へ持ち込む、到着日時は不明、横柄で雑な対応……」などの制限を打破して、サービスに不満のある主婦の視点で見た「個人向け荷物の配送サービス」が計り知れない潜在的ニーズがあると確信し、官民から多々の妨害を受けながら「ハブ・アンド・スポークシステム」の配送ネットワークを築き上げたことが、宅急便の接客の原点となる「電話1本で集荷・1個でも家庭へ集荷・翌日配達」というイノベーション機能を創れたと考える。

(g) 新機能が創り出された経緯：

1973年9月、ヤマト運輸の業績は危険水域に達していた。打開策を模索するため、小倉はニューヨークを訪れた時、市内のある交差点の4つ角にUPS（米国貨物運送会社）の小型トラックが4台止まっていることに注目した。調べるとニューヨークでは1ブロックの「個人からの荷物配送」を1台のUPSが受け持っているとのこと、小倉は「個人からの荷物の宅配は絶対儲かる。問題は一台当たりの集配個数をいかに増やすかにかかっている」と確信した。

①「大口の荷物を一度に多く運ぶ方が合理的で利益になる」という当時の業界の常識が間違っていることに気づき、小口の荷物をたくさん扱ったほうが利益につながると確信する「発想の転換をした」。②当時個人が荷物を送るためには、制限は6キロまで、しっかり梱包をして紐をかける、荷札を付けて郵便局へ持ち込む、到着日時は不明…など、利便性やサービス品質の高さはなかった。主婦の視点で見た時、計り知れない潜在的ニーズがあると確信した、特に②こそが今のクロネコヤマトの宅急便の接客の原点となっている。問題は、一台当たりの集配個数をいかに増やすかにかかっていると確信した。その頃、個人向け宅配を行っているのは郵便局のみであり、民間業者が参入しなかった。理由は小口の個人宅配は、いつ、どこの家庭から出荷されるかがわからず、どこに行くかの輸送ルートも決まっていないことから、採算が取れないとの判断があった。

小倉はこうした問題を、ハブ・アンド・スポークシステムを基礎とした全国規模の集配ネットワークを築き上げ、同時に徹底した合理化の下で解決しようとした。まず各都道府県に最低一カ所、とりわけ人口の多い都市では二カ所もしくは三カ所、運行車の基地となるハブ（ヤマト運輸ではこれを「ベース」と呼ぶ）を置く。毎晩これらのベース間を大型トラックが運行する。実際に全国規模のネットワークの構築は容易なことではなく、膨大な時間とコストがかかるものであった。そこでネットワークを補完する役割として、地域の商店（米屋や酒屋など）に取次店になってもらい、荷受けを手伝ってもらうこととした。

小倉は多くの潜在顧客を取り込むために、郵便小包とのサービスの差別化にとことんこだわった。その最も中核的な存在が、「翌日配達」であった。さらにヤマト運輸は、1983年以降、「スキー宅急便」、「ゴルフ宅急便」、「クール宅急便」等の新しいサービスを次々と開発し、また、コンビニエンス・ストアを発送窓口に組み込むことにより、更なる利用者の獲得に成功した。1976年1月20日、わずか11個の荷物からスタートしたサービスは、10年後の1986年度には年間合計6億個に増加し、2021年度には48億個を超えている

(h) 宅配サービス「宅急便」誕生の時代背景：

ニクソンショック（71年）・日本列島改造論の田中内閣発足（72年）・第1次石油ショック（73年）と‘70年代前半は戦後最大の波乱にみまわれ、国鉄の斜陽化、企業の大口貨物低迷の経済状態であった。一方、73年までの15年間高度成長で生活に余裕ができ、知人への贈り物が増えていた。個人が荷物を送る方法は郵便局の郵便小包しかなく、郵便小包を送るのは「6キロまで、梱包し紐かけ、荷札を付けて郵便局へ持ち込む、到着日時は不明…」など制限だらけで、利便性やサービス品質が悪くて、やむなく使用している状態だった。また、人口の都市集中が加速し、老身の両親だけの過疎化の地域では新鮮な果物や魚介類産地の人々から子供や知人への新鮮なモノを送るニーズが高まった。このニーズが10年以上の運輸省配送免許認可課題を解決した。

当時の業界の常識は「大口の荷物を一度に多く運ぶ方が合理的で利益になる」ということで、一般家庭向け個人荷物の配送に参入する業者はいなかった。しかし、経済の先を行く米国で「個人からの荷物配送が盛んに行われている」実情を目にした小倉は日本でも今後普及すると考え、主婦の視点で見た「個人向け荷物の配送サービス」に計り知れない潜在的ニーズがあると確信して、個人配送を可能とする「ハブ・アンド・スポークシステム」という全国規模の集配ネットワークを築き上げたことが宅急便サービスの誕生につながった。

(4) 1976年6月　米Apple Computer社によるパソコン「Apple II」発売

（1973年アラン・ケイ「パーソナル・コンピュータ（Alto・Smalltalk）」完成・1984年Apple社が初のGUI採用のMacintosh発表）

(a) 発火ポイント:

・マイクロプロセッサ開発　+・エンゲルバートが開発した「マウス/GUI」のAlto　+・ウォズニアックの試作/ジョブズの製品化着想

(b) ニーズ:

誰にでも簡単に使える身近なコンピュータを世に送り出したい。ダグラス・エンゲルバートは、科学の力は一般市民の生活やコミュニケーションに役立てるべきであると考え、ディスプレイ上のカーソルを自在に操るポインティングデバイスとしての「マウス」を1961年に考案した。アラン・ケイは誰にでも簡単に使える「パーソナル・コンピュータ」にしたいと考え、GUIベースのオペレーティングシステムに用いて「誰にでも簡単に使える身近なコンピュータ「Alto」を試作した。しかしこのイノベーション機能をゼロックスの経営層は理解してくれず、世に出せなかった。若き日のスティーブ・ジョブスがAltoを目にして、パーソナル・コンピュータ開発の灯を点けた。

(c) 課題:

(イ) 誰でもがホームユースで簡単に操作できるコンピュータの構成・構造の創造の課題、(ロ) 個人が購入できる価格の課題、(ハ) 何にでも使えるアプリソフトの課題

(d) イノベーション機能:

・それまでのコンピュータOSはcharacter user interfaceで、コンピュータを使うにはコマンドをキーボードから入力する機能であった。⇨コンピュータをマウスでアイコンをクリックするだけで操作できる「GUI (graphical user interface) コンピュータ」というイノベーション機能の着想により「従来のコンピュータは難しいものという常識を覆した、誰にでも簡単に使える身近なコンピュータ (パーソナル・コンピュータ／パソコン) 機能」を創造した。…この「パソコンイノベーション機能」は、前述のマイコンの進化と共に小型・高速・使い易さ等の進化を続けて、コンピュータ分野の大型・ミニコン市場は大幅に減少し、大型コンピュータの王者IBMですら15~16年後巨額赤字に陥った。特にミニコンの雄DECは22年後に消滅することになったことより、破壊的進化機能と類別した。

(e)「他分野の智慧」:

(イ) ダグラス・エンゲルバートが「1961年に考案したディスプレイ上のカーソルを自在に操るポインティングデバイス「マウス」、(ロ) マウスのアイデアを借りてゼロックスのアラン・ケイが1973年に「Alto」で試作した「マウス

/GUIコンピュータ」のアイデアを借りた。

(f) イノベーション機能が創り出されたファクターの考察：

「誰にでも簡単に使える身近なコンピュータを世に送り出したい」と考え「科学を人々に役立てたいというエンゲルバートの想い」がディスプレイ上のカーソルを自在に操りポインティングできる「マウス」とそれを使いこなす「未来の予見ファクターであるGUI機能」を創造することが出来た。エンゲルバートが開拓した道「誰にでも簡単に使える身近なコンピュータ」を突き進んで行ったアラン・ケイがゼロックス社研究所で試作したポインティングデバイス「マウス」をディスプレイ上のカーソルを自在に操れるGUI機能のコンピュータハード「Alto」とオペレーティングシステム「Smalltalk」のシステムがパソコン機能実現の最初であると考えるが、複写機ビジネスに執着していたゼロックス経営層に製品化をボツにされ、世に出ることが無かった。しかしAltoやSmalltalkに詰まったアラン・ケイたちの熱い想いが、それを目にしたスティーブ・ジョブスに伝わり、「ホームで使えるコンピュータへの想い・ビジネス化着想」につながり「そのイノベーション機能」である『誰にでも簡単に使える身近なコンピュータ「パーソナル・コンピュータ」機能』を84年に「Macintosh」として発売してパソコン文化を創ったと考える（後発の巨人IBMのPCOS互換戦略の為にビジネス的に成功しなかった）。

(g) 新機能が創り出された経緯：

コンピュータのあり方を大きく変えたマウスは、1961年にダグラス・エンゲルバートによって発明された。現在では当たり前の話に聞こえるが、アルファベットや記号の羅列でしかなかったプログラムが、こうした発想によって「パソコン」へと少しずつ進化を遂げようとしていた。この進化を恐ろしい勢いで加速させたのが、当時ユタ大学の大学院生だったアラン・ケイ、当時は巨大で高価なシステムを複数で共有するのが当たり前だったコンピュータが、いずれは誰にでも簡単に使える「パーソナル・コンピュータ」、つまりパソコンになると予見し、それに相応しいコンピュータ環境がどうあるべきかを考えた。

エンゲルバートらを支援していたボブ・テイラーが「ゼロックス・パロアルト研究所」の所長に就任、その下にアラン・ケイをはじめとする新進気鋭の開発者たちが集まった。アラン・ケイは1972年「A Personal Computer for Children of All Ages」の理想でパーソナル・コンピュータ「Dynabook」を提唱した。Dynabookとはダイナミックメディア機能を備えた「本（ブック）」のようなデバイスという意味である。アラン・ケイは「未来を予測する最善の方法は、それを発明することだ」や「ソフトウェアに対して本当に真剣な人は、独自のハードウェアを作るべきだ。」などの言葉を残している。アラン・ケイが考えていた構想は、現在のノートパソコンに近いものだったが、パロアルト研究所で当時の技術で実現可能な範囲でDynabook構想をデスクトップパソコンという形の「alto」として1973年に具現化した。しかし、この素晴らしい発明をゼロックスの経営層は本業の複写機ビジネスより大きく成長しないと判断して、市販されなかった。1979年末にスティーブ・ジョブス（Steve P. Jobs）が同研究所を訪れた時「Alto」を目にしたことがMacintoshを開発するきっかけとなった。販売された世界初の個人向けコンピュータは、1974年12月に発売された「Altair 8800」とされているが、実際にはAltoが1973年にプロトタイプが稼働していたことから分かるように、ずっと以前に誕生していた。Altoが市場に投入されていればと思うと非常に残念な当時の経営層の判断だった。

1976年、ウォズニアックは自作のコンピュータを、出入りしていたアマチュアコンピュータクラブに持ち込んだ。ボード一枚だけのコンピュータであったがキーボードやCRTディスプレイに接続することができ、BASICも装備されていたので評判になった。ジョブズはこれを事業化しようとしてApple社を設立し、1977年マニア向けのワンボードコンピュータApple I、'77年にはキーボードを本体に組み込み、家庭用TVを接続するとカラー表示できるなど使いやすさを工夫したApple IIを発売した。1984年アップルが発売したMacintoshはマウスでアイコンをクリックするだけで操作でき、コンピュータは難しいものという常識を覆した初めてGUIを採用したパーソナル・コンピュータで、ジョブズが「シンプル」を追求した末に完成させた。日本でもMacintosh「SE30」が売り出され、著者も購入し夜遅くまでSimulinkを操作したが、寝不足になるほど使い易かった。その後のパソコン基準となった。

(h) GUI採用のパソコン「Macintosh」誕生の時代背景:

'65年代当時、コンピュータはIBMメインフレームに代表されるように、MITなど有名大学や大企業に設置され、依頼した計算の結果はバッチ処理で数時間もかかるシステムであった。しかし、学生たちの「動作中のプログラムをリアルタイムでオペレータが直接制御できるコンピュータへの熱望」に応じてDEC社がミニコンピュータPDP（Programmable Data Processor）8を開発し、更に'70年に16ビットPDP11を開発し、学生や研究者の間で「リアルタイムで利用できるコンピュータの世界」に移行していった。

そんな中で、8ビットマイクロプロセッサ「i8080」が74年4月に発表され、そのマイクロプロセッサ（μコン）を用いて、用途に応じたプログラム出来る制御装置（コントローラ）やコンピュータの小型化のアプローチが進められていた。学生や研究者の間で「リアルタイムで利用できるコンピュータPDPシリーズ」が人気あるニーズとμコン利用により、一般の個人用に使えるコンピュータ『パーソナル・コンピュータ「パソコン」』の創造を着想した。更にインテル社は8ビットμコン伸長の16ビットμコンへと開発が進められ、「i8086」が78年に発表した。さらに後発のモトローラは32ビット命令セットの16ビットμコンm68000を80年に発表した。性能が上がった16ビットμコンを利用した「初のGUI採用のパーソナル・コンピュータ「Macintosh」」の誕生につながったと考える。

(5) 1980年11月　東芝　舛岡氏が世界初のフラッシュメモリーの特許出願

(a) 発火ポイント:

インテル社'71年開発の紫外線照射消去不揮発性EPROM+'80年2月インテル社の電気的に書込み消去できる「16kbit一括消去型EEPROM」の開発

(b) ニーズ:

電源を切っても記憶を維持し得る不揮発性から磁気コアメモリがその中心としての位置を維持してきた。しかし、処理情報量の増大を追求しつつこれを微細化するには限界があった。'70年のDRAMの発明は半導体メモリを実用化し、更なる微細化による記憶容量増大の展望を切り開いたが、記憶されたデータは電源を切ると自動的に消去される（揮発性）ことから、磁気メモリのように記憶させ保存できるようにする（不揮発性）半導体メモリの開発が要望されており、当時、著者他制御技術者はSRAM＋充電式乾電池で揮発性の対策をしていた。'71年インテル社は不揮発性の記憶デバイスEPROMを開発したが、データの消去に紫外線照射が必要であることと消去時間（20~30分）の問題で磁気コアメモリの機能に及ばなかった

(c) 課題:

1980年2月、インテルは電気的に書き込み、消去できる16kbitの、一括消去（フラッシュ）型EEPROM（Electrically Erasable Programmable Read-Only Memory）を開発した。しかし、この新たな半導体メモリはコストが高価であり、なお不揮発性メモリの主力であるハードディスクとの差が大きくて、代替えにはできない。新たに、不揮発性メモリの低コスト化が課題となった。

(d) イノベーション機能：

東芝の舛岡は半導体不揮発性メモリのコストが高いのは、1ビット当たり2個のトランジスタから構成されているからであり、DRAMのようなランダムアクセス機能を持たせているからと考え、このDRAM必須機構「1ビット単位で消去する機能」を思い切ってなくし、「多数のメモリビットを一括して消去する機能」を創り出せば、経済性も高く、1個のメモリトランジスタで電気的に書き込みも消去もできると着想し、「一瞬で書込み消去可能な不揮発性半導体メモリ機能」を実現した。…このイノベーション機能は従来の不揮発性メモリ分野で頂点に上り詰め、コンピュータ分野のみならず、携帯端末他エレクトロニクス市場を持続的に進化し続けているので、持続的進化機能と類別した。

(e)「他分野の智慧」：

インテル社の電気的に書込み、消去できる「16kbit一括消去型EEPROM」

(f) イノベーション機能が創り出されたファクター考察：

度重なる会社からの研究中断命令にも諦めることなく、磁気メモリのような不揮発性半導体メモリが今後ますます重要となるとの想いと、それを開発するという執念と、課題解決に利用可能な「世界中の発明・新技術」に対する探求心とで、その新技術の課題を分析、その課題の解決する新技術を「磁気メモリのように一瞬で書込み消去可能な不揮発性半導体メモリ機能」を実現したと考える。

(g) 新機能が創り出された経緯：

1971年、米国インテル社は小型で不揮発性を有する新たな記憶デバイスEPROMを開発したが、その消去までには少なくとも20~30分以上を要するという弱点を有していたが、大きく高価なコアメモリしかない当時、不揮発性ICとして著者を含めコントローラ他多方面で使われていた。東芝の舛岡富士雄は、SAMOSを更に改良した技術を開発・特許出願するとともに製品化にも取り組み、1973年には256ビットと2kビットのメモリアレイを試作し、製品化を果たしていた。この製品はインテルの製品に比べても優れた機能を有していた。しかし東芝はDRAMの競争力強化に社運をかけ、舛岡を含めた研究者を不揮発性半導体メモリの開発から遠ざけた。

1980年2月、インテルは電気的に書き込み、消去できる16kbitの、一括消去（フラッシュ）型EEPROMを開発したが、高コストで特殊な用途にしか使われなかった。舛岡は、半導体不揮発性メモリのコストが高いのは、1ビット当たり2個のトランジスタから構成されているからと分析し、それがDRAM

と同じくランダムアクセス機能のためと解明した。そこで、この機能を思い切ってなくすこととし、それには多数のメモリビットを一括して消去することにすれば、1個のメモリトランジスタで電気的に書き込みも消去も実施できると着想した。この考えのもとに考案されたメモリ（3層多結晶シリコン型EEPROM）が1980年11月を皮切りに特許として逐次出願された。1980年に出願開始した技術を製品化するためには試作品作成の作業が必要であったが、また、出願から3年ほどは会社命令で試作作業もできなかった。'83年半導体市場での東芝DRAMの製造成功で、やっと、舛岡は上司の許可を得て開発が認められ、'84年、国際電子デバイス学会（IEDM）において舛岡らは電気的に一瞬にして256kbt一括消去できる不揮発性のメモリの動作確認成果を発表した。そのメモリ名を「フラッシュメモリ」とし、以後この名称が国際的に普及していくこととなった。

(h) 不揮発フラシュメモリー誕生の時代背景：

60年代のコンピュータはNASA等研究施設や大企業に設置された記憶装置は16kB程度の小容量で電源を切っても不揮発性の磁気コアメモリが使われていた。これらの用途では研究途中のデータや工業生産途中のデータを不揮発性メモリに保存しておくことが必要で、かつ個人や小規模ユーザーでも使える低価格の大容量な不揮発性半導体メモリが要望されていた。

74年の8ビット、16ビットマイクロプロセッサの開発により、SRAMのように電気的書込み消去できる不揮発性メモリの開発が熱望されていた。65年にDEC社が開発したミニコンピュータPDP8により、リアルタイムでオペレーションする研究者用や生産現場に直結する工業用の小規模用途のミニコンピュータ分野が創り出された。80年2月、インテルは電気的に書き込み・消去できる16kbitの一括消去（フラッシュ）型EEPROMを開発したが、高コストから普及に到らなかった。舛岡は80年11月、低コストのフラッシュメモリの特許を出願したが、製品化は会社命令で3年遅れ、'84年国際電子デバイス学会にて、電気的に一瞬にして256kbt一括消去できる不揮発性メモリをようやく発表できた。

(6) 1982年10月　CDシステムの発売

(a) 発火ポイント：

中島の初めてディジタル化された音を聞いた時の感激　＋・デジタルオーディオ録音技術　＋・光ディスク記録技術

(b) ニーズ:

1969年の本放送を目前に控えたFM放送のための音質改善に「コンピュータや電話の長距離伝送で使われているディジタル技術」を使って音を良くしようと中島は考えた。中島はNHKでの試作でディジタル化した音を聞いた時の感激を忘れられず、10年先を見つめ、「ディジタルはきっとものになる、いや、ものにしてみせる」という確信と情熱を持ち、音の追求こそが彼の生涯の夢となった。カラヤン氏の練習中にディジタル録音してきた曲を聴いたカラヤン氏は「新しい音だ」とたいへん感激した。単に音の美しさだけでなく、将来の録音システムを考えて、聴き慣れたアナログ録音よりもディジタル録音のほうが適しているとお墨付きをもらった。

大賀はフィリップスの見せた小さい銀色に輝くディスク（CD）と、スマートなプレーヤーの試作機に将来性を感じ取り、「レコードに代わるものはこれだ」と確信した。まだノイズも多く、信号処理方法もこれからというものだったが、彼らと一緒（フィリップスの光学方式のビデオディスク技術、ソニーのデジタルオーデオ信号処理技術）なら、良いものがつくれるだろうと共同開発を決断。

(c) 課題:

（イ）ディジタル録音の課題は、アナログ音声信号をディジタル化する変調方式については‘39年頃から概念のある「PCM（パルス符号変調）」方式があり、コンピュータや長距離電話・宇宙中継などで実用化されていたが、デジタルオーデオの記録・再生は、アナログオーディオの約100倍、放送局用のVTR並みのテープ量が必要なことである。

（ロ）光ディスク記録再生の課題はディスクにある「ゴミや傷」により、記録された情報を正しく読み出せない事態が生じたり、また、外部から電気的なノイズが入って情報が書き換わってしまうことも生じる点である。ディジタル情報においては1文字書き換わっただけでも重大な結果を来し、正常な音楽の再生ができない。

(d) イノベーション機能:

「デジタルオーディオのノイズレスのステレオ音楽記録・再生機能」＋「目的の曲に1クリックで移行できる使い勝手の良いレコード再生機能」の両者を併せ持つコンパクトディスク記録・再生システム機能を実現。…このイノベーション機能はレコードや録音磁気テープなど従来メディアを駆逐したが、より使い勝手の良いメディアへと進化し続ける特質と考え、持続的進化機能と類別した。

(e)「他分野の智慧」:

・NHK・Sonyのデジタルオーデオ録音PCM機能＋フィリップスのコンパクト光ディスク記録機能

(f) イノベーション機能が創り出されたファクター考察:

（イ）試作装置で初めてディジタル化された音を聞いた時の感激が忘れられず、経営層からの逆風にさらされながらもディジタル技術を使って音質を良くしようとする中島の執念と情熱がデジタルオーディオでのノイズレスのステレオ音楽録音･再生機能を実現できたと考える。(ロ)デジタルオーディオでのディスク面の埃・傷による致命的な音飛びを補正する量子化ビット誤り訂正機能などS社とF社との技術結集開発がデジタルオーディオ録音・再生のCD機能を実現させたと考える。

(g) 新機能が創り出された経緯:

PCMの開発:1969年の本放送を目前に控えたFM放送のための音質改善に「コンピュータや電話の長距離伝送で使われているディジタル技術」を使って音を良くしようと中島は考えた。NHKで‘67年から細々と「音のディジタル化」に取り組み、2年がかりでデジタルオーディオの試作テープレコーダをつくり上げた。しかし中島がNHKでつくった雑音混じりでやっと音が出る大きくて高価なデジタルテープレコーダーに､将来性を見出す人は居なかった。オーディオはアナログの時代で、ソニーでは「ディジタル技術」そのものに関して逆風が吹いていた時期だった。しかし、中島はそのような状況でも、音の追求こそが彼の生涯の夢だったので、諦めず、初めてディジタル化された音を聞いた時の感激を忘れていなかった。中島は10年先を見つめ、「ディジタルはきっとものになる、いや、ものにしてみせる」という確信と情熱を持って開発し、’74年にソニーPCM録音機を完成させた。

CDの開発：PCM-1開発の初期から、ディスクを使ってデジタルオーディオの録音･再生の取り組みが始められていた。‘76年頃、フィリップス社が「画の出るレコード」として世界に先駆けて開発した。’78年6月、フィリップス社オッテンス氏が大賀に中島・土井の開発中のものと同様の「オーディオ専用の光ディスク（ALP)」を見せた。その小さい銀色に輝くディスクとスマートなプレーヤーの試作機に「レコードに代わるものはこれだ」と共同開発を決め、‘79年8月にソニーとフィリップスの共同開発を始めた。

両社の間で数々の論議が生じた、「量子化ビット数、P社14ビット対S社16

ビット」「P社記録時間60分ディスク径11.5cm対S社75分12cm」⇔音楽家の大賀から「オペラの幕が途中切れ」「ベートーベンの第九が入るサイズ」で「最大演奏時間75分直径12cm」「サンプリング周波数44.1kHz量子化ビット数も16ビット」に決着した。DAD懇談会でソニー、フィリップスが提案した「光学式」が摩耗、摩擦、目詰まりなどの接触によって起きる問題の心配はなく、寿命も非常に長く保てる長所が1981年4月評価された。

ソニー・フィリップスの「光学式」は「コンパクトディスク・デジタルオーディオシステム（CDシステム）」と命名され、1982年10月CDシステム（CDソフト3,800円とプレーヤー168,000円）を発売した。

(h) CDシステム誕生の時代背景:

‘72年ビデオテープに代わる次世代光学式ビデオディスクをフィリップス社が「VLP」、米国MCAが「Disco Vision」として2社から発表され、74年両方式はフィリップス/MCA方式として統一され、’78年に映像・音声ともアナログ方式レーザーディスクプレヤーと一緒に米国で発売された。日本ではパイオニアがレーザーディスク（LD）を80年に商標年登録して、VHSとDVDの狭間で少しだけの間、「光学式ディスクの先行品」として輝いていた。

当時、光学式ビデオディスクでの「1クリックで目標の始まりに移行できる使い勝手の良いレコード再生機能」を知った人はもうテープでの「早送りでの目標の始まり移行」に耐えられないとのニーズが高くなっていた。また、ノイズのないクリアな音楽録音として世界的指揮者カラヤンが絶賛した「PCM録音技術」をソニーで‘74年に確立させており、上述のように光学式ディスク録音技術はフィリップス社で74年に確立させていた。両社が確立した技術を使った次世代光学式音楽ディスクの共同開発がCDシステムの誕生に繋がったと考える。

(7) 1986年　ダイソンサイクロン掃除機

(a) 発火ポイント:

・掃除機の吸引力低下の不満　＋・製材所の空気分離サイクロン集塵機

(b) ニーズ:

掃除機の紙パックにはわずかのゴミしかたまってないのに、目詰まりで吸引力が落ちて、パックの交換が必要という困りごとに対し、吸引力が下がらない掃除機ができないか。土足生活の欧米では、掃除機が吸い取るゴミの大半は土や砂や泥で紙パックが詰まりやすい環境でニーズが高く、欲しい機能。靴を脱ぐ日本の生活様式では比較的ニーズが低い。

(c) 課題：

紙パックに詰まりやすい「土や砂や泥などの粉状」等の微小な粉塵を大量に吸っても目詰まりし難くする吸引方式の考案

(d) イノベーション機能：

製材所の屋根にある装置が製材時に出る「おがくず」をフィルターなしで吸引するサイクロン式集塵機に着目、工場に潜り込み、この集塵機の構造を細かく調べた。この集塵機のおがくずを吸引し続ける方式原理を集塵機の数百分の1の大きさの掃除機に応用し、「微小な粉塵を大量に吸っても目詰まりしにくいサイクロン吸引機能」を創造した。この開発は欧米の土足文化の世界に不可欠な掃除機となる。…このイノベーション機能は欧米の室内土足文化に不可欠な機能として進化してきた。座敷・布団分化の日本では必ずしも不可欠でなく、紙パック方式など他の方式も進化を続けているので、生活様式で必要な方式の持続的進化と分類する。

(e)「他分野の智慧」：

・製材所の空気分離サイクロン集塵機

(f) イノベーション機能が創り出されたファクター考察：

人々が不自由を感じているコトをダイソンは実体験し、納得するまで試作を繰り返し「サイクロン掃除機では5127回も試作」を行い、機能をレベルアップして人々が満足するイノベーション機能を実現している。人々が困っている・不自由を感じるコトを自分が満足するまで徹底的に試作する「ダイソンのモノづくりへの執念」がイノベーション機能を創り出したと考える。

(g) 新機能が創り出された経緯：

ダイソン自身が毎週末に自宅の掃除をしていた時、紙パックにはわずかのゴミしかたまってないのに、目詰まりで吸引力が落ちて、パックを交換せざるを得ないことを、彼自身、とても腹立たしく思っていた。普通の人なら「掃除機というのはそんなもの」と思ってしまうところを、ダイソンは「なんとかして吸引力の落ちない掃除機ができないものか」と考え続けた。そうした中、彼は勤めていた会社の隣にある製材所の屋根に、巨大な円錐を逆さにしたような装置が取り付けられていることに気づいた。製材時に出る「おがくず」をフィルターなしで吸引するサイクロン式集塵機とのことだった。

ダイソンはこの集塵機の構造を細かく調べ、円錐の上のほうから、おがくずを含んだ空気を斜め下方向に吹き付けると、空気は円錐の内側をらせん状に回転して渦ができ、断面積が小さい下のほうへ行くほど渦の回転速度が速くなる。おがくずにはものすごい遠心力がかかり、この力を利用して、おがくずと空気が分離される。この装置を小さくすれば、紙パックやフィルターがいらず、吸引力が下がらない掃除機ができるのではないかと考えたダイソンは、会社を辞め、自宅にこもって5年間、研究を進めたという。5127台の試作をして、「チリ」と「きれいな空気」がうまく分離できる構造を模索した結果、今日のダイソンの掃除機の基本原理となるサイクロン構造を考案した。

(h) ダイソンサイクロン掃除機誕生の時代背景:

(イ) 掃除機の紙パック式開発の時代背景:

日本家屋は畳と板の間が多く、「はたき」や「箒」でゴミを家の外に掃き出す方が簡単で早かったため、真空掃除機が殆ど普及しなかった。1960年代、団地他の新しい家には洋室が取り入れられ、絨毯が流行したためほうきでは掃除し難くなり、布フィルターの真空掃除機が一般家庭に普及し始めた。ゴミ捨て時に大量のホコリが舞い、またフィルターを水洗浄しないと吸引力が回復しないなどの面倒が多く、使い捨ての紙パックフィルター式が家庭に普及した。

(ロ) 欧米生活圏でのサイクロン掃除機が必要な時代背景:

欧米の住宅は絨毯敷きの部屋で土足のままの生活様式である為、絨毯に溜まるホコリは細かい粉状の土や絨毯綿ほこりなどであった。この細かい粉状の土ほこりが、紙パックの目詰まりの原因で、わずかのゴミしかたまってないのに吸引力が落ちて、紙パックを交換せざるを得なかった。土足のまま部屋で生活する様式では、細かい粉状の土ほこりによる目詰まりを防止することが必須な背景があった英国であればこそサイクロン掃除機が開発されたと考える。日本では靴を脱ぎ部屋に上がる生活の為、細かい粉状の土ほこりによる目詰まりの心配がないが、吸引力の低下が少ないサイクロン方式も使われるようになったと考える。

(8) 1999年2月　ドコモ携帯電話機による「iモード」を開始

(a) 発火ポイント:

・マッキンゼー報告「携帯電話機でのデータ通信サービスの可能性」 +・テレビ受像機、ワープロ、PDAなど機器に搭載のブラウザNetFront

(b) ニーズ:

携帯電話でメールや写真他コンテンツを通信したい。

(c) 課題：

（イ）携帯電話で動作できる通信記述をどうするかの課題、（ロ）携帯電話にはPDAのような大きなメモリは積めない課題、（ハ）情報通信サービス料金の課題

(d) イノベーション機能：

携帯電話でさまざまな情報をメールに載せて配信サービスするというイノベーション機能「iモード」機能を創造した。これによりメール文化が行きわたり、新たに絵文字文化も発生した。…この「情報をメールで伝送するイノベーション機能」は従来の携帯電話市場を破壊することなく、電話機能に情報を友と共用できる新機能を創り出し、新しい情報共用文化に進化させ、スマホiPhoneへの進化のきっかけを創ったことより、持続的進化機能と類別した。

(e)「他分野の智慧」：

・PDAなどの機器に搭載のブラウザNetFront

(f) イノベーション機能が創り出されたファクター考察：

ユーザー間でのメールのやりとりだけでなく、さまざまな情報をメールに載せて配信サービスを提供できないかと考えた榎の着想と、榎の開発スタッフである夏野、松永及び外部コンサル鎌田達の「NetFrontでのPDAなどの機器に搭載するブラウザ利用提案など」を榎が重要視したこと、及び開発スタッフが一丸となって携帯電話に搭載したことが『インターネットコンテンツまで手軽に閲覧できる「iモード機能」』を実現できたと考える。また、iモードは特に「普通の携帯電話」にこだわったことで、「パソコンは使えない」という人でも、iモード向けに相次いで登場のオンラインバンキングやニュース配信、ゲームなどを携帯電話によって享受できるようになったことに加え、2000年に登場のカメラ搭載携帯電話による「写メール」文化普及で、iモード機能が「話す携帯電話」を「使う携帯電話」に進化させた経営層との方針の違いからスマホへの進化ができなかったものと考える。

(g) 新機能が創り出された経緯：

1997年1月上旬、iモードを一から立ち上げた男「NTTドコモの榎啓一」は大星公二社長に呼び出され、マッキンゼーの「携帯電話機を使った新しいデータ通信サービスの可能性」の報告書を手渡され、サービスを現実の事業にしろと指示された。最初に榎が目を付けたのは、6月のサービス開始に向けて、準備を進めていた携帯電話機同士で全角25文字までのメッセージを送受信できる「ショートメール」だった。ユーザー間でのメールのやりとりだけでなく、

さまざまな情報をメールに載せた配信サービスを提供できないかと榎は発想した。ショートメールより先に始めた別のサービス「携帯電話によるパケットサービス」「DoPaをやりとりするパケットの量による課金」が1997年3月に出来上がっていた。コンテンツ配信にもピッタリと榎はDoPaの活用を検討を始め、パケット通信対応の携帯電話機の開発を指揮してきた永田に相談した。永田は「DoPaはパソコンやPDAに、インターネットに接続する手段を提供するもので、コンテンツの閲覧などの処理はパソコンやPDAが実行するのが常識だ、それを携帯電話機でやりたい」には反対で、「普通の携帯電話機がネット端末にならないとダメだ」という意見だった。

'97年6月25日iモードのひな型を築き上げた2人「ドコモの永田とACCESSの鎌田」が会議「PDA（携帯情報端末）と携帯電話機を合体してインターネット・サービスを実現」で初めて会った。その時、鎌田が「小型情報機器向けCompact NetFront Browser」資料でHTMLを表示するブラウザ機能を非常に小さなメモリ空間で実現し、「phone to:03-XXXX-XXXX」とHTMLを記述すれば、いちいちダイヤル・ボタンを押さなくても、選択ボタンを押すだけで電話をかけられる」と説明した。永田は「NetFrontはテレビやワープロで動くが、携帯電話にはそんなに大きなメモリは積めないので本当に動くのかや、「HTMLのデータ圧縮」「暗号化の方式」「サーバー側に持たせる機能」など核心の検討が始まり、次の会議で、鎌田が動いているものを見せながら再度提案して、二人の「iモードのひな型」検討が始まった。NTTドコモのアイデアとACCESSの技術が手を組んだことで、iモードは実現への大きな一歩を踏み出した。「携帯ゲートウェイ」と呼ばれていたサービスにどう名前がついたか。空港の情報カウンターなどに使われる「i（アイ）」の文字、その下に栗田が「モード」を付けた。

(h) 携帯電話機による「iモード」開発の時代背景:

ACCESSの鎌田は端末機器用ウェブプラザ「NetFront」を開発し、ゲームやTVなど様々な家電機器をインターネットに接続する開発を行ったが、当時はまだモデム（アナログ通信）の時代でウェブプラザ「NetFront」機能の生態系が整わなかったのでほとんど売れなかった。'94年に利用料金が大幅に引き下げられると、国内の携帯電話機市場は急速に拡大していった。さらに通信方式が第2世代移動通信システム（2G）サービスで、通信方式がアナログからディジタル（通信規格としてGSMとCDMA）へ移行すると、携帯電話機の高機能・多機能化が加速し、着信音に好みの音楽が設定できる着信メロディや、ポケットベルと連帯したメッセージサービスを利用できるなど、携帯電話が生活の中で離せない存在になっていった。Windows95が発売されると、インターネット利用の爆発的な普及が始まり、パソコンに加えPDAなど端末でのインターネット利用も増えていた。プロジェクト開始の'97年当時、通信環境・インターネット接続技術及び、市場ニーズ「いつでもどこでも使える携帯電話でインターネットを利用したい」の両面から、NetFrontブラウザの携帯電話他への展開としての「iモード開発」の最適な時代背景となっていったと考える。

(9) 2006年7月　IPS細胞（人工多能性幹細胞）の樹立

(a) 発火ポイント:

・臨床医として若き父親の肝炎（C型肝炎ウイルスと判明）に無力の医学への悔しさ　+・生物の幹細胞から各種器官細胞に分化する生態系の仕組み　+・カリフォルニア大学での研究（がんを起こす遺伝子APOBEC1の偶然発見）+・ショウジョウバエの触角にある遺伝子を働かせると触角になるはずが足になる研究　+・細胞が多能性を維持したり、さまざまな細胞に分化したりするメカニズムの研究

(b) ニーズ:

（イ）父親以外にもどうしても救うことのできない患者さんがたくさんいる、現在の医学で治せない患者さんを早く治せるようにしたい。原因が解ってから治療薬ができて治せるようになるまでC型肝炎では25年を要し、普通20年、30年かかる期間を短くしたい。（ロ）病気で痛んでいる臓器他の交換用「自分の細胞から作った拒否反応の無い臓器」での再生医療を進化させてほしい。

(c) 課題:

（イ）倫理的問題の残る「受精卵を破壊して作られるES細胞」でない多能性幹細胞「医療対象の人自身の細胞から多能性幹細胞を創り出す」課題、（ロ）多能性幹細胞から固有細胞に成長の鍵「遺伝子ブロック」を外す方法の解明、（ハ）皮膚などの一般細胞から多能性幹細胞に戻る「遺伝子」の2万種から選別探索

(d) イノベーション機能:

・患者本人の皮膚ほかの細胞に4種遺伝子「Oct3/4、Sox2、Klf4、c-Myc」を働かせて「人工多能性幹細胞（iPS細胞）」を創り出す「iPS細胞化イノベーション機能」を創造…この「IPS細胞化イノベーション機能」は倫理的問題の残る

受精卵から創るES細胞に比べ患者本人の皮膚や血液などの細胞から多能性幹細胞を人工的に樹立するため、iPS細胞より作った臓器の移植に拒否反応のない再生医療が可能となった。しかし、人体臓器製造まで進化させる要因があることより破壊的進化機能と類別した。

(e)「他分野の智慧:

（イ）Martin J. EvansのES細胞の樹立（EK細胞）「胚盤胞の内部細胞塊の細胞を培養し、多能性を持つ細胞を発見」、（ロ）Edward B. Lewisのホメオティック遺伝子発見「遺伝子の制御によって、体のある一部の組織や器官が別の組織や器官になることを証明」、（ハ）浅島先生が発見したES細胞からいろいろな細胞ができるために重要なアクチビンと同じようにNAT1がES細胞からいろいろな細胞に変化するのに重要な存在であると偶然判明

(f) イノベーション機能が創り出されたファクター考察:

（イ）現在の医学で治せない患者さんを早く治せるようにしたいとの強い想いが38億年かけて生態系を進化させた幹細胞機能を医療の現場に活用するイノベーション機能創造に繋がったと考える。

（ロ）山中が遺伝子の異常な動きに着目し、ショウジョウバエの触角のところにたった一つの遺伝子「アンテナペディア遺伝子」を働かせると、本来触覚が生えるはずの部分に足が発生したという研究結果（アンテナペディア遺伝子はアンテナが触覚、ペディアは足という意味）を見つけた。その後、哺乳類でも一つの遺伝子によって皮膚細胞が骨格筋細胞に変わることも見つけた。

（ハ）非常に大事な遺伝子を見つければ、1個あるいは数個の遺伝子が細胞の運命を変えられるという昔の方の研究結果を参考に、山中はES細胞以外の細胞、皮膚細胞に何個か遺伝子をいれると、ES細胞のようになる細胞が創れるのではないかと考えて、試験を繰り返したことがIPS細胞の樹立に繋がった。

(g) 新機能が創り出された経緯:

山中はカリフォルニア大学グラッドストーン研究所でトーマス・イネラリティ教授の指導の下、肝臓でたんぱく質「APOBEC1」の研究をしている時、APOBEC1遺伝子ががん遺伝子ということを偶然に発見した。なぜがん化するのかの研究を続け、原因候補としてNAT1（Novel APOBEC1 Target #1）遺伝子の発見に至った。さらに、NAT1がES細胞からいろいろな細胞に変化するのに重要な存在であることが偶然分かった。山中は米国には動脈硬化の勉強をしに行ったのに、偶然にも研究対象が「がん」になって、そこからさらに、ES細胞の研究（iPS細胞研究）に偶然にも導かれた。

その後、帰国して日本の医学界に戻り、大阪市立大学薬理学教室助手に就任したが、当時としてはiPS細胞の有用性が医学研究の世界において重視されておらず、研究が続けられる状況でなかった。奈良先端科学技術大学院大学に採用され、2000年に自分の研究室を持ち、アメリカ時代と似た研究環境の中で再び、IPS細胞の研究を再開できた。研究を始めるずっと前に「ショウジョウバエの触角のところにたった一つの遺伝子「アンテナペディア遺伝子」を働かせると、本来触覚が生えるはずの部分に足が発生した」研究結果と、哺乳類でも一つの遺伝子によって皮膚細胞が骨格筋細胞に変わる研究結果が報告されていた。すなわち、昔の方の研究「非常に大事な遺伝子を見つければ、1個あるいは数個の遺伝子が細胞の運命を変えられる」をきっかけに、山中はES細胞以外の細胞、皮膚細胞に何個か遺伝子をいれると、ES細胞のようになるのではないかと考えた。

山中はまず、マウスでは約2万個の遺伝子のうち、ES細胞で活発に働く遺伝子のデータベースを用いて100個に絞った。次にこの100個についてひとつずつ遺伝子組換え技術で働きを調べ、24個に絞った。そして、これら24個の遺伝子を、研究材料としてよく使われる、皮膚の繊維芽細胞に、次々と入れ、気の遠くなるような検証実験を行っていった。まず、遺伝子の運び屋「レトロウイルスベクター」を用いて24個の遺伝子すべてを線維芽細胞へ送り込むと、見事に多能性を持った細胞をつくり出すことができた。24個のうち1つを除いた23個の遺伝子を送り込み、多能性の特徴が現れない組み合わせを探して行った。除いたときに多能性の特徴が現れた遺伝子が、機能獲得に関与していると考えることができる。こうして遺伝子を10個に絞り込み、また1個を除いて送り込む実験を行った結果、ついに、Oct3/4、Sox2、Klf4、c-Mycという4因子の組み合わせを発見、すなわち、「人工多能性幹細胞（iPS細胞）」の完成し、繊維芽細胞に多能性を持たせることで、倫理と拒絶の問題をクリアした新たな多能性細胞がつくられた。すなわち、図2.1.1のように受精卵のES細胞より分化してつくられた皮膚や血液などの人体細胞に4種遺伝子「Oct3/4、Sox2、Klf4、c-Myc」を働かせて、ES細胞と同じ多能性幹細胞機能をもつ「人工多能性幹細胞（iPS細胞）」を樹立した

iPS細胞による網膜再生医療実用化を始め、IPS細胞を使った各種病気の再生医療の研究や、治療薬のIPS細胞を使った早期開発に展開されて、医療の現場に革命を起こしたと考えられる。

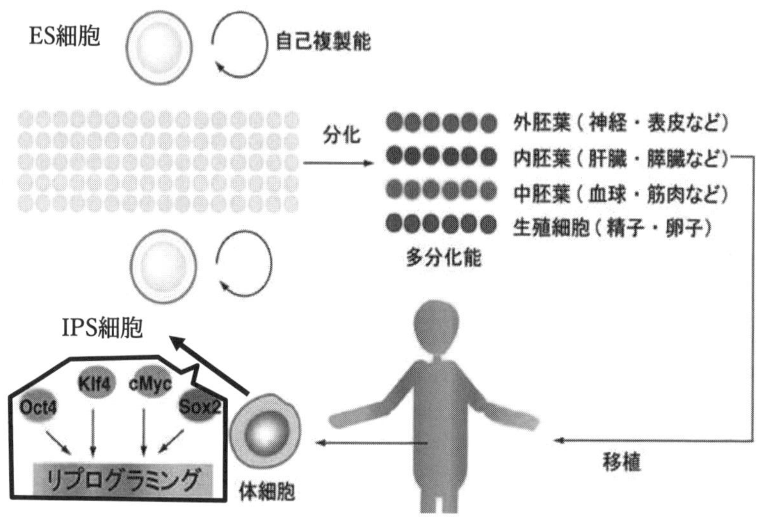

図2.1.1　ES細胞とIPS細胞のリプログラミング

(h) IPS細胞（人工多能性幹細胞）樹立の時代背景：

万能細胞樹立の研究が続けられ、1981年にEvansとKaufmanがマウスES細胞を樹立し、1998年にはJames Thomson他がヒト胚盤胞期胚からヒトES細胞株を樹立した。しかし、ヒトES細胞の元となるヒトの胚盤胞期胚を得ることは容易でなく、またヒト胚に侵襲を加えることに対する社会的な抵抗感があることが問題になった。更に、移植を目指す場合、組織適合抗原の不一致による拒絶反応を防ぐため、患者と同一の組織適合抗原を持ったヒトES細胞が必要となるという問題が発生した。さらに、本来であれば人間に成長できたはずの命の芽を摘み取ってしまうという倫理的な問題が起こってしまった。

そんな時代背景の中、山中は「ショウジョウバエの触角のところにたった一つの遺伝子「アンテナペディア遺伝子」を働かせると、本来触覚が生えるはずの部分に足が発生した」研究結果を参考に「大事な遺伝子を見つければ、1個あるいは数個の遺伝子が細胞の運命を変えられるはず」と導き、ES細胞以外の体細胞である皮膚細胞に何個か遺伝子をいれると、ES細胞のようになるのではないかと考えた。そこで、山中は約2万個の遺伝子のうち、ES細胞で活発に働く遺伝子のデータベースを用いて100個に絞り、さらにひとつずつ遺伝子組換え技術で働きを調べ、24個に絞り、その24個の遺伝子すべてを線維芽細胞へ送り込むと、見事に多能性を持った細胞をつくり出すことができた。

1個を除いて送り込む実験を行い、Oct3/4、Sox2、Klf4、c-Mycという4因子の組み合わせを発見した。それで、「皮膚などの体細胞に4種の遺伝子を働かせることで多能性幹細胞を樹立する」という、体細胞から人工的万能細胞（IPS細胞）が樹立できた。

(10) 2007年6月　Apple社「iPhone」発売

(a) 発火ポイント：

・アラン・ケイのパーソナル・コンピュータの未来像「だれもが携帯できる情報端末の出現」　+・NTTドコモのiモード+Microsoftスタイラスでタッチパネル操作のタブレットPCの開発　+・'82年トロント大学開発のマルチタッチ（フィンガーワークス開発のマルチタッチ入力パッド）　+・Walkman携帯+日本の着うた携帯にiPod・iTunes敗退

(b) ニーズ：

移動する時、人々（特に若者）は携帯電話（デジカメ）、音楽端末iPod、そしてインターネットコミュニケーター端末の3種ディジタル機器を持ち歩かなければならない。持ち歩くのは1台のディジタル機器だけで済ませたい。

(c) 課題：

（イ）ポケットに入る大きさで地図等を見やすい大きな画面にする課題、（ロ）電話番号やインターネット検索などタブレットPCの入力装置の課題、（ハ）携帯電話・音楽端末・タブレット・デジカメの4種機能を実現・操作するOSの課題

(d) イノベーション機能：

・Keyboardレス大画面・指タッチ操作で画面タッチ機能の実現（スタイラス付属ペンレス機能…我々は10個ものスタイラスを持っている）・携帯電話であり、音楽プレーヤー、インターネットコミュニケションツール、GPS端末などの「生活空間」をポケットに収めてくれるポケッタブルコンピュータ機能を創造｛携帯電話であり、GPS端末、音楽プレーヤー、コミュニケーションツール、旅行計画ツール、出会い系ツール、決済ツール「社会生活」の役割まで果たしてくれる機能をポケットに収めてくれるコンピュータ。｝…この「生活空間をポケット端末に収めるイノベーション機能」は従来の携帯電話及び携帯端末市場を破壊した、生活空間の情報をポケットに収めるスマホ（iPhone）文化を創ったことより、破壊的進化機能と類別した。破壊的進化の特徴である発売後の爆発的展開を見せた。

(e)「他分野の智慧」：

NTTドコモのiモード機能とMicrosoft開発のスタイラスでタッチパネル操作機能のタブレットPC、及びフィンガーワークスが腱鞘炎に悩む人にキーボード代替の入力装置として開発したマルチタッチ入力機能のパッド。

(f) イノベーション機能が創り出されたファクター考察：

・ジョブズは1984年ニューズウィーク誌の取材に対し、あたかも箱のなかに小さな人間が入っているかのように、あなたが望むことを察してくれる「携行可能の「代理人」として機能するコンピュータの出現」を予想していた。この夢・想いを実現すべく、タブレット端末の開発グループを結成し、チームの携帯電話サイズのデモ機をみて「タブレットは中止し､携帯電話を開発しよう」とジョブズの直感即断性､「タブレット端末とスタイラスでノートパソコンを変革する」というマイクロソフトの構想より、ジョブズの「画面への入力にはスタイラスではなく指を使うタッチスクリーン技術」の利用を着想出来る「利用可能な世界中の発明・新技術」へのジョブズの探求心、加えて、Top自ら現場で妥協しないで「想いのモノ」を徹底追及する「モノ創りの心」により新しいイノベーション機能が創られたと考える。

したがって、開発着手の20年前に述べた「夢」であるので、iPhoneの本質は電話機ではなく、電話もできる「あなたが望むことを察してくれる」小型の汎用コンピュータで、MPUがコアでOSが載り、様々なアプリが走るものであった。2001年当時の技術ロードマップでは、iPhoneのようなポケットサイズの汎用コンピュータは実現不可能だったが、用途を絞ってパーツの性能をピーキーに引き出すことで「携行可能の代理人の替わりのコンピュータ機能」の生態系が整って、携行可能の「代理人」コンピュータが実現できた。

(g) 新機能が創り出された経緯：

スティーブ・ジョブスにマイクロソフト社員がタブレット端末とスタイラスでノートパソコンを変革する、というマイクロソフトの構想について語り､「新しいタブレットとペンでマイクロソフト」が世界を支配するという話を展開した。しかし、ジョブズは、画面への入力にはスタイラスではなく指を使うべきだと考え、タッチスクリーン技術を搭載したタブレット端末の開発グループを結成させた。チームは携帯電話サイズの端末にしたいというジョブズ氏の意向に沿って作成した。デモ機のデモを見たジョブズ氏は､「タブレットは中止だ､携帯電話を開発しよう」と即決した。iPhoneの開発が始まったのは‘04年末、本社で極秘プロジェクトとして扱われ、数百人プロジェクトの従業員で開始した。「スクリーン上のボタン、画像の開発」については社外の人間を決して使うことのないようにと厳命した。

‘05年に「タブレット端末のようにマルチタッチパネルを用い、ディスプレイに直接入力するデバイス」の着想をはじめた、サイトテキストの文字が小さくて読みにくい場合は、ダブルタップでズームすることで、ストレスなく快適に閲覧することができる。程いいサイズ感を割り出すため、ウェブサイトをダブルタップするとソフトにおいて自動的にスクリーンの中央に表示するように改良された発端は、新しい入力システムを作ろうというプロジェクトで、キーボードはもちろん、マウスも使わない入力システムの開発であった。使いやすいUIを求めて様々な試行錯誤の末、マルチタッチ技術に遭遇する。それは腱鞘炎などに悩む人にキーボードの代替となる入力装置として、シリコンバレーのフィンガーワークス社が開発したものだった。マルチタッチはまさにアップルが求めていた「技術は常識はずれの使い方をした時こそ最も役立つ」技術であったので、アップルは同社を買収した。ジョブズはあらゆる試作品や試作機能のレビューを行い、「iPhoneは魔法である必要がある。しかし、これは魔法と呼ぶには不十分だ!」と厳しく叱咤激励したと言う。初代iPhoneの画面内キーボードはジョブズが試作品を気に入らず、ひたすら永々とチームはキーボードのことだけを考え続けた。

ジョブズはiPhoneを発表する数週間前に機能的な地図アプリを搭載することを希望し、製作チームはノンストップで開発にいそしんだ。知らない地へ行くとき、かつては重たい紙の地図を持ち歩いたものだ。目的地を探し出すまでに時間を要すだけではなく、地図がブラッシュアップされていない場合は実際の道や建物と地図の記載内容が異なることも多かった。現在は、iPhoneさえあれば目的地へ間違いなく行くことが出来、しかもより短時間で行けるルートを選ぶことも出来るし、道を逸れたら誘導もしてくれる。6月に店頭に並んだときには、購入希望者が店外に列をなしていた。発売後最初の週末の販売台数は27万台で、9月のレイバー・デー（労働者の日）までにその数は100万台を突破し、スティーブ・ジョブスによって2007年に発表されて以来、「iPhone」は20億台近くが販売された。

Apple社、「iPhone」開発の時代背景:
パソコン後継模索とコンピュータ激動の時代背景:

1990年の春にスマートフォンを予見したかのようなコンセプト『ジェネラルマジック』計画がApple社内で始動した。ジェネラルマジック社は

Apple70%、Sony10%、Motorola10%の株主比率で立ち上げ、その陣営はSony、松下（現パナソニック）、フィリップス、モトローラに加え、通信業界の巨人AT&TとNTTを自陣に引き入れた「壮大な陣営」を築いて、専用の通信環境とクラウド・サーバを一から構築することを通信産業に求めていた。'95年にはWWWが情報インフラのデファクト・スタンダードを制していき、ジェネラルマジックは2002年にシリコンバレー史上、最も重要な倒産となった。91年IBMを抜いて世界一のパソコンメーカーになっていたAppleのスカリーは、デバイスの収斂が進み、コンピュータと消費者家電の融合が起こると予言し、PDAというコンセプトを世界に提案したが、スカリーはジェネラルマジックの製品（Magic Cap）ではなく、ニュートンの開発を始め、結果的に大失敗となった。パソコンでAppleに負けたコンピュータの帝王IBMも93年に倒産の危機に陥り、新社長ガスナーが再建に10年近い年月を費やすほどコンピュータ業界は激動の時代だった。

携帯電話がネットの中心に移る時代背景:

Walkmanに勝ったiPodだが、「着うた」と携帯電話の日本国内ブームに勝つことは無かった。「着うたフル」が始まると日本の音楽市場はディジタル売上で世界2位と、「日本はアメリカと並ぶ音楽配信の先進国」と世界中が注目することになった。日本人が自嘲した「iモードガラケー」は、欧米では初期スマートフォンに分類している。アメリカで起きたPCの時代はやがて、日本が牽引するモバイルの時代に取って代わられようとしていた。ビル・ゲイツも21世紀初頭に、スマートフォン時代の到来を読んでいて、『Windowsパワード・スマートフォン2002』を世に送り出したが、高いライセンス料やIBMの二の舞を警戒され、なかなか採用されなかった。

携帯電話にイノベーション機能を阻害してきた時代背景:

携帯電話の世界は通信キャリアたちが絶対王政を敷く世界で、ハードウェア・メーカーたちが、キャリアの命じる仕様を恭しく拝受して携帯電話を作る姿勢が、ジョブズは許せなかった。開発を指示して6ヶ月後には、すごいディスプレイ「ガラス製のディスプレイで、マルチタッチで、ソフトウェア・キーボードを表現できる」が出来たが、2003年のARMプロセッサは、まだモノトーンGUIのiPodを動かすだけで精一杯だったのだ。そのパワーでGUIを動かしても、使いものにならないことが再確認されたので、タブレット計画は中止された。Appleはアメリカで売上1位を独走するモトローラと組んだiTunesフォンは悪評さくさくの大失敗に終わっていた。モトローラの既得権益保護的な後ろ向きで創ったiTunesケータイでは、イノベーションが起きなかった。

マルチタッチ操作スマートフォン開発の時代背景:

2006年ルービンはGoogleのもとでAndroid OSのアルファ版を完成、併せて物理キーボードに頼らず、液晶を指でなぞって操作するマルチタッチスクリーンを活用したスマートフォンのプロトタイプを作ったが、マルチタッチの液晶は部品として、実用レベルに到達してなく、モバイルプロセッサも、マルチタッチ操作を実現するにはまだ非力で、その商品化は現実的でなかった。初期にブラックベリー、シンビアン、Palmが誕生していたが、ブレイクスルーをもたらす完成度は出せていなかった。

ファデルが日本の携帯電話リサーチに基づいて「スティーブ､聞いて下さい。携帯電話は、史上最も重要な家電になりつつあります。だけど操作は複雑で、我々の基準から見たら、どの会社もまともなユーザーインターフェースを作れないでいる。これは「MacやiPodが出る前の状況とそっくり」じゃありませんか?」とジョブズを説得した。加えて、MVNOの登場、ジョブズが取締役になっていたディズニーでMVNOを使った通信事業参入が検討されていた。ディズニーのようにじぶんたちが通信キャリアになってしまえば、絶対王政を敷く通信キャリアたちから解放され､自由に携帯電話を再発明できると考えた。癌で余命制限となったジョブズは「徹底的にやられる可能性があるのは携帯電話だ」とiPhone計画を決定して、「物理キーボードは簡単な答えだ。だが、こいつがいろんなものを抑圧しているのだ。ソフトウェア・キーボードをスクリーン上で実現したら、どれほどのイノベーションが起こりうるか。それを考えてみろ」と指示した。実現の大きな技術課題は、①2本指で動く静電容量式の小型液晶タッチパネル、②マルチタッチのGUIを実現できるモバイルOS、③モバイルOSを動かすパワーを備えたモバイル用のCPUであり、これらを含むiPhone開発にジョブズは残りの命を費やし、不可能に挑戦すると決めた。

・まとめ

本章では「他分野の智慧」により創造されたイノベーション機能の製品を10件、その内日本発の製品を5件、米国発の製品を3件、英国発の製品を1件、そして日本とオランダ共同開発の製品を1件、スーパーヒットした製品事例として選択し､それらのイノベーション機能が創造できたファクターを考察した。

区分Ⅰの製品は、開発リーダ・仲間の「不自由・困難を解決し人々を満足させたい想い」「課題を失敗と工夫を繰り返し解決するモノ創りへの執念」のファクターが人々を魅了するイノベーション機能を創造しているものが多いが、

GUIやiPhoneのように未来の予見者ファクターがイノベーション機能を創造している事例もある。また、生態系が進化過程で創り出したイノベーション機能の医療現場での活用が開始され嬉しい限りである。

すべてに言えるのは、開発リーダの「世界中の発明・新技術への探求心」ファクターといえる。フラッシュメモリやデジタルオーディオのように経営陣の反対で製品化が10年以上遅れた例や、今回取り上げなかったディジタルカメラのように経営陣の反対で製品化を他社にとられ会社倒産となった例があるように、経営陣の先見性による製品化判断が非常に大切なファクターであると纏めることが出来る。

2.2節　新しいモノ創りの智慧で創造されたイノベーション機能

本節では、第二に『新しく開発された技術や発明発見を「人が困っているコト」「人が欲しいコト」の実現のために活用する「智慧」を発想した』事例、すなわち「新しいモノ創り智慧」により着想・創造して、先人達が世界を魅了して来た新製品のイノベーション機能を創造してきたスーパーヒット製品について考察する。

(11) 1948年1月　ショックレーが接合型トランジスタを発明（1947年12月　バーディーンとブラッテンが点接触型トランジスタを発明）

(a) 発火ポイント:

・グラハム・ベル発明の電話の特許切れでベル研究所が苦境　+・電界効果を利用するスイッチ（のちの電界効果トランジスタ）の研究　+・実験中に金属針（E）にプラスの電圧を、金属針（C）にマイナスの電圧をかけたとき、スイッチ現象に遭遇。

(b) ニーズ:

グラハム・ベルの発明した電話の特許が切れたあと、競争で生き残っていくため、大陸横断電話用長距離情報通信の信号増幅器が必要であったが、当時は寿命が短く信頼性も低い真空管によるものだけだった。そこで長寿命の半導体での解決が必要あった。

(c) 課題:

（イ）真空管に変わる寿命の長い半導体スイッチを考案する（ロ）点接触型

トランジスタの不安定動作を改善して、安定動作するトランジスタを考案する

(d) イノベーション機能:

・ショックレーはトランジスタの動作が小数キャリアの注入・拡散によると解明して、接合型トランジスタを発明し、「信号増幅に活用できる無接触での半導体スイッチ機能」という20世紀最大のイノベーション機能を創造した。

電子・情報文化を進化させるエレクトロニクス文化を創ったことより破壊的進化機能と類別した。

(e)「活用した発明・発見・新技術」:

・ショックレーの電界効果の原理が既に予測され、ユリウス・エドガー・リリエンフェルトが1930年にそれを利用した装置の特許を取得済みであったが、彼が知っていたかは不明。

(f) イノベーション機能が創り出されたファクター考察:

(イ)ベル研究所(BTL)に第二次大戦後集まったショックレーをリーダーとしたブラッテン、バーディーンの3人の天才科学者たちは、真空管増幅器の代替となる固体(半導体)を見つける研究を始めた。ショックレーの発案で、半導体を外部の電界の中に置いて伝導率に影響を与えられないか試した。あらゆる素材と設定で行って実験を繰り返したが失敗続きであった。その後、彼らは表面準位の研究に注力・議論した。グループ内の関係は素晴らしく、アイデアを自由に出し合っていた。1947年12月バーディーンとブラッテンは失敗の原因を推察したモデルの実験により、Ge単結晶表面に2本の金線を点接触させると増幅するという機能(点接触型トランジスタ機能)を偶然発見、2人の名前で出願した。(ロ)電界による伝導率変化を発案したショックレーは、8年以上も研究したにもかかわらず、自身の手では重要な発明を行えなかった悔しさから、猛烈な勢いで研究にとりかかった。その結果、トランジスタの動作は小数キャリアの注入・拡散原理より安定した動作と量産化容易な構造の接合型トランジスタを5週間後の1月に考案した。

(g) 新機能が創り出された経緯:

BTL(Bell Telephone Laboratories)は、グラハム・ベルの発明した電話の特許が切れたあと、必要な長距離情報通信の信号増幅器用の長寿命の半導体開発を、ショックレー(Bill Shockley)をリーダーとし、ブラッテン(Walter Brattain)やバーディーン(John Bardeen)たちからなる研究チームが取り組んでいた。はじめは、ショックレーの提案した電界効果(Field Effect)を利用するスイッチ(FET)の開発に取り組んでいたが、うまくいかなかった。

ブラッテンたちは失敗の原因を推定したモデルの実験をはじめ、1947年12月に、高純度Ge（ゲルマニウム）単結晶の表面に2本の針状の金線を近づけて立て、片方に電流を流すと、もう片方に大きな電流が流れ、信号が100倍に増幅されるという現象を偶然に見つけた。その現象は「金属針（E）にプラスの電圧を、金属針（C）にマイナスの電圧をかけたとき、電極（B）の電圧次第で、E（emitter）とC（collector）の間に電流が流れたり流れなかったりする」という思わぬ現象であった。これが最初に発明されたトランジスタとなり、点接触トランジスタと呼ばれ、バーディーンとブラッテンの名で出願された。

点接触型トランジスタは壊れやすく製造が難しいとショックレーは考えて、独自に点接触型ではなく、量産しやすいと予想した接合型のトランジスタを作る作業を続け、トランジスタの動作が小数キャリアの注入・拡散によると解明し、「接合型トランジスタ」を5週間後の1948年1月に考案した。この接合型トランジスタは安定した動作が可能で、量産も容易な構造であり、半導体生産の中心となった。

トランジスタというのはベル研によって作られた名前で「transfer+resistor（電気を伝える抵抗素子）」という言葉から命名された。「トランジスタの発明」は今でこそ「戦後最大の技術革新」、いや「20世紀最大の発明」などと評価されているが、「ニューヨーク・タイムズ」紙は、公式発表翌日にその内容を伝えているが、その記事は46面の見出しのないベタ記事であり、「このデバイスは従来、真空管が使われていた無線の分野でいくつかの応用を開くであろう」と発明当時のジャーナリズムの反応は、きわめて冷淡だった。

東京通信工業（Sonyの前身）により、高い周波数のラジオ用放送電波用に改善されたトランジスタとトンジスタラジオの開発とヒットで、一気に民生用に利用が拡大された。そして、この発明がエレクトロニクス文化を創り出し、さらにマイクロエレクトロニクス文化を創り出す20世紀最大の発明技術と評価される。

(h) トランジスタ発明の時代背景:

1945年に戦争が終わると、若き科学者たちが暗い軍事関係から解き放され、夢あふれる民間の研究に戻って来た。そんな中、ベル研究所はグラハム・ベルの発明した電話の特許が切れたあと、競争で生き残っていくため、大陸横断電話用長距離情報通信の信号増幅器の開発が急がれたが、当時は寿命が短く信頼性も低い真空管によるものだけだった。そこで、真空管増幅器の代替となる長寿命と信頼性の高い「半導体」を見つけるため、ベル研究所は固体物理学部門をつくり、ショックレーと化学者のスタンレー･モルガン指揮のもと、ジョン･バーディーン、ウォルター・ブラッテン、物理学者ジェラルド・ピアソン、化学者ロバート・ギブニー、電子工学者ヒルバート・ムーア、など天才的な科学者を集めた。戦後の夢にあふれた時代に、ベル研究所の競争を生き抜くための「長寿命と信頼の高い半導体」開発の必然性と夢を抱いた若い科学者のモノ創りへの想いが、トランジスタというイノベーション機能を創り出したと考える。

(12) 1949年5月　ノイマンがノイマン型コンピュータを開発（1936年5月 仮想的な計算機「チューリングマシン」）

(a) 発火ポイント:

・ヒルベルトの未解決の数学問題　＋・チャーリング論文「計算可能数について」　＋・プログラム内蔵万能チューリングマシン「仮想的な計算機」

(b) ニーズ:

第二次大戦での軍事用の暗号解読や爆弾の弾道や威力を予測するためには大量の計算が必要になることから、いろんな目的に容易に対応できるコンピュータが要望されていた。戦後の復興に合わせ、研究者・技術者からも研究用の計算、産業機器開発の演算処理、生産設備機械の演算などのニーズがより一層高まっていった。

(c) 課題:

「ヒルベルトの決定問題を解くアルゴリズムは存在しない」を証明することがしくみ発明の課題であり、アメリカで製作された世界初の電子式汎用コンピュータENIACは弾道計算の軍事目的であったが、製作に1943年から戦後の1946年2月までかかった。重量が30トンとなる巨大なマシンで、18,000個以上の真空管を使っており、その巨大なマシン重量と膨大な真空管の故障対策が最重要課題で、プログラムが「配線変更とスイッチ設定によるハードウェア構成」で、「演算方式が10進数」であるので、プログラム方式とはいえ、ハード構成が膨大であったため、いかに小形にするかが改善の第一課題であった。しかも新しい計算をする度に、真空管の配列や配線を一から組み直す必要があったため、ハード構成を変えることなく、いろいろな計算できることが第二課題である。

(d) イノベーション機能:

・ハード構成を変えることなく、プログラム（処理手順のソフトウエア）を入れ替えるだけで様々な処理を行えるコンピュータ機能を実現した。(テープを取り換えるだけであらゆる計算ができる万能チューリングマシンは、処理の手順（プログラム）を入れ替えることで様々な処理を行えるコンピュータ機能の原理を創り出した。)

・ノイマンはチューリングマシンを参考に、「電子計算機の理論設計序説」でプログラムからハードウェアを独立して実行させる方式「ソフトウェア（プログラム）という概念」と演算論理装置、制御装置、主記憶装置（メモリ)、入力装置、出力装置の五つの装置から構成されるノイマン型コンピュータを提唱した。

自然現象のアナログ文化をディジタル文化に変革したことより破壊的進化機能と類別した。

(e)「活用した発明・発見・新技術」:

チューリングの「仮想的な計算機万能チューリングマシン」発明

(f) イノベーション機能が創り出されたファクター考察:

世界をイノベーションし、人工知能へと進化を続けるコンピュータ機能はチューリングとノイマンという二人の数学者によりが創り出された。

・1900年ヒルベルトの未解決の10番目の問題「多項式が整数解を持つかどうかを有限的に判定できるか」チューリングはこの問題を解くために、チューリングは無制限のテープと有限状態オートマトンから成る計算モデル「チューリングマシン」、さらに抽象機械「万能チューリングマシン」を提示した。チューリングは1936年の論文で仮想的な計算機を作り上げた、すなわち、コンピュータの仕組みの核「処理の手順（プログラム）を入れ替えることで様々な処理を行える」となる原理を発明した。

・ENIACでは新しい計算をする度に、真空管の配列や配線を一から組み直す欠点を無くすため、ノイマンはチューリングマシンを参考に、コンピュータの内部にあらかじめプログラムを内蔵する方式を提唱し、その基礎設計を行った。ソフトウェアとハードウェアという概念も示した。これにより、プログラムを書き換えれば新しい計算を行わせることが可能になり、コンピュータの汎用性が飛躍的に高まった。

(g) 新機能が創り出された経緯:

コンピュータ機能の創造は「不可能への挑戦」の副産物だった。チューリングがチューリングマシンを考案した本来の目的は、「コンピュータを作るため」ではなかった。チューリングが計算機モデルの論文を発表したのは今から80

年以上も前になるが、その当時の多くの数学者に影響を与え、20世紀の数学研究の方向を示した数学者ダフィット・ヒルベルトは数学というシステムを整えるべく「その数学が絶対に間違わないということを数学的に証明しよう」という運動を始めた。ヒルベルト・プログラムの究極の目的は、数学の命題を論理式として表し、その論理式が定理かどうかを、数学的に論証するアルゴリズムを開発することであった。この問題を「決定問題」といい、チューリングはこの問題を解くためにチューリングマシンを発明した。

1900年ヒルベルトは国際数学者会議で、20世紀の数学者に向けて23題の未解決問題を提示し、23題の未解決問題は次々に解かれていったが、第10問題はディオファントス方程式を解くアルゴリズムを見つけよ」というもので、「n個の未知数を含む整数係数の多項式P（x1、x2、...、xn）に対し、方程式P（x1、x2、...、xn）=0（ディオファントス方程式）が整数解を持つか否かを有限的に判定する方法をみつけよ」の問題で長きにわたり未解決のままだった。

チューリングはこの問題を解くために、無制限のテープと有限状態オートマ

状態	b(空)を読み込んだときの動作	状態	1を読み込んだときの動作
1	ヘッドを下へ移動．状態は1へ	1	ヘッドを下へ移動．状態は2へ
2	1を書き込む．状態は3	2	ヘッドを下へ移動．状態は2へ
3	ヘッドを上へ移動．状態は4へ	3	ヘッドを下へ移動．状態は3へ
4	ヘッド停止（停止状態）	4	空を書き込む．状態は4へ

図2.2.1　チューリングマシンの動作ルール

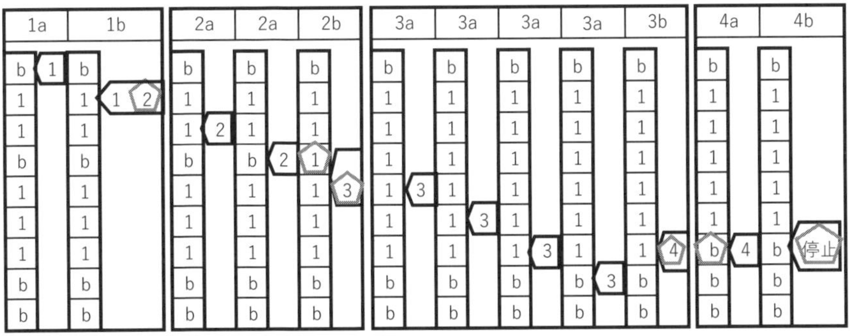

図2.2.2　チューリングマシンでの「2+3」の計算

トンから成る計算モデル「チューリングマシン」を提示し、機械的なプロセスで解くことが出来ない問題（停止性問題）があることを証明した。チューリングがチューリングマシンで「ヒルベルト・プログラムの決定問題を解くアルゴリズムは存在しない」と提示した。

提示から70年後にロシアの数学者ユーリ・マチャセビッチによって「ディオファントス方程式を解くアルゴリズムはない（計算不能だ）」という否定的な結論が出された。その結論が導き出されたのは、紛れもなくチューリング機械とチューリングが定義した『計算不能』という概念があった。

チューリングマシンや『計算不能』という概念が、第10問題の解決に繋がっていったように、コンピュータ・サイエンスは現在のコンピュータの原理を生み出し、コンピュータ・サイエンスの発展に繋がっていったが、チューリング自身もこの発展を想像していなかったと考える。

チューリングマシン:

チューリングが創り出したチューリングマシンは極端なまでの単純さに驚嘆する。加算チューリングマシンでは図2.2.1のようなルール（状態遷移の情報）で動作する。

そしてテープには加算したい値の数だけ1をならべたものを、空（何も書きこまない）で挟んで書きこみむ。例えば、2+3ならば、図2.2.2のようにテープには「b（空）11、b（空）111、b（空）」と書き込む。ヘッダの位置を先頭の空の部分に合わせ、計算を開始すると、テープ上の情報は次のように変わっていく。なお、囲いの箱はヘッドを示し、囲い箱の中に書いてある数字は現在の状態。最後の停止状態で「b11111b」、つまり計算結果は5であることを示しており、これは2+3の正しい計算結果。

万能チューリングマシン:

チューリングマシンの最大の特徴は、テープ上にチューリングマシンの動きを定義するルールを書き込むことで、そのルールに従った動きをするチューリングマシンを再現できる。つまり、1つのチューリングマシンで様々なチューリングマシンをシミュレートすることができる。このチューリングマシンを万能チューリングマシンと呼ぶ。この意味は、テープを取り換えるだけであらゆる計算を行うことができるということであり、処理の手順（プログラム）を入れ替えることで様々な処理を行えるコンピュータ機能の実現を示した。

万能チューリングマシンはプログラム「P」を入力データ「x」と共に受け取り、プログラム「P」を入力値と一緒に受け取ることで、異なるプログラムを実行する時に新しく機械を構成する必要がなくなる。この万能チューリングマシンが現在のプログラム内蔵方式コンピュータの誕生の大きな礎となった。

アメリカに渡ったノイマンは爆弾の弾道や威力を予測するためには大量の計算が必要になることから、しだいに電子計算機（コンピュータ）の開発に進んだ。計算を目的として最初に開発されたのはENIACと呼ばれるコンピュータだったが、これは、幅24メートル、高さ2·5メートル、奥行き0·9メートル、総重量30トンという巨大さ（約13畳の部屋を埋めつくすほど）でありながら、計算能力は現代の電卓よりも低かった。しかもENIACでは新しい計算をする度に、真空管の配列や配線を一から組み直す必要があったため、いろいろな計算をしようとすると大変不便だった。

そこでノイマンは1945年「電子計算機の理論設計序説」で、コンピュータの内部にあらかじめプログラムを内蔵させておく方式を提唱し、その基礎設計をした。すなわち、ソフトウェアとハードウェアという概念と演算論理装置、制御装置、主記憶装置（メモリ）、入力装置、出力装置の五つの装置から構成されるノイマン型コンピュータを提唱した。1949年5月最初のノイマン型コンピュータ「EDSAC」を第1世代（真空管・水銀遅延線メモリ）コンピュータとして開発した。これにより、プログラムを書き換えれば新しい計算を行わせることが可能になり、コンピュータの汎用性は飛躍的に高まった。

ノイマンは万能チューリングマシンを高く評価しており、コンピュータの父と称えられたとき、「私はただの助産師にすぎない」と答えていたという事から、ノイマン型コンピュータの「プログラムを入れ替えることで様々な処理を行えるコンピュータ機能」というイノベーション機能を創り出したのは天才数学者アラン・チューリングであると考える。そして、ソフトウェアとハードウェアという概念と五つの装置（演算論理装置・制御装置・主記憶装置・入力装置・出力装置）で構成されるノイマン型コンピュータ機能を創り出したのは数学者フォン・ノイマンであると考える。

コンピュータの進化は1947年にショックレーのトランジスタ開発に始まる半導体技術の急激な発展に押されて、1957年IBMのトランジスタ計算機IBM608の開発で第2世代コンピュータ時代へ進み、さらにIC化したメインフレーム機System/360を'64年IBMの開発で第3世代コンピュータに進化、1980年代に入るとLSIの集積度はさらに大（集積度10000個以上）となり、様々な用途のコンピュータが登場するVLSI化の第4世代コンピュータに進化した。

このイノベーション機能「プログラムを入れ替えることで様々な計算処理を

行えるコンピュータ機能」は'71年のマイクロプロセッサ機能の創造に影響を与えたことを始め、今日のディジタル情報技術と今後発展が期待されるAI技術の礎となっている。

(h) コンピュータ誕生の時代背景:

1929年代にアメリカを皮切りに世界的に起こった深刻な経済恐慌はニューディール政策で'35年前後一時的にアメリカの経済は回復傾向に転じたが、ほとんどの国で'30年代後半まで続いた。そんな暗い世界情勢の中、数学というシステムを整えるべく「その数学が絶対に間違わないということを数学的に証明しよう」という運動を始め、数学の命題を論理式として表し、その論理式が定理かどうかを、数学的に論証するアルゴリズムを開発する」という問題をヒルベルトが提示した。

大学卒業したての23歳のチューリングは、その未解決の10番目の問題「多項式が整数解を持つかどうかを有限的に判定できるか」を解くために、無制限のテープと有限状態オートマトンから成る計算モデル「チューリングマシン(抽象機械」)を考案した。すなわち、チューリングコンピュータの仕組みの核「処理の手順(プログラム)を入れ替えることで様々な処理を行える」という原理発想は不可能への挑戦」の副産物として創造されていた。

実際のノイマン型コンピュータは、第二次大戦での軍事用の暗号解読や爆弾の弾道や威力の予測などの軍事目的に電子計算機ENIACが巨大なうえ、新しい計算をする度にハード構成を作り替える欠点があった。チューリングと交流のあったノイマンは1945年コンピュータの内部にあらかじめプログラムを内蔵させておく方式のノイマン型コンピュータを提唱した。戦後の復興に合わせ、研究者・技術者からも研究用計算、産業機器開発の演算処理マシンのニーズが高まっていた。すなわち、世界恐慌の暗い時代、長年の数学未解決問題への数学者の挑戦で「処理プログラムを入れ替えることで様々な処理を行う機能」が発想され、加えて、第二次大戦で軍事用に開発された電子計算機の不便さと戦後復興の計算機需要拡大からプログラム内蔵コンピュータ機能が創造されたと考える。

(13) 1955年1月　東京通信工業は日本初のトランジスタラジオ「TR-55」を発売

(a) 発火ポイント:

・ショックレーが'47年発明したトランジスタ　+・井深のトランジスタ利

用のラジオ着想

(b) ニーズ:

戦後、進駐軍が来て、ポータブルラジオを持ち込んできて、乾電池で動く真空管式のラジオがどこでも聞こえることで、日本人にとって羨望の的であった。1950年代初め、開発されたばかりのトランジスタは、米国ではまだ低周波数用の軍事用に限定されて使われていた、東京通信工業の井深大は、トランジスタを使った挑戦的な課題「トランジスタを作るからには、広く誰もが買える大衆製品を狙わなくては意味がない。それは、ラジオだ。難しくても最初からラジオを狙おうじゃないか」を決めた。

(c) 課題:

（イ）特許製造許諾の仮調印の段階ではトランジスタは可聴周波数帯域にしか使えず、これよりもずっと高い周波数のラジオ用放送電波に改善する第一課題があった。（ロ）第二の課題は民生用に使える低コストのトランジスタ製造技術「高コストトランジスタのような高価なものを使って民生用のトランジスタラジオをやるなんてことは、無謀な冒険」と井深の友人島から忠告されていた。井深は「トランジスタの製造歩留まりが5%と低いため、トランジスタは商売にならない」と言われているが、「僕は、歩留まりが悪いから面白いと思うんだ。歩留まりが悪いというのなら、良くすればいいんだろう」と井深はムキになって答えた。(ハ)第三の課題は通産省が特許実施権の認可を極小企業「東通工」に出してくれない問題、（ニ）第四の課題はWE社からは、製造装置の仕様書などの資料は一切もらえず独学での開発、（ホ）第五の課題は真空管式のラジオは市場の普及率74%あり、ポータブルにするためには、全ての部品（抵抗、コンデンサ、プリント配線板含む）を小さくする開発。

(d) イノベーション機能:

・世紀の発明「トランジスタ」を活用し、ポケットサイズ化の部品「トランジスタを始めとした部品」を開発、「電源も気にせず、好みの場所で、いつでも聴けるポケッタブルラジオ機能」を実現した。➡世界で一番小さいトランジスタラジオとなった「ポケッタブルラジオ機能」へと進化。

……この「ポケッタブルラジオのイノベーション機能」は、従来ラジオは家庭内で聴くだけという習慣文化を崩し、何処でも（野外他）仲間と一緒に聴いて楽しむ文化を創ったことより、破壊的進化機能と類別した。破壊的進化の特徴である発売後、戦後間もない日本における最初の驚異的海外展開を果たし、海外でも爆発的人気を博した。

(e)「活用した発明・発見・新技術」：

・20世紀最大の発明「ショックレーのトランジスタ技術」

(f) イノベーション機能が創り出されたファクター考察：

・東通工に集まった井深と仲間達の「新製品創りへの夢とモノ創りへの想い」が、創業間もない小企業への度重なる妨害と次々に生じる課題を克服し、発明元の米国にも出来なかった『ラジオに使える高周波トランジスタの開発を実行し「ポケッタブルラジオ機能」』のイノベーション機能を実現出来たと考える。第一のファクターは井深達の「人々の欲しがるモノの先取り性」と「トランジスタに着目した先見性」であると考える。それゆえに、東通工に集まった井深と仲間達は日本初のテープレコーダ、音楽文化を変革するウォークマン文化や独自のVTR機能「ベータマックス」などを世に出し、世界の若者を魅了した

(g) 新機能が創り出された経緯：

WE社では、東通工がどこの会社とも技術提携をせず、またアドバイスも受けずに独力でテープを開発したことに非常に感心し、そういう会社であれば、トランジスタの特許を使わせて良いと判断され、東通工は技術提携し、ラジオ用のトランジスタの国産化を開始した。専務の盛田がアメリカから持ち帰った、トランジスタバイブル『トランジスタ・テクノロジー』という本を手がかりに勉強を始めた。

1954年初め岩間はトランジスタ研究のため、井深とWE社のトランジスタ工場を視察するためにアメリカへ向かい、トランジスタ開発を開始した。WE社からは、製造装置の仕様書などの資料はもらえなかったが、工場の中は割と自由に見せてくれた。岩間は工場見学の際に、これはと思われる装置を前にしては、怪しげな英語を駆使して質問して回り、その印象や答えてもらったことを、ホテルにて記憶をもとにスケッチ図面等を作り、岩間レポートとして東京に送り続けた。岩間レポートと『トランジスタ・テクノロジー』を参考にトランジスタ製造のための工作機械を作る「ゼロから出発する工作機械は社外の協力工場に加工を依頼し、水素でゲルマニウムを還元する酸化ゲルマニウム還元装置、それの純度を上げるためのゾーン精製装置、切断機（スライシングマシン）と、一連の製造装置を作り上げていった」。初めて東通工のトランジスタが動作したのは、岩間がアメリカから帰って来る1週間前だった。

1954年6月にはトランジスタを使って、初めてトランジスタラジオの試作を始めた。10月になると、日本で初めてのトランジスタ、ゲルマニウムダイオードの披露会を東京会館で開いた。茨木氏から「時計と同じように「石」（せき）

を使ってはどうだろうか」という意見が出され、井深も即座に賛同して、以後トランジスタは「石」となった。

1955年1月に東通工製のトランジスタを使ったラジオが鳴った。ジャンクション型のトランジスタ5石を用いた、スーパーヘテロダイン方式受信機TR-52型の試作に成功された。9月にTR-55が、日本初のトランジスタラジオの栄誉を担って発売された。世界で一番小さいトランジスタラジオとなった「ポケッタブルラジオ」TR-63は112×71×32mmと小さく､6石のため感度、出力とも優れており、消費電力も半分以下ということで、発売早々から評判になった。価格は、1万3800円（当時のサラリーマンの1ヵ月の平均給与）に相当する額であった。

(h) トランジスタラジオ創造の時代的背景:

敗戦後間もない日本は米国の進駐軍が各地にいて、間接統治されていたが、米国の敵対勢力となったソ連他の共産圏対策で日本を同盟国化方針で、‘48年頃からGHQより米国技術情報などが通信省電気試験研究所を通じて各所に流れるようになった。その一つにトランジスタ技術があり、’52年日立と東芝が米RCA社とトランジスタの技術契約を結び、翌‘53年にはWE社が無名の東京通信工業（現Sony）を「独自にテープレコーダを開発した会社」と認め、仮契約（無名の企業で通産省の許可が得られない為）に漕ぎつけられた。また当時、ラジオの普及率は70%を超えていたが、日本製は大きく、家に置くものだった。街では､進駐軍の持ち歩いていた携帯ラジオが庶民の羨望の的であったので、新しいトランジスタ技術の取得により携帯ラジオ開発の絶好のチャンスと井深は決断したものと考える。

(14) 1958年8月　本田技研工業50ccオートバイ「スーパーカブ」発売

(a) 発火ポイント:

・ヨーロッパ視察でも全く気にいるバイクが無かった　+・日本の悪路で気持よく操縦できるバイク。

(b) ニーズ:

日本の砂利道・泥道でも乗りやすい、頑丈なバイクが欲しい。誰でも扱えるような物で、特に女の人が乗りたくなるようなバイクが欲しい。そば屋さんの出前持ちが片手で運転できるバイクが欲しい。

(c) 課題:

（イ）スクーターか原付かの選択、オートバイ車種の課題、（ロ）日本の悪路でも自由に走り回れるエンジン開発の課題、(ハ) 片手で運転できるトランスミッションの課題、(ニ) 簡単に女の人でも乗れる車体/タイヤ径の課題、(ホ) 1機種のバイクの為のタイヤ/樹脂他専用部品製造メーカを手配する課題。

(d) イノベーション機能:

砂利道・泥道の悪路でも自由に走れ・乗りやすく、片手でも運転でき、女の人でも乗りたくなる「スカートでも乗れる小型オートバイのイノベーション機能」を創造した。…この「スカート（普段着）でも乗れる小型オートバイのイノベーション機能」は、従来オートバイの分野（欧米大型オートバイ）文化を端に追いやり、スカート他のラフな服で運転できる小型オートバイ文化を創ったことより、破壊的進化機能と類別した。破壊的進化の特徴である発売から半世紀以上経った現在まで、その手軽さが人気で世界160ヶ国において驚異的な展開が続いている。

(e)「活用した発明・発見・新技術」:

古い発明で当時一般化された「4ストロークエンジン技術」と「オートバイ技術」。

(f) イノベーション機能が創り出されたファクター考察:

・創業間もない本田技研工業の本田と藤沢は「人々が下駄を履くように気楽に乗れる」オートバイ」を創り出そうと、オートバイ先進国ドイツの実情を視て回った。しかし、ドイツの舗装整備された道路と全く違う「砂利道、ぬかるみの悪路だらけの日本」の実情に合わせたオートバイが、日本の人々には良いはずと「本田と藤沢の人々を幸せにさせたいとの想い」と手を傷だらけにしながら、先頭に立って製品開発を実行する「本田のモノづくりに対する理念と執念」が二度と創り出せないイノベーション機能を持つスーパーカブを創り出せたと考える。…このイノベーション機能は発売から60年以上の今も基本的デザイン・機能を変えずに世界160ヶ国で販売され続け、愛用されている証であり、こんな製品はかつてなく、今後も現れないと考える。

(g) 新機能が創り出された経緯:

1956年の暮れ、本田社長と藤沢専務がヨーロッパ視察に行った。二日間の飛行機上での話題は「この次に何を出すべきか」ということであった。本田・藤沢はドイツについた両日、NSU（メーカー）1社だけで月に2万台生産の全盛のハンブルグの町々のオートバイ店や自転車店を見て廻ったが、気にいる物は全く無かった。そして本田は「50ccという小型エンジンで出力馬力が小さいということが、一切のスタイルを制約している」「日本で気持ちよく操縦できる車とするには、どうしても「四サイクルを作らんとならんな」と藤沢に話した。（藤沢武夫：『スーパーカブ誕生前夜秘話』より引用）

帰国した二人が開発の要件「手のうちに入るものをつくる」「使い勝手のよいものをつくる」を掲げ、具体的な4つの項目、①エンジンは、高出力、静粛性と燃費に優れた4ストローク、②車体は女性も乗り降りしやすいカタチとサイズ、③ギアの操作方法はクラッチレバーを必要としないシステムの構築、④先進性のあるデザインで、かつ親しみやすく、飽きがこないを掲げた。

社員たちに、本田は「日本の道路は悪いから、エンジンは4馬力にしなければならない」と「また悪路でも乗りやすい、頑丈なものを作らなければならない」と、藤澤は「誰でも扱えるようなもので、特に女の人が乗りたくなるようなバイクで、エンジンが露出していない」と二人の想いを話した。

1957年早々に世界初の50ccOHV4ストロークエンジンの開発が始まった。まだ悪路ばかりの道路事情を頭に入れて、低速でも操作のしやすい安定した粘りのある動力特性を担うことが求められ、F型カブの50cc・2ストロークエンジンが1馬力に対し、開発目標は4馬力であった。

流行っていたスクーターの類型を派生させ、細身＝跨ぎやすいという車体構造の考慮から、エンジンを露出させず、跨ぎをよくするには、水平に置く方策がベストとの見解から水平エンジンのアイデアが固まった。エンジン開発スタッフはオーバーヒートを防ぐために、規格外のプラグを別注するなどのアイデアを次々に取り入れて、4.5馬力/9500回転という当時として圧倒的な高回転・高出力を実現した。

本田宗一郎の発想の言葉『そば屋さんの出前持ちが片手で運転できるバイク』の実現のための「遠心式自動クラッチに連動するトランスミッション」（左手グリップからクラッチレバーを取り払い、右手と左足とでギアチェンジ操作できる）という画期的アイデアを出した。しかし、「遠心クラッチ自体は難しくないが、変速操作と連動してクラッチをいかに断接させるか」が難問であった。自動遠心クラッチは新しい便利な機構だから、一朝一夕でいかず、時間がかかる困難な開発であったが、担当の秋間は絶対に諦めずに粘りに粘って8案まで試作した。この検討こそがスーパーカブの大きな特徴で、便利で使い勝手のいい、女性が乗りたくなるものになった。

エンジン、トランスミッション、車体設計と進むにしたがって、4月からは車体のデザインが始まった。本田は「一個人消費者を納得させる工業製品は、とにかくデザインが重要」とつねに説いていた。デザインを纏める上で、本田がこだわったのはタイヤのサイズだった。低速でも安定した力を出せる新しいエンジンを活かすためのタイヤサイズ、自動遠心クラッチ、跨ぎ空間へのステップスルー、頑丈で取り回しのよい車体とするためのタイヤの選択、タイヤのサイズにより車格が決定されて、それは日本人の体格にマッチングさせるという『もっとも重要な手のうちに入るもの』につながる。日本人の体格を考えれば、乗り降りがしやすく、足つきがよく、それでいて走破性を考えれば、21インチ、タイヤの太さ2.25、リム径17インチの小径タイヤに仮決めしたが、2.25-17インチというタイヤは当時日本国内では生産されていないサイズだった。たった1機種のバイクのために新しいタイヤの規格は作ってくれず、断られ続けて困っていたとき、やっと引き受けてくれた小さなタイヤメーカーが現れた。

現物と同じ大きさの粘土モデル、つまり本物に近いもので真実を掴むというのが本田の哲学、1分の1の粘土モデルならば、瞬間的に三次元的にも四次元的にも検討が出来て、計算や試作がいらない。一個人消費者を納得させる工業製品は、とにかくデザインが重要と本田はつねに説いていた。デザインの骨子が確立されていくなかで、レッグシールドやフロントフェンダーには、ポリエチレン樹脂が使われたことも新しい。配色構成はブルーという色が、海や空の色で、日本人に親しみのあるポピュラーな色であり、スーパーカブは大衆の乗り物だから、凝った色を使うより、親しみのある色にしたかった。もうひとつ大切なユーザーへのアピールである商品名は、なにを謳い、訴えかけるのか、車名についての検討も詰められていった。当時、スーパーという言葉はとても新鮮な響きがあったので、「スーパーカブ」と決め、そのエンブレムのスケッチを描いて本田に見せたら「おっ、いいじゃねえか!」と一発で決まった。

本田は経営者でもあった。そこで凄いのは『お前たちはコストにこだわるな』と言ったことだった。あくまでも『コストは生産で取り返すのだから気にするな』と。『お前たちはコストにこだわるな』と言われた開発同志は大船に乗った気持ちで、徹底的にチャレンジし、‘58年8月にホンダ・スーパーカブC100の発売を開始した。スーパーカブは50ccながら4ストロークエンジンを搭載した小型オートバイで高回転・高出力型の実用車として使いやすい特性を与え、燃費の良さも兼ね備えるものとなった。翌‘59年は16万7000台、さらに’60年には56万台と爆発的なヒットで売れ続き、2017年累計販売台数は1億台を突破した。スーパーカブは今も基本的デザインは変わらないまま世界の160カ国以上で販売され続けている。

(h) 50ccオートバイ「スーパーカブ」誕生の時代背景:

当時の日本の道路事情は首都東京ですら、ぬかるみ道・砂利道ばかりで舗装道路は数%の悪路であった。また、戦後間もない日本の庶民は原付自転車の購入がやっとだったが、当時の原付50ccエンジンは1馬力程度でぬかるみ道・砂利道には難があり、高い馬力のエンジンの原付自転車が必要の背景があった。…ぬかるみ道・砂利道で走り易いことは舗装道路でも走りやすいということに通じた。朝鮮戦争後に高度成長が始まり、原付50ccクラスのモノだったら、若者中心の庶民が購入できる経済状態に進んでいた。また、蕎麦やラーメン等出前の配達も増えており、蕎麦等出前盆片手運転ができるような運転しやすさを要望され、加えて女性の社会進出も増えており、スカートでも乗りやすいスクーター型のボディへのニーズ拡大が予想された。

(15) 1969年10月 インターネット機能の創造開始('84年命名インターネット)

('83/1/1TCP/IP、'84/ARPANET・CSNET接続で命名インターネット)

(a) 発火ポイント:

・研究連携のARPANET ＋・ARPANET成果を引継ぐ「4.2BSD UNIX」＋・ARPANETとCSNET接続 ＋・WWW閲覧プログラム「モザイク」

(b) ニーズ:

・インターネットのイノベーション機能創造のきっかけは一般ニーズでなく、米国高等研究計画局(ARPA)の研究の為の広域ネットワーク接続のニーズから始まった。1969年10月に「ロサンゼルス校(UCLA)・サンタバーバラ校(UCSB)・ユタ大学・スタンフォード研究所(SRI)の四つの研究拠点をコンピュータ連携する為、四つの拠点をIMP(現在のルーターに相当する機器)でネットワーク接続が必須だった。すべてのアカデミック・ネットワークを結合しようとしたが、各々のネットワーク方式がバラバラで繋がらず、ARPANETと他の学術ネットワークを相互接続する必要があった。⇨CSNET(Computer Science Network)もARPANETのTCP/IPを採用へ。

(c) 課題:

(イ)ハード・OS・ソフトの違う各拠点のコンピュータをどうネットワーク接続するかの課題、(ロ)途中故障した回線やノードがあっても、確実に宛先まで届けるNetの課題、(ハ)広い使用者と接続しやすいネットワークプロトコルとOS方式の課題、(ニ)接続サーバーのディスクにある文書が相互に閲覧、

転送がリンクする方式の課題

(d) イノベーション機能:

・ネットワークに繋がる全てのサーバーと電子メールを始め、サーバーの文書の相互閲覧・転送のリンクの出来る「情報交換」をTCP/IPで確実に伝送し、WWW閲覧プログラム「NCSA Mosaic (MS社Internet Explorer)」で誰でも簡単に使えるように、利用の人々の力が加わり15年かけた進化により、『全世界で情報共用できるイノベーション「インターネット」機能』に成長した。

…この「全世界で情報共用できるインターネット機能」は、従来の情報発信分野や商品小売りビジネス分野などに展開され、世界中の人々と情報共用・検索や本・商品販売分野などの環境を一変してしまったことより、破壊的進化機能と類別した。破壊的進化の特徴の一つである「機能創造から展開までの長年かかったこと」「展開が始まってからの各種分野に影響を与え続けること」など驚異的な展開が続いている。

(e)「活用した発明・発見・新技術」:

(イ) ARPANETに活用した技術は「パケット通信技術」、(ロ) 人々への普及に活用された新技術は「TCP/IP技術」と「WWW閲覧プログラム技術」

(f) イノベーション機能が創り出されたファクター考察:

科学技術を国家総ぐるみて加速するため設立された米国高等研究計画局 (ARPA) においては、研究を加速させるため米国各地に離散する研究拠点4ヶ所間で研究情報の共有が必要であった。その共有のための試作がパケット通信技術を利用してコンピュータを通信で接続して、研究拠点4か所で情報が共有できるインターネット機能の元祖となるARPANET機能を実現出来たと考える。

また、利用する研究部門により、ARPANETインターフェースの標準化となるNCPの開発や全世界の研究者を繋ぐための「TCP/IP」の開発と標準装備する「ARPANETとNSFNETとの連携」など研究部門の垣根を取った協調がインターネット機能を創ったと考える。

さらに、インターネット技術のオープン化が研究者・NE部門でない部外者の『WWW閲覧プログラム「モザイク」技術』を開発提供、そのライセンスを受けたMS社「インターネット・エクスプローラー」の無料配布など、元祖開発者以外の他部門の多くの人達の改良提案により、人々が容易に使えるインターネット機能が完成できたと考える。

その後、LinuxやJavaなど多くがオープン化開発されている。

(g) 新機能が創り出された経緯：

1958年2月ARPA（Advanced Research Projects Agency、高等研究計画局が発足、そのARPAへの資金提供の一般公募の研究で‘67年に開始したプロジェクトがARPANETの始まりと言える。「インターネットの基盤となる技術は米国国防省先端研究機構で’69年に開始されたARPANETの研究で生まれた。加えて、ARPANETの成果「TCPとIPを中心としたインターネット・プロトコル体系」はカリフォルニア大学バークレー校に’80年ARPAから委託されたOSの研究開発の成果である「4.2BSD UNIX」として、世界中の大学・研究機関で利用されるようになった。新しいオペレーティングシステムへの要求は「分散型システムで作業を行なうために必要なプロセス間通信機能、さらにネットワーク機能を統合して、次期バージョンのバークレー版UNIXの動作するマシンをARPANETに簡単に接続できる」ようにすることであった。

ARPANETは世界初のパケット通信のネットワークで、’69年10月に4つの拠点（ノード）を、IMP（Interface Message Processor）という、現在のルーターに相当する機器を用いて接続する形で運用が開始された。ARPANETの通信方式はデータをパケットと呼ばれる単位に小分けして転送し、受信側で小分けされたパケットを集めて元のデータに復元する方式とし、各パケットに送信先を示す情報が付けられるため、途中に故障した回線やノードがあっても、各ノードがそのパケットを迂回させて宛先まで届けられる「パケット交換」を用いた。このARPANETではデータパケットを転送するために、ホストコンピュータとホストコンピュータを結ぶプロトコルとして、NCP（Network Control Program）をUCLA大学院生Crockerが開発した。このNCPでARPANETのインターフェースが標準化され、‘72年にARPANETにつながるすべての機器に実装され、NCPは遠隔に存在するホストコンピュータ間でプロセス間接続とフロー制御を行った。’83年1月1日、ARPANETはネットワークプロトコルをNCPからもっと柔軟で強力な「TCP/IP」に切り替え、今日インターネットと呼ばれているネットワークが起動した。

‘80年代の終わりから’90年前後、すべてのアカデミック・ネットワークを結合しようという動きがあり、米国を中心に、日本でのJUNETを含む学術分野の実験的ネットワークが数多く構築されていたが、それぞれのネットワークの方式もバラバラだった。そこで、米国科学技術財団（NSF）はARPANETとほかの学術ネットワークを相互接続するためのCSNET（Computer Science　Network）を開始し、世界の学術ネットワークは‘80年代に相互に接続された。‘69年に米国で始まったARPANETの実験が研究機関に広がり、’84年にインターネット・プロトコル体系TCP/IPを採用して、スケールの拡大に対応できるようになり、‘84年には全米科学財団（NSF）がスポンサーになったCSNET（計算機科学ネットワーク）もTCP/IPを共通の通信手段に採用してARPANETと相互接続し、そのネットワークをインターネットと呼ぶようになった

営利目的のインターネットサービスプロバイダ（ISP）が’80年代末から‘90年代に出現しはじめ、’90年代の後半はインターネット経済の幕開けとなった。

‘92年、スイスでティム・バーナーズ・リー氏はインターネットに繋がるすべてのサーバーのディスクにある文書が簡単に相互に閲覧、転送のリンクが可能になる様にURLとHTMLとHTTPを考案して、自作プログラム「WWW」を開発、その構想自体をWWW（World Wide Web）と名づけ、その仕様書とメッセージをインターネットに流し全世界へその情報を公開した。WWWに共感したアメリカ・イリノイ大学に在籍するNCSA（国立スーパーコンピュータ応用センター）の学生たちが、’93年WWW閲覧プログラム「モザイク」を開発し、画像も表示出来る様にして、Windows・Macintosh・UNIXワークステーションなどで動く各Versionのモザイクとサーバー用のソフトウェアをNCSAは無料で公開、インターネット人口が爆発的に増加した。

加えて、‘95年Microsoft社がモザイクのライセンスを受け「インターネット・エクスプローラー」をWindows95で無料配布により、インターネットは誰でも使える状況になり、利用者は急増した。

(h) インターネット機能誕生の時代背景：

米国の科学技術研究加速の時代背景：

ソ連の人工衛星「スプートニク」の‘57年打ち上げに先を越された米国は、’58年に軍事利用の先端技術研究開発を行う組織高等研究計画局（ARPA）が科学技術研究の加速の為に設立した。その後、一般公募の研究への資金提供を行うようになった。4つの研究拠点での研究の連携の為、研究コンピュータデータの共有が必要となったが、4研究拠点は離れた場所の為、データの共有が難しかった。そこで、クラインロック氏のチームは米カリフォルニア大ロサンゼルス校のコンピュータから別の研究所にあるコンピュータに「語りかける」通信実験を始め、‘69年10月29日に通信実験に成功した。これがインターネットの誕生と言える。

インターネット普及に至った時代背景：

各研究拠点のコンピュータは異なっているため、データの伝送にとどまり、コンピュータ間のデータの共有までは出来なかった。コンピュータ間を結ぶプロトコルとしてNCPをUCLA大学院生が開発し、さらに'83年1月ARPANETはNCPからもっと柔軟で強力な TCP/IP に切り替えた。80年代の終わりから90年前後、研究者間の情報交換だけは速くしようと最初から電子メールの使用を前提にしていた。すべてのアカデミック・ネットワークを結合しようという動きがあり、米国を中心に学術分野の実験的ネットワークが数多く構築されていたが、ネットワーク方式がバラバラだった。そこで、米国科学技術財団（NSF）はARPANETとほかの学術ネットワークを相互接続するためのCSNETを開始した。'84年研究用ネットワークのARPANETとNSFNET（CSNET）が相互接続されて、そのネットワークを Internetの固有名詞 として呼ばれるようになった。さらに研究分野以外へのオープン化により、ネットワークの使い勝手が利用者達により改善され、誕生から四半世紀後の'95年のinternet explorerにより爆発的発展へとつながった。

日本では'95年1月17日に発生した阪神淡路大震災が普及の引き金となった。この時には既にパソコン通信とインターネットの相互乗り入れができていた。ボランティアの方々が国内ではパソコン通信を駆使しインターネットを通じて海外からの支援者たちとも連携して大活躍をした。この'95年1月の災害対策で、コンピュータネットワークや電子メールの利用が人間のコミュニティーやコミュニケーションづくりに大きな役割を果たすということが社会的に強く認識された。

(16) 1979年6月　再生専用・小型ヘッドホンステレオ「ウォークマン」を発売

(a) 発火ポイント：

・井深の欲望「移動時にもステレオで音楽を聴きたい　+・S社ポータブル小型技術　+・S社高音質テープレコーダ技術

(b) ニーズ：

1978年、井深（当時名誉会長）は肩掛け型録音機「デンスケTC-D5」を愛用し、海外出張の機内でヘッドフォンを使ってステレオ音楽を聴くのだが、やはり重くてかなわないと嘆いていた。井深は大賀（当時副社長）に「また出張なのだが､手のひらに乗るくらいの小型モノラルタイプのテープレコーダ｢プレスマン」に、再生だけでいいからステレオ回路を入れたのを作ってくれんかな」と依頼した。井深から試作品を借り聞いた盛田は「若い人たちは、いつでもどこでも良い音楽が聴きたい。もう音楽はオーディオ装置の前で聴かなくてよくなる。本体より大きいヘッドフォンが付いていてはスマートでないよ、何とかならないものですかね」と言う。

(c) 課題:

「録音機能のないテープレコーダ」が市場で受け入れられるかの課題と超軽量のヘッドフォンの開発⇨盛田が「俺が会長の首を賭ける、売れなかったら辞めてもいい」と言ってくれた。

(d) イノベーション機能:

(イ)「ステレオ音楽を何時でも・どこでも・歩きながらでも聴けるイノベーション機能」を持つポケッタブルの再生専用のテープレコーダ。(ロ) ウォークマンの音楽は部屋から解放され、ひとの歩くところすべてを音楽の市場にする画期的な音楽文化イノベーションをもたらした。…ヘッドフォンで好きな音楽をいつでも、どこでも、好きな場所で聴く。人類の新しい生活スタイルを描いたその風景はあまりに新し過ぎた(生活にイノベーションをもたらした)。…この「画期的な音楽文化イノベーションを起こした機能」は、ホールや部屋の音楽鑑賞から人々を解放し、何時でも・どこでも・歩きながらでも音楽鑑賞文化の実現へ進化させたことより、持続的進化機能と類別した。

(e)「活用した発明・発見・新技術」;

・Sonyの「ポケッタブル小型化技術」「ステレオ音響技術」

(f) イノベーション機能が創り出されたファクター考察:

・東通工創業の同志二人「井深の発想・モノ創り力と、人々を魅了する製品に仕立てる盛田の企画力」に、加えて専門家の音楽力を持つ大賀副社長のSonyTop3のモノ創りへの想いが若者を魅了する「ステレオ音楽を何時でも・どこでも・歩きながらでも聴ける機能」の創造と音楽文化のイノベーションを実現したと考える。(当時の井深は名誉会長、森田は会長で58歳であった)…この事例より、モノ創りの発想の若さは年齢でなく、「人々を幸せにさせたいとの想いと若さが持つ夢」の強さと考える。

(g) 新機能が創り出された経緯:

井深は大賀(当時副社長)に「また出張なんだが、手のひらに乗るくらいの小型モノラルタイプのテープレコーダ「プレスマン」に、再生だけでいいからステレオ回路を入れたのを作ってくれんかな」と依頼した。

井深は大きなヘッドフォンを付けたまま試作品を盛田の部屋へ持って行くと､｢これ聴いてみてくれんかね。歩きながら聴けるステレオのカセットプレーヤーがあったらいいと思うんだ」盛田は借り受けて､週末に自宅で試してみた。何と、盛田も気に入ってしまった。「井深さんの言うとおり、確かにスピーカーで聴くのとは違った良さがある。しかも持ち運びができて、自分一人だけで聴ける。これはなかなか面白い。これは、ひょっとするとひょっとするぞ」「若い人たちは、いつでもどこでも良い音楽が聴きたい、オーディオ装置の前で聴かなくてよい。本体より大きいヘッドフォンが付いていてはスマートでないから、何とかならないかと指示し超軽量のヘッドフォンを開発させた。

初号機の価格は盛田が「売れる値付け」として3万3000円（原価から逆算すると4万8000円でなければ不採算）として7月1日に発売開始した。7月が終わってみると、売れたのはたったの3000台程度だったが、初回生産の3万台は8月いっぱいで売り切れ、今度は生産が追いつかなくなってしまい、品切れ店続出という状態が6ヵ月間も続き、第1号機発売から10年（1989年6月）で累計5000万台を突破、13年間で累計1億台を達成した。

(h) ウォークマン開発の音楽環境と時代的背景:

1978年9月に日本テレビが世界初の音声多重放送を始め、テレビ音声がステレオ化して、NHK・フジテレビ・TBSも追随した。これにより、コンポステレオを代表にラジカセなど含め､家庭内での音楽はステレオで流れるように､良い音楽が聴ける音楽環境になっていた。ステレオで音楽を楽しめる「持ち歩けるテープレコーダ」はSony肩掛け型録音機デンスケ（8kg）AIWAラジカセStereo800シリーズ（6.5kg）で重量・大きさとも気楽に持ち歩ける代物ではなかった。持ち歩きに堪えるには、ソニーのコンパクトカセットレコーダー「プレスマン」（1.75kg）だけであるが、良い音楽をステレオで楽しむという要望に応えるものではなかった。

爆発的に普及した時代背景:

「ステレオ音楽を何時でも・どこでも・歩きながらでも聴ける」「一緒に家庭内で音楽を聴く」から「外出先のどこでも・いつでも・独りで音楽を楽しめる」機能が若者のフィーリングにヒットし、売上1か月後から爆発的に普及が始まり、若者の音楽文化へと発展したと考える。

(17) 1983年7月　任天堂が「ファミリーコンピュータ」発売

(a) 発火ポイント:

・「ゲーム＆ウオッチ」の偽物出現　+・1978年他社『スペースインベーダー』の大ブーム　+・「1ハード1ソフト」携帯型ゲーム機への山内社長の危機感。

(b) ニーズ:

・アーケードゲーム「ドンキーコング」のようなおもしろい家庭用ゲームを、自宅で好きなだけ遊びたい。

(c) 課題:

(イ) カセット式で楽しめるハード (LSI他) 性能・構成の課題、(ロ) ユーザーが楽しめるゲームソフトをどう用意するかの課題、(ハ) 家庭用ゲーム機としての販売価格の値決めとコスト圧縮の課題

(d) イノベーション機能:

・山内のカセット式の家庭用テレビゲーム機の着想に基づきソフトをカセット式で次々替えられる家庭用テレビゲーム機能を創り上げた。・・・飽きの来る「1ハード1ソフトのゲーム機」文化を打破し、以降、新しいゲームソフトで遊び続けられるゲーム機のイノベーション文化を作った。・・・この「ソフト入れ替え方式家庭用テレビゲーム機能」は、従来のアーケードゲームの世界をいつでも家庭でいろんなゲームに進化させ、その後も機能が進化続けていることより、持続的進化機能と類別した。

(e)「活用した発明・発見・新技術」:

・当時の一般化技術「カセットにソフトを収納する再生技術」「LSI利用コンパクトハード技術」

(f) イノベーション機能が創り出されたファクター考察:

・米国で流行のキーボードを使うパソコン仕様のテレビゲーム機に対し、ゲーム機の老舗が持つ「娯楽のイメージを保持し、遊ぶ子供を楽しませる」の理念・想いで「スティック利用の家庭用テレビゲーム機能」を創り、ソフトメーカーにカセット開発をさせる戦略で人気のカセットを次々と展開でき子供を飽きさせないテレビゲーム機能に仕上げたと考える。ゲームはアーケードで楽しむ文化から家庭のテレビゲームで楽しむ文化へとイノベーションを起こしたのも「子供を自由に楽しませるゲームを創りたい」、「飽きやすい子供をどう満足させるか」というゲーム機老舗の想いの強さと考える。

(g) 新機能が創り出された経緯:

1981年11月のある日の夜、山内社長から上村に電話があり、「ゲーム＆

ウォッチの次を見据えて、カセット式の家庭用テレビゲーム機をつくろう」「やるのは君しかいない」と言われた。しかし、上村は「テレビゲーム15、6」での苦い経験（テレビにノイズが入るクレーム）もあり、当時米国で流行のパソコン仕様の英数字のキーボード付のテレビゲーム機に、娯楽のイメージが湧かず、家庭用テレビゲームに悲観的であった。翌朝社長に呼ばれ、経営者として『ゲーム＆ウォッチ』の先を真剣に考えた末の決断だ」ということを知った。リコー半導体を訪問すると、幸運にも「テレビゲーム6」でお世話になった三菱電機の浅川さんが、リコーに転職していて、山内社長も浅川さんを気に入られて、LSIの設計・製造は、リコーをパートナーとして進んでいくことになり、ファミリーコンピュータ（ファミコン）の開発は'82年6月に始まった。当社人気のアーケードゲーム「ドンキーコング」のおもしろさ、クオリティを、家庭用ゲーム機で実現することを目標に設定し、「自宅で好きなだけ『ドンキーコング』を遊びたい!」という開発チームのモチベーションとなった。

'83年7月15日、任天堂のカセット式家庭用テレビゲーム機「ファミリーコンピュータ」を14800円で発売、同時にソフトウェアは「ドンキーコング」「ドンキーコングJR.」「ポパイ」の3タイトル。まもなく一世を風靡することになる「ファミコン」が世に出た瞬間であった。発売当初は伸び悩んだが、'84年に入ってから火がつき、国内だけで現在までに累計1000万台以上を出荷した。

(h) 家庭用ゲーム機の時代的背景：

70~80年当時、ゲームと言ったらアーケードゲームというくらいアーケードゲーム全盛期であった。また、家庭用としてゲームソフトは本体内のROMに書き込まれた「1ハード1ソフト」の携帯型ゲーム機が出回っていた。78年前後に家庭用TVゲームブームが盛り上がった。しかし、「本体に内蔵された数種~15種のゲームに飽きたら終わり、中には100種のモノもあったがその内容差異が不明確で飽きられた」で新しいゲームを遊ぶにはゲーム機を本体ごと買い直す必要があり、1万~1.5万円と高価なため、僅か1年程度でブームが去った。子供達は内容が時々変わるアーケードゲームのように、飽きが来たら新しいゲームソフトに替えられ、家庭で遊び続けられるゲーム機を欲しがっていた。

(18) 1995年8月　Windows95開発でイノベーションOS発売

(a) 発火ポイント：

・'76年アップル社PC発売での成功　＋・'80年IBMからPC用OS開発の

緊急依頼

(b) ニーズ:

（イ）アップル社PCの成功にコンピュータの帝王IBMがPCの緊急開発を決め、PC用OSの早急な開発が必須だった。（ロ）85年に発売した「Windows1.0」が84年登場のアップル「Macintosh」に見劣りする為、社員総出で改良が必要だった。

(c) 課題:

（イ）IBM要求の1年の短期間でのPC用OSの短期開発課題（ロ）アップル「Macintosh」のUI操作の使い勝手に負けないOSの開発の課題

(d) イノベーション機能:

・PCを触ったこともない一般の人たちにも興味を持つような「Windowsのスタートボタンや右クリックなどの新しいデザインのGUI」機能や一般の人がインターネットを扱える「インターネット・エクスプローラー」機能を備えたPC用オペレーティングシステム「Windows 95」機能を仕上げた。

…この「誰でもインターネットをGUI機能で操作できるPC用オペレーティングシステム機能」は「AltoのGUIベースオペレーティングシステム」を引継いだ「アップル「Macintosh」」にインターネットのGUI操作機能を追加したPC用OSに進化させたことより、持続的進化機能と類別した。

(e)「活用した発明・発見・新技術」:

（イ）Seattle Computer Products社から購入したOS、（ロ）アップル社が「Macintosh」で展開のUI技術、（ハ）WWW閲覧プログラム「モザイク」技術

(f) イノベーション機能が創り出されたファクター考察:

・MS社のPC用オペレーティングシステムはIBMPC用MS-DOSに採用され、「Macintosh」に見劣りするにもかかわらず、IBMPC成功によりPC市場のデファクト・スタンダードとなっていたこと、WWW閲覧プログラム「モザイク」のライセンス獲得、及びインターネット普及前夜であったことが重なり「Windows 95のオペレーティングシステムの開発」がPCの世界にイノベーションを起こしたと考える。

・このイノベーションを起こした機能はMS本社から移り、以前のWindows開発に携わってない「プログラムオタク青年」が創った「なんちゃって次世代OS」という中島の発想力・即決製作力および、ビル・ゲイツのビジネス即断・計画力がイノベーションを起こしたと考える。すなわち、今までの

開発者と異質な発想を持つ中島が加わったことが大きなファクターと考える。

(g) 新機能が創り出された経緯:

1980年IBMはアップル社の成功にヒントを得て、パソコン市場に本格的に乗り出すことを決定し、短い間で開発をめざしたため、OSは自社開発をやめて、もともとあるOSを改良して使うことにした。OS開発依頼先となったマイクロソフト（MS）社は開発期間が短いことから、Seattle Computer Products社から56,000ドルで入手したOSの改良で対応することを決め、IBMのPC用に改良した「PC-DOS」を完成し、1981年発売のIBM PC用のOS「IBM PC DOS」として発売した。'82年よりマイクロソフトがIBMとの共同開発契約に基づきコンパック等のIBM以外のメーカーに「MS-DOS」名称でOEM提供を開始した。MS-DOSはCP/M類似のOSだがIBMPCの成功により16ビットパーソナルコンピュータ市場でデファクト・スタンダードとなった。

Macintoshを超えるべく社員総出で改良を進め、'88年Windows2.1、'90年Windows3.0を発売した、'95年バージョン4.0では、それまでバージョン3.Xと異なり、OSの大部分が32ビット化した。さらに、革新的「Windowsのスタートボタンや右クリックの実装など、新しいデザインのGUI」やTCP/IPなどのネットワーク機能を標準装備するなどの大幅な改革で、やっと機能面でもMacintoshと並ぶ出来栄えの「Windows 95」の発売となった。WWW閲覧プログラム「モザイク」のライセンスを受けた「インターネット・エクスプローラー」の同時無料添付で世界的なヒットを記録し、競合のMac OSやOS/2とのシェアの差が拡大した。

'89年MS社本社に移った「プログラムオタク青年」中島は上司からプロトタイプ作成の指示で、それで「なんちゃって次世代OS」（Windows 95の元になる）を創り、それが社内で大ヒットして、ディベロッパー・カンファレンスで発表した。本物を作る『91年開始の次世代OSの「カイロ」（Windows NTの後継）プロジェクト』に発展したが、会議ばかりなのが嫌でWindows 3.1の開発チームに移った。移籍後、中島がカイロチームで育んできたアイデアをWindows 3.1に盛り込むことになったが、カイロチームが別の部署に（中島が考えたアイデア）盗まれたとの社内闘争になっていた。中島は取締役会議でCD-ROMに入ったβ版をビル・ゲイツに披露し、「とにかく早く出させてほしい、このままでは次期Windowsはいつまで経っても世に出ない」と直訴し、ビル・ゲイツの即決で次期Windowsの開発が進み、Windows 95につながった。すなわち、Windows 95が革新的な進化を遂げたのはMS本社に日本MSから移り以前のWindowsの開発に携わっていない中島の影響が大きい。Windows 95成功の後MS社はWindows 98、Windows XP、Windows 2000、Windows Vista、Windows 7、Windows 8.1、Windows 10とWindowsPCの世界に君臨し続いている。

(h) Windows95普及の時代的背景：

MS社がパソコンOS開発担当の時代背景：

研究者がリアルタイム操作できるDEC社のミニコンピュータPDPを、更なる個人向け用のパソコン「Apple II」の'76年発売に対抗し、IBMが80年にIBMPCの開発を決め、短期開発の為、もともとあるOSを改良して使うことにしマイクロソフト（MS）社は開発を依頼した。MS社は購入したOSを改良し「IBM PC DOS」を開発した。IBMPCはIBMブランドで先行のApple PCを押しのけパソコンのメジャーとなり、各社が互換機で追従した。MS-DOSはIBM PCの成功によりパソコン市場のデファクト・スタンダードとなった。しかし、MS-DOSは改良を続けたが「Macintosh」のGUI操作の使い勝手の良さに比べ、全く太刀打ちできなかった。

インターネットの幕開けに乗れた時代背景：

一方、営利目的のインターネットサービスプロバイダ（ISP）が'80年代末～'90年代に出現しはじめ、'92年ディスクにある文書が簡単に相互に閲覧、転送のリンクが可能になる様にURLとHTMLとHTTPを考案して、自作プログラム「WWW」を開発、WWWに共感したNCSAの学生たちが、'93年WWW閲覧プログラム「モザイク」を開発し画像も表示出来る様にして、Windows・Macintosh・UNIXワークステーションなどで動く各Versionのモザイクとサーバー用のソフトウェアをNCSAは無料で公開し、インターネット人口が爆発的増加の兆しとなった、この兆しを読んだMS社はWWW閲覧プログラム「モザイク」のライセンスを受け、「インターネット・エクスプローラー」を開発し、新発売のOS「Windows95」に無料添付したところ、インターネット爆発と共生し、世界的なヒットになったと考える。

(19) 1995年7月　Amazonオンライン書店サービス開始

(a) 発火ポイント：

・'94年インターネット利用率が毎年2,300%増加、こんな急成長を遂げるビジネスはない＋クリエイティブな仕事には「コミュニティ」が必要　＋・本は300万冊以上が出版されている＋世界中の出版物を提供する「オンライン本屋」をやろう。

(b) ニーズ:

（イ）欲しい本を早く手に入れ読みたい。（ロ）近くの本屋に欲しい本が無く取り寄せに時間がかかる。

(c) 課題:

（イ）インターネットを利用したオンライン物品販売がビジネス成立有無の課題（ロ）オンライン販売する物品の選択の課題

(d) イノベーション機能:

インターネットの力を使い、全世界で出版されているすべての本を提供するバーチャル本屋機能を発想・創造した。…世界中で本の購入方法に革命を起こしたことに留まらず、バーチャル本屋機能は世界中の人々の読書方法にまで改革をもたらした。…「成功する可能性を秘めたアイデアとは、一見して突拍子もなく誰かに言うのもバカバカしいと感じるような大胆なものである」とアインシュタインは言っている。

…この「インターネットでのバーチャル本屋機能」は本からスタートし、生鮮食料品以外の日常生活必需品のバーチャル小売商に進化続け、小売商の世界を脅かしていることより、破壊的進化機能と類別した。

(e)「活用した発明・発見・新技術」:

（イ）驚異的な普及率の拡大が始まった「インターネット機能技術」、（ロ）世界で確立普及されている「宅配物流技術」、（ハ）世界で確立普及されている「カード支払い等の料金収納技術」

(f) イノベーション機能が創り出されたファクター考察:

・拡大普及する要因を作った「インターネット・エクスプローラー」の発売より1年以上前のインターネットがあまり話題に乗らない時期に、WEBの利用率に着目し、「その異常な2300%成長の文脈でよいビジネスプランを考えよう」と着想した「ジェフ・ベゾスのビジネス先見性発想力」、と安定したサラリーマン生活を投げ打ち、未知の分野へ挑戦する「ジェフ・ベゾスのチャレンジ精神」が「インターネット利用のバーチャル本屋というイノベーション機能」を構築できたと考える。

また、「お客が何を求めているかを把握し、どうやれば提供出来るかを考え、お客に最高の満足体験を提供する」というAmazon社の行動方針に添ったサービスイノベーション機能が本以外の物品へのインターネット提供機能を拡大したと考える。

(g) 新機能が創り出された経緯：

Amazon創業者ジェフ・ベゾスは'94年、ニューヨークでヘッジファンドの仕事をしていたとき、ウェブの利用率が年に2,300%増加しているという驚くべき統計に出会い、その成長の文脈でよいビジネスプランを考えようと思いついた。オンラインで販売できる20種類の商品カテゴリをリストにし、最初に販売する最良の商品である本を選んだ。その理由は、①本はある観点で信じられないほど特徴的なもので、②本は他のモノに比べてはるかに種類が多いので、本は最初に売るものとしてベストと考えた。クリエイティブな仕事には「コミュニティ」が必要で、そのポイントはCDよりも本の方が多い、音楽CDは常時約20万枚が販売されているが、本は世界中のあらゆる言語で300万冊以上が出版されており、英語だけでも150万冊以上ある。これだけ多くの商品があれば、文字通り、他には存在し得ないオンラインストアを構築することができると考え、最初に売るものとして本を選んだ。

勤務していたヘッジファンドのボスに「インターネットで本を売る会社を立ち上げたいのです!」と話したら、「ものすごくいいアイデアだね！　でも、今の仕事を捨ててまでやるべきことなのかな？　最終決断を下す前に48時間だけもう一度よく考えてみるべき」と言われたが、色々考えた結果、ジェフは安全ではない道を選び、オンライン本屋の道を選んだ。

ジェフは当初Cadabraを社名に考えていたが、現Amazonの弁護士は「Cadabraの発音は解剖用の死体（Cadaver）に似て、良くない」と反対し、最終的には世界最大の河川であるアマゾン川の名前を冠するアイデアを気に入り、「Amazon」という名称を選んだ。

ジェフは両親の貯蓄を軍資金に最初のオフィスはベゾスのガレージにテーブルを置き仕事に取り掛かった、会社のサーバーの電力消費量が大きすぎたため、妻がヘアドライヤーや掃除機を使うたびにヒューズが落ちてしまうような状況だった。

アマゾン立ち上げ当初、何かが売れるたびにベルが鳴るように設定されていた。ベルがあまりにも頻繁に鳴るようになったため、わずか数週間後にはベルの設定はオフになった。登記わずか1カ月でアマゾンはアメリカの全ての州、そして世界45カ国へと本を発送するまで急成長した。「失敗することは新しいものを生み出す為に必ず通らなくてはならない道だ。もし絶対に成功するとわかっていたらそれは何の挑戦にもならない」と、Amazonの成功は新しいことに挑戦し続けた結果、また顧客満足に最重点を置く素晴らしい企業をつくろうという確固とした意志が成功してAmazonは実現した。amazonの代名詞「飛躍」に彼らの販売する書籍の全文検索サービス、「なか見!検索」の開設などの素晴らしい機能を開発したことだけが飛躍なのではなく、顧客が書籍の内容を購入前に閲覧出来るよう力を入れている事実が、Amazonが顧客満足を最重点に考えている証拠と考える。

(h) オンライン書店サービス開始の時代背景:

'94年当時ジェフ・ベゾスが働いていたニューヨークの金融機関の尊敬するボスは「インターネットで本を売る会社を立ち上げたい」に対し「ものすごく良いアイデアで、仕事に就けない人にはビッグチャンスだと思うけど、君が就いている「ものすごく良い仕事」を捨ててまでやるべきことではない」とビジネスコンサルしていた専門家のボスですら、オンラインビジネスの未来の堅実性は見通しできない時代であった。金融機関の将来性の明るい仕事を捨てて、オンラインビジネスに進むのは大きな博打であったと考える。

インターネットの幕開けを利用できた時代背景として、'80年代末～'90年代に営利目的のインターネットサービスロバイダ（ISP）が出現しはじめ、'93年WWW閲覧プログラム「モザイク」を開発し画像も表示出来るソフトウェアをNCSAは無料で公開し、インターネット人口の爆発的増加の兆しが現れていたようであったが、一般の人には話題にもならなかったが、ジェフ・ベゾスがその高い成長率が目に入るヘッジファンドの仕事を当時していたことが新ビジネス着想に繋がった。また、インターネット普及に加え、宅配物流とカード支払い等料金収納の普及の生態系が整ったことが成功に繋がったと考える。

(20) 1997年12月　ハイブリッド自動車プリウス発売

(a) 発火ポイント:

・21世紀のクルマを作る　+・環境・エネルギー資源の負荷軽減を対策するクルマが必要

(b) ニーズ:

・人間の経済活動によって温室効果ガスが増加し、急激に気温が上昇する恐れがあると指摘され、88年には「気候変動に関する政府間パネル」(IPCC)が設置されるほど、車の環境破壊に対する負荷軽減が緊急課題となってきた。

(c) 課題:

（イ）21世紀の乗用車像とはどうあるべきかの課題、（ロ）燃費を1.5倍の

第1章
第2章
第3章
第4章
第5章
第6章

20km/リッター⇨2倍の28kmに改善する課題、（ハ）電気を動力源として用いる駆動方式の課題、（ニ）エンジン・モータ・バッテリーを組合わせるハイブリッド方式の課題、（ホ）ハイブリッド車の対応したエンジン・モータ・インバータ他機器開発の課題、（ヘ）発表・発売時期と販売価格の課題

(d) イノベーション機能：

・「モータとエンジンをプラネタリーギアでつなぐ動力分割機構を創造し、加速時のモータアシスト機能と減速時の充電機能により燃費を従来の2倍の28km/リッターに改善したトヨタ・ハイブリッド・システム（THS）機能を実現した。

…この「トヨタ・ハイブリッド・システム（THS）機能」は電気自動車とガソリン自動車の利点を組合せ、環境対策と燃費向上機能を進化させたことより、持続的進化機能と類別した。

(e)「活用した発明・発見・新技術」：

・一般化技術である「インバータ駆動モータ技術」「低燃費エンジン技術」「バッテリー技術」「プラネタリーギア技術」

(f) イノベーション機能が創り出されたファクター考察：

・21世紀の地球温暖化対策必須の新時代に見合う「あるべきクルマ」に対する世界のトヨタTopの危機意識が今までのガソリンエンジン車の燃費を50%以上改善する開発をスタートさせた。

・開発チームG21のスタート時点で、1960年代に国家プロジェクトとして行われた「自動車電動機駆動プロジェクト」はパワートランジスタ➡IGBT素子開発の突端となったが、バッテリの課題が難しく電動化研究は間もなく終了した事例があった為､電気を動力源とする案はなく､トヨタの蓄積技術より「エンジン低燃費化」で行く方針と推察された。

しかし､当初目標の燃費1.5倍でなく､「2倍にしろ」との命令変更があり､「2倍にするにはハイブリッドをやるしかない」とG21の2Topの和田、内山田が決定し、次の開発方針を徹底した。開発するモノ創りのトヨタは専門外の主要なパーツ「モータ」「インバータ」「バッテリ」及び「ハイブリッド制御システム」も専門人員を結集して自社開発する方針と､トヨタの持つ「エンジン」「ハイブリッド化用プラネタリーギア」を含めた「各駆動部を最適協調させる自動車制御ノウハウ」を集結したことが、トヨタ・ハイブリッド・システム（THS）機能を創ることができたと考える。

(g) 新機能が創り出された経緯:

豊田英二社長の「もう少しで21世紀も来るし、中長期的にクルマのあり方を考えたほうがいいのではないか」という話がきっかけで、当時R&D部門の副社長だった金原がそれを受けて検討を開始、1993年の夏ごろにプロジェクトを作ることになった。プロジェクトは地球を意味するGlobeの頭文字G、21世紀の21から「G21」と名付けられ、9月にスタートした。'93年の年末燃費は同クラスの1.5倍、20km/ℓを目標とした報告書をまとめ第1次G21は解散した。その後、G21は'93年年末に技術管理部の内山田竹志がリーダに新体制を整えて常駐のプロジェクトとして研究を進めていくことが決まり、'94年の2月1日から正式にG21が再出発した。

「21世紀のクルマとは」のキーワード「環境・エネルギー資源と安全」、その中でも当時まだ検討がほとんど進んでいない「エネルギー資源の問題、CO_2の気候温暖化の問題と大気汚染」を中心に検討を進め、キーワードは資源と環境に決まった。第1次G21で提案された「小型で室内が広く、燃費のいいクルマ」というコンセプトが再び浮上した。G21プロジェクトのスタート時点ではまだ電気を動力源として用いるハイブリッドは現実的な提案とならず、話題には上がったが使いこなせる技術でないと検討結果を纏め冊子の一番後ろのほうで、バッテリやモータの性能は貧弱で、コストも高く、ハイブリッドは難しいと触れていただけだった。'94年6月には技術担当副社長に就任した和田明広は塩見正直常務とともに、急進的な改革を志向しており、加えて、EV開発部がハイブリッドシステムの研究を始めており、電動は絶対にやるべしと、担当役員としてEVを後押ししていた。

ハイブリッドも「必ず日の目を見るからしっかりやれよ」と和田は塩見の目利きを信じてチャレンジャブルな決断をした。1994年11月技術担当副社長の和田はG21リーダの内山田に開発を進めている次世代車はハイブリッド車とすることを指示した。そして、G21に新たな課題「'95年の東京モーターショーに出品するコンセプトカーの製作」が与えられた。「最初はモーターショーにハイブリッドバージョンを作り勉強・検討することだった」。しかし、「だんだん市販車もハイブリッドで行くという声が強くなってきた」。そして、当初目標の燃費1.5倍ではダメ、2倍にしろと指示が来て、「2倍にするにはハイブリッドをやるしかない」と和田は内山田に話していた。'94年の末から年明けにかけて、燃費2倍という目標とハイブリッドシステムの採用が決まり、'95年の頭からハイブリッドシステムの検討が始まった。エンジンで発電してモータで駆動するシリーズ方式も含め、ハイブリッドの設計部隊が色々方法を検討して、燃費ポテンシャルの高い「2モータのタイプ」が良いとの結論になった。

更に、「エンジンに加えてモータを2つ用い、駆動用モータはエンジンの出力を補助するほか、減速する時には発電機の役割を果たしてバッテリに充電、もうひとつのモータはエンジンからの動力を使って発電し、変速システムの制御機能も持ち、スターターモータにも用い、モータとエンジンをプラネタリーギアでつなぐ動力分割機構」すなわち、後にトヨタ・ハイブリッド・システム（THS）と呼ばれることになる方式が決まってきた

部品をそろえてTHSのハイブリッド車が11月にできあがったものの、最初はまったく動かなかった。起動するも、コンピューターシステムが立ち上がらない、ハイブリッドシステムとして動かそうとしてもエンジンとモータが連動しない等トラブルの山で、試作車を初めて動かすまでに49日間かかった。発売時期の98年末に間に合わせるため開発のスピードアップが重要となった。そんな厳しい開発状況の中、95年8月に就任したばかりの奥田碩社長から開発陣に「予定を1年早め、'97年中に発売する」という指示がでた。理由は'97年12月に京都で開催される第3回気候変動枠組み条約締約国会議（COP3）に合わせて発売時期を早めた。COP3開催と同時期に「排ガスのCO_2を劇的に減らす」ハイブリッド車を発売すれば、世界中にインパクトを与えられることだった。'97年まで前倒しとなった開発工程はニッケル水素電池性能・大きさの問題だけにとどまらず、インバータの冷却の問題、更に冷却系の電気負荷が大きい為カローラよりも燃費が悪い等、トラブルが続いた

'97年3月25日、赤坂のホテルでトヨタTHSの技術発表を行い、「トヨタは21世紀の環境問題にひとつの答えを出すハイブリッドシステムを開発した」と宣言した。8月までにテストはほぼ完了し、9月からは高岡工場の専用ラインで試作を開始した。10月14日、六本木のホテルでプリウスの記者発表会を行い、燃費は10・15モードで28km/リッター「同等のガソリン車の2倍」という約束と215万円の車両価格を発表した。12月に開かれたCOP3では、会議参加者を乗せて会場間を移動し、世界中から集まったメディアがプリウスに注目した。プリウスは発表直後から注目を集め、12月10日の販売開始から1カ月で月販目標の3倍を超える3500台を受注し、2017年に累計販売台数が1000万台を超えた。

(h) ハイブリッド自動車プリウス開発の時代背景:

開発は「21世紀のクルマを提案せよ」でスタートしたので「G21プロジェ

クト」と名付けられ、21世紀に発売を目指し検討がはじめられた。'93年当時自動車に関わる人の会話は、エネルギー資源の問題、CO_2の気候温暖化の問題と大気汚染の話題が中心であった。熾烈な燃費競争が続いていくなか、カリフォルニア州でゼロエミッション規制が制定されていて、環境課題に正面から取り組む必要性が強くなっていた。大型車のメルセデス・ベンツでも環境対策の軽自動車クラスのコンセプトカーA 93を発表する状態であった。一方、電動化（EV）は'91年にタウンエースをベースにしたEVを製作し、そのEV開発部隊が、ハイブリッドシステムの研究を始めており、トヨタの中でハイブリッドは次第に未来車への存在感を増していた時期、'94年11月に技術担当和田副社長からハイブリッド車とする指示があり、更に燃費目標も1.5倍から2倍にの指示があり、ハイブリッド以外に解がなくなった。

日本での世界環境会議（COP3）に同期できた時代背景：

'97年12月に京都で第3回気候変動枠組み条約締約国会議（COP3「京都会議」）が開催されることになっており、COP3開催と同時期にハイブリッド車が発売し、排ガスのCO_2を劇的に減らす具体的な提案を世界中に発信する戦略を立てた。'97年3月東京でTHSの技術発表を行い、「トヨタは21世紀の環境問題にひとつの答えを出すハイブリッドシステムを開発した」と高らかに宣言した。97年7月にはトヨタ環境フォーラムを開き、奥田が「トヨタは地球環境の保全を最重要課題と位置づけ、総力を挙げて取り組んでいく」と決意を述べた。そして97年12月に開かれたCOP3では、会議参加者を乗せて会場間をハイブリッド車プリウスが移動した。世界中のメディアが「京都会議での初めてのCO_2排出規制」と環境対策車プリウスを大々的に報道した。当時の環境対策の世界的高まりの時代背景がハイブリッド車の開発を早め、「初めてのCO_2排出規制の京都会議発信」に合わせた環境対策車プリウスの発売が、発売当初からのヒットに結びついたと考える。

(21) 2001年10月　Apple社が「iPod」発表（2003年3月Apple社 iTunes Music Storeを開始）

(a) 発火ポイント：

・「21世紀のWalkman」 ＋・東芝の1.8インチハードディスク開発 ＋・音楽配信サービス

(b) ニーズ：

音楽配信とmp3プレーヤーを一体にしたサービスで、音楽業界に革命を起

こしたい

(c) 課題:

1000曲をポケットに持ち運べる記憶媒体付きプレーヤーの課題、どのように聴きたい曲を1000曲の音楽から選ぶかの課題、記憶媒体に1000曲の音楽どう選曲入力するかの課題

(d) イノベーション機能:

「慣性モーメントを利用し速く回したら、スクロールが一気に進むスクロールホイール選曲機能」を着想、「ボタン一発で持ち歩く曲を音楽配信サービスから一気に入替できるオートシンク機能」を着想し、「持ち歩く曲を一発入替でき、1000曲の音楽をスクロールホイール選曲できるポケッタブル音楽プレーヤー（iPod）機能」を創造した…Sonyはウォークマン革命で音楽を持ち運べるようにして、appleのiPodはディジタル時代の同じような音楽革命を起こした。

…この「配信音楽を自由に操作できるポケッタブル音楽プレーヤー（iPod）機能」は、従来のアナログからディジタルに移行して、音楽配信サービスと記憶媒体を進化させたことより、持続的進化機能と類別した。

(e)「活用した発明・発見・新技術」:

（イ）東芝が販売開始した部品技術「超小型ハードディスク技術」、（ロ）一般に出回ったいる技術「スクロールホイール技術」

(f) イノベーション機能が創り出されたファクター考察:

ジョブズは2001年東芝が開発した1.8インチのHDD（ハードディスク）に遭遇した。HDDの小型化は、コンピュータ業界にイノベーション「8インチ化がメインフレームからワークステーションへ」「5インチ化がデスクトップへ」「2.5インチ化がノートPCへ」を次々と促した。ポケットに入る1.8インチHDDを採用すれば、1000曲をポケットに持ち運べるよう音楽産業に革命を起こせると即座に着想したジョブズの発想力がイノベーションのファクター。1000曲の中から聴きたい音楽をどうのように選ぶか？　スクロールホイールなら､大量にボタンを押すかわりにくるくる回すだけでよいと発想した。このようなジョブズの発想力と人々が使い易いUIを創意工夫するモノ創りへの想いが「ポケッタブル音楽プレーヤー（iPod）機能」を創ることができたと考える。

(g) 新機能が創り出された経緯:

Apple mp3プレーヤーの相談をうけたコンサルタントのファデルは「音楽

配信とmp3プレーヤーを一体にしたサービスで、音楽業界に革命」を起こそうと考えていた。ジョブズと出張した幕張イベントで「ノートPC用よりも更に小さい、1.8インチのHDD」の登場を知った。ハードディスクの小型化は、コンピュータ業界にイノベーションを次々と促してきた歴史がある。ノートPCを産んだ2.5インチの次に登場したのが、1.8インチだ。開発した当の東芝は、これを何に使えばいいのか見当もついていなかった。だが、ポケットに入る1.8インチHDDを採用すれば、1000曲をポケットに持ち運べるよう音楽産業に革命を起こせるとジョブズは登場を待っていた。さらにこの出張で、プロダクトの薄型化に必須の技術「Sonyの福島工場にあった最適なポリマー電池」も見つかり、ジョブズはGOサインを出した。

肝心な問題が残ったUIで、1000曲も入っていたら、どうのように聴きたい音楽を選べばいい？　ボタン方式だとひたすら連打しなければならない。どのモックにもあのスクロールホイールなら、大量にボタンを押すかわりにくるくる回すだけでよいと着想し、「それだ!」ジョブズは叫んで、この瞬間スゴイものができあがると彼は確信した。ポータブルプレイヤー社のノウハウで、省電力化のために32MBのメモリも搭載することになった。メモリに曲をいくつかキャッシュしておけば、電池食いのハードディスクを止めておくことができる。開発は終盤に入り、テスト段階のたった3時間で電池が切れる不具合や「プリント基板に欠陥」が製品発表の数日前に見つかった。Appleの社員は総出で台湾をタクシーで駆け巡り、町工場で基盤を創って、ギリギリで解決した。

ジョブズの『デジタルハブ』構想からiPodの名前をつけ、その年の残り2ヶ月で12万5000台が売れた。

Apple社が「iPod」開発の時代背景:

'99年当時アメリカではNapster {mp3形式の音楽ファイルを無料でダウンロードできる、夢のようなソフトで、それは著作権法に違反した行為だったが、音楽ファンたちの熱狂はとどまることを知らなかった} が社会現象を起こし、連日テレビで報道されていた。それはSonyのWalkmanやCDの登場以来となる音楽生活の変化の兆しであった。

ジョブズはSonyにmp3版の「21世紀のWalkman」を一緒に創ろうと持ちかけたが、mp3プレーヤーはCDの販売を崩壊させるmp3文化に寄与すると断られ、自分でやることを決めた。「音楽配信とmp3プレーヤーを一体にしたサービス」で音楽業界を革新する構想を練っていた時期、ポケットに入れるハードディスク技術「1.8インチHDD」とポケット用薄型化に必須の技術「ポリマー電池」の重要技術と日本出張中に遭遇し、一気に「iPod」構想を実現させる技術が揃い、音楽生活変化のニーズ及びポケットmp3プレーヤー製造技術両面から「iPod」開発の時代背景となっていたと考える。

そして、iPodは音楽の聴き方を革命的に変えた、iPodをMacに接続すると、Auto-Sync機能により、すべてのiTunesの登録曲とプレイリストが自動的にiPodにダウンロードされ、iTunesが適度にiPodの中身を入れ変えてくれ、あとはシャッフルで聴くだけ、シンプルなオートシンク機能が音楽生活を自動化して、人びとの音楽生活をエレガントに変える時代を創り、2004年11月のU2スペシャル・エディション発売以降、iPodの人気は爆発しiPhoneが登場する2007年には1億4100万台にまで到達。

以上本節では「新しいモノ創りの智慧」により着想・創造されたイノベーション機能の製品を11件、その内、日本発の製品を5件、米国発の製品6件（1件英国とダブり）をスーパーヒットした製品事例として選択し、それらのイノベーション機能が創造できたファクターを考察した。

本節の区分Ⅱの製品では、全く例のない新しい機能を創造する為（11）（12）（13）（14）（15）（20）のように「課題を失敗と工夫を繰り返し解決するモノ創りへの執念」のファクターが大きいもの、（14）（16）（17）（19）（21）のように「お客が欲しいモノを予測してモノ創り発想力」のファクターが大切であるもの、（18）のように「使う人達がアイデアを提案し合い機能を磨く」ファクターにより完成するものもある。すべてに必要なのは「不自由・困難を解決し人々を満足させたい想い」と「世界中の発明・新技術への探求心」のファクターである。これらのファクターが人々を魅了するイノベーション機能を創造している。もちろん、経営陣の先見性による製品化判断が非常に大切であると纏めることも出来る。

・まとめ

本章では「他領域の智慧」を参考に「人々が困っているコト」「人々が欲しいコト」を解決する「イノベーション機能」の創造、新技術や発明発見の利用での「新しく創造したモノ創りの智慧」により創造された「イノベーション機能」がどのような時代背景で創り出されてきたかを1節、2節で述べたイノベーション機能を創造した製品の発表順に述べて来た。

イノベーション機能が創造された時代時代に「人々が困っているコト」「人々が欲しいコト」の内容は、「戦後の生活の貧しい時代」から「エレクトロニクスの時代」「マイクロエレクトロニクスの時代」「情報革命が進行した時代」と大きく変化、いやむしろ変革して来た。その時代背景ニーズを的確に捉えたイノベーション機能を創造した製品（1）～（21）がスーパーヒットした。

1980年頃までは事前発表などのPRがほとんどなく、製品のヒットまで時間を要した製品が大半であった。事前発表の時代になってからも、発表時全く注目されず、徐々にヒットに向かったフラッシュメモリ（5）やiモード（8）がある。一方で、事前宣伝で発売を待ちわびて、発売とともに爆発的ヒットするプリウス（20）やiPhone（10）やWindows95（18）がある。

創造したイノベーション機能が実現する技術が不完全で長年要したが、ヒットに繋がった例として、インターネット機能（15）やサービス体制の構築に時間要したが宅配文化を創った宅急便（3）がある。

構想したイノベーション機能が素晴らしくても、市場の要望と製品実現する技術と事業化のKey Manが揃って初めて世に出るが、その条件が欠けて、商品化出来なかった『'72年のアラン・ケイのGUI機能のコンピュータハード「Alto」とオペレーティングシステム「Smalltalk」のパソコン構想』は事業化に欠け、及び『Android OSの父「ルービン」の液晶を指でなぞって操作するマルチタッチスクリーンを活用したスマートフォン構想』はマルチタッチの液晶はマルチタッチ操作を実現するモバイルプロセッサが非力で商品化出来なかった。そのほか、新しい機能・製品を形成する市場環境・サポートハードソフト技術・経済などの生態系が整わないと市場に出ていかない。

発売後60年以上経っても発売当時のイノベーション機能・製品をそのままに160ヶ国以上に時代が変わっても売れ続けているスーパーカブは、開発当時の日本の道路・経済状況に発展途上国の状況が次々と通過していくことも売り続けている要因でもあるが、スーパーカブのイノベーション機能が「人々が困っているコト」「人々が欲しいコト」を解決する内容であり続けているからであると考える。

発表当時のイノベーション機能・製品が機能アップを続けられるモノは継続して発展を続けられるトランジスタ（半導体11）、コンピュータ（12）、マイコン（2）、宅急便（3）パソコン（4）、フラッシュメモリ（5）、iPhone（10）、インターネット（15）、ファミコン（17）、パソコンOS（18）、ハイブリッド車（20）。しかし、基本機能が更に進化した新しいイノベーション機能に代替えされるモノは新しいイノベーション機能の出現で急激に衰退する。トリニトロンカラー（1）→液晶ディスプレイ、iモード（8）→スマートフォン、ウォークマン（16）iPod（21）→スマートフォン。また、基本機能の代替えは出現しないが、「人々が欲しいコト」の順位が低下するモノは細々と売れ続ける。トランジスタラジオ（13）、CDシステム（6）。

先人達のスーパーヒットするイノベーション機能の創造は、その時代と先々予想される「人々が困っているコト」「人々が欲しいコト」を想定すること、そのイノベーション機能を実現する技術の可能性を見定めることが不可欠であり、実現する技術の開発の並々ならぬ創造力・努力が加わって初めてスーパーヒットの製品に仕上げられている。

第3章

人々の移動と産業に応える「動力のイノベーション機能」

2章で述べてきたように、先人達は創造したイノベーション機能を持つ数々の新製品で世界の人々を魅了してきた。また、4章で述べる生態系の生物は生存に必然なイノベーション機能を創造して進化してきた。人々を魅了させる「モノ（製品）の生命」はその時代に必然的、あるいは先取りしたイノベーション機能であり、38億年に渡って生存し発展してきた生物の「生命」は地球環境の変化で生存するために創造してきたイノベーション機能であると捉えてきた。

身近なモノ、人々の要望に応える「製品」「システム」などの『モノの「生命」は何か』を考えると、先人達や生物の「生命」の第一が創造された「新機能」であったのと同じく、モノの「生命」はイノベーション新機能が中心の軸ではないか考えられる。そのイノベーション機能は、①人々の渇望するCell機能、②困難を解決し、人々を幸せにする遺伝子機能、③環境の変化に対応して進化する機能、④人を含む生物の進化過程で獲得する智恵を蓄積し進化する機能⑤生活環境をイノベーションして進化する機能の要素が必須と考える。

人々が渇望してきた「動力」は、18世紀初頭の「蒸気機関の動力イノベーション機能」の発明が約百年に亘る先人達の改良進化で実用化された。この「燃料による動力発生機能」は水力・風力・畜力・人力などに比べ安定して強力な動力機能を有していたので、動力革命をもたらし、18世紀末の産業革命を起こす原動力となった。その後､蒸気機関からエンジン･電動機と動力イノベーション機能が創造され、産業分野だけでなく、移動交通分野や生活分野全般でイノベーションを引き起こしてきた。

以下、この動力の進化を例に取り、主軸イノベーション機能が時代背景でいかに変遷して、人々の要望に応えるモノが上記の①～⑤の要素によりいかに創り出され、進化してきたかについて述べる。

3.1節　蒸気機関動力のイノベーション機能創造と進化

古代アレクサンドリアの工学者・数学者であったヘロン（紀元前2世紀後半～紀元前1世紀頃）が蒸気の圧力や気圧、水圧を利用した「ヘロンの噴水:サイフォンの原理利用」など色々な装置を考案した。その中の一つに蒸気の圧力を利用した「ヘロンの蒸気機関」と呼ばれる図3.1.1のようなものも考案した。これは､蒸気を噴出し､円周で回転力を得る「蒸気タービンの概念」であった。すなわち、燃料を燃焼させて熱を取り出す熱機関（ランプで蒸気に過熱する機構）と動力に変換する機関（蒸気により回転する機構）が別々構成の外燃機関であり、これが人類史上に登場した最初の蒸気機関であったが、当時、必要とする動力への要望が無かったためか実用化に至らなかった。

図3.1.1　ヘロンの蒸気機関

3.1.1 レシプロ式蒸気機関の創造と進化

イギリスの物理学者ドニ・パパンは、1690年に当時知られていた大気の力を動力として利用する手段として蒸気を用いる方法を考案した。これは水の蒸気の凝縮現象を利用するもので、真空と大気圧との差をピストンとシリンダーを用いて取り出す「レシプロ式蒸気機関の基本的な原理」である。しかし、パパンの模型はシリンダーそのものを火で加熱し、水をかけて冷却するというものであり、実用には遠いものであった。また、イギリスの発明家・技術者であるトマス・ニューコメンは、1712年に山の排水用として実用となる最初の蒸気機関「ニューコメン機関」を開発した。当時、炭鉱の排水の水くみは大変な重労働なので、馬の動力を利用する等人々が苦労しており、①人々の渇望、②人々の困難を解決するため、パパンの蒸気機関のシリンダーからボイラーを分離して、継続的に運転できるように工夫され、蒸気中へ冷水を直接噴射して冷却する方式、テコを利用した自動運転方式等がニューコメンにより考案され、産業革命の動力を担った蒸気機関の実質的な発明とされている。しかし、自動の「つるべ井戸」であり、往復運動を回転運動にしていなかったので、熱効率は1%にも達しないものであった。その後多くの技術者・科学者が建造・改良に関わり、18世紀の間でイギリスおよびヨーロッパの各地で1500台以上のニューコメン機関が建造された。このように蒸気機関での動力への展開は、実用化の失敗や不完全な性能ながら、人々の渇望する機能であったため、多くの展開と改良の研究が続いた。

1769年ついに、①人々の渇望、②人々の困難解決を満たすべく研究を進めたジェームズ・ワットが現代の蒸気機関に繋がる「蒸気機関の動力イノベーション機能」を開発した。これはニューコメンの蒸気機関の効率の悪さに目をつけて改良進化させたもので、復水器で蒸気を冷やすことでシリンダーを高温に保ち効率を向上した。さらに負圧だけでなく正圧の利用、往復運動から回転運動への変換、フィードバック調速機の利用による動作の安定などを考案し実用化となった。蒸気機関の誕生以前の炭鉱では馬が動力として利用されていたが、飼葉代が高騰するという「環境の変化」が、炭鉱経営者が馬に代わる動力として安価に入手出来る石炭を利用できる蒸気機関に着目したことが蒸気機関の普及を促進させた。すなわち、③環境の変化に対する進化の要素が蒸気機関の動力展開を拡大させたといえる。その後も蒸気機関の改良進化が続けられ、トレヴィシック等が1800年に高圧蒸気機関の開発に成功し、蒸気機関の出力は大きく向上した。この蒸気機関は高圧蒸気で直接機関を動かし、復水器を廃止した。さらに、1849年にはコーリスが吸気弁と排気弁を改良したコーリス蒸気機関を創り出し、さらに大幅に効率が改善した。

蒸気機関は交通機関への展開の試みもなされ、まず、船への展開が最も早く実用化され、1783年にフランスで蒸気船の試験走行に成功したのち、1807年にハドソン川で外輪型蒸気船の航行に成功し、実用化が開始した。1840年代に入るとより高速を得られ安定性も高いスクリュープロペラが開発され、さらに1860年代に高性能の船舶用蒸気機関が開発されて、帆船を駆逐して主要な海洋交通手段となった。次に陸上交通機関への展開では、前述のトレヴィシックが鉱山などに敷設されていた馬車鉄道に蒸気による交通機関を走らせることを構想し、1804年には世界初の蒸気機関車を発明し、実用化への改良が重ねられ、1825年にスチーブンソンがダーリントン鉄道で初めて蒸気機関車を走らせ、1830年に営業を開始した。自動車への展開の試みは船舶への展開より古く、1769年にはフランスのキュニョーが世界初の蒸気自動車であるキュニョーの砲車を開発したが、実用化には失敗した。以後、およそ100年以上にわたって蒸気自動車の開発は続けられたが、ガソリン自動車との競争に敗れ姿を消した。

鉱山の排水用ポンプとして発明されたレシプロ式蒸気機関が技術者ジェームズ・ワットにより改良されたことと、石炭を使った製鉄業や石炭を燃やした蒸気エネルギーの機械・列車に使われるようになり、18世紀頃に起こった第一次産業革命へと進んだ。すなわち、上述⑤の生活環境をイノベーションする「最初の産業革命」で生産改革・工業化が進み人々の生活が大幅に向上した。

さらに、このレシプロ式蒸気機関が巻き起こした第一次産業革命によって、イギリスは製品の生産効率を上げ、世界の工場と呼ばれるほどの大国に成長、諸外国にまで大きな影響を与えた。そして、その影響はイギリス社会だけでなく諸外国にまで広がった。

3.1.2 レシプロ式蒸気機関から蒸気タービンへの進化

蒸気機関は、ボイラー・復水器などの付帯設備が大きいこと、他の新動力と比べエネルギー効率が悪く対重量比出力が低いこと、起動・停止に手間がかかることの欠点より用途が制限された。

特に、大型化にシビアな制限のある小型の移動機関、特に自動車については早期に内燃機関に移行した。自動車ほど小型軽量化にシビアではない機関車は、20世紀中盤まで蒸気機関車が主役の座にあり続けたが、それもその後、電機動力の開発により減少した。

大きさや起動・停止の手間などが問題にならない大型のシステムについては、1884年にチャールズ・アルジャーノン・パーソンズによって蒸気タービンが実用化されるとレシプロ蒸気機関から蒸気タービンへの移行も発生した。発電用としては、大規模な火力発電プラントや原子力プラントでは蒸気タービンが用いられ、規模の小さいプラントや移動用施設ではディーゼルエンジンやガスタービンが使用されるという形で特性に応じた住み分けが生じている。

そのガスタービンの高温な排出ガスによりボイラーで蒸気を生み出し、発電機付き蒸気タービンを廻して発電量を増やす熱効率向上を果たした「コンバインドサイクル発電」は今日も広く使われている。外燃機関特有の熱源の多様性（石油系資源に依存しない）は蒸気機関のメリットとして現在も有効であり、原子力発電やRDF、ごみ焼却場の廃熱を利用した発電等に用いられている。

3.1.3 蒸気発生システムの進化

イギリスはヨーロッパ大陸の諸国よりも森林が少なかったため、製鉄業は薪炭を求めて移動したが、16世紀には燃料不足となり、木材価格が上昇し、他国よりも真剣に他のエネルギーを探す必要に迫られ、注目されたのが石炭であった。それで自然エネルギーしか使わなかった人類が石炭エネルギーへの移行を開始した。石炭エネルギーへの移行は蒸気機関創造のきっかけと低コスト・高熱量性での蒸気機関発展の大きな原動力となると共に、このエネルギー革命がイギリスに他国より50年も早く産業革命を成し遂げさせた。蒸気機関の開発以来、石炭利用の熱機関が石炭の低コスト・高熱量性から使い続けられて、石炭の粉末輸送や排ガス環境対策など火力発電技術の進歩により、現在の大容量火力発電プラントの大半を占める状況が続いている。

(1) 石炭から石油・LNGへの交代

一方、1950年代から始まった第3次エネルギー革命「エネルギーの主役が石炭から石油に交代」に伴い、石油炊きボイラーの火力発電プラントが製造され、日本では1970年には石油炊きが59%を占めた。1980年頃から石油からLNG炊きへの交代が始まり、燃料価格の変動、特に石油価格の上昇で2000

年以降は石炭炊きが増加すると共に石油→LNG炊きに進んだ。

(2) 原子力エネルギーへの進化

1951年には、世界初の原子力エネルギーを使った発電が米国で行われた。'53年の国連総会でのアイゼンハワーによる『Atoms for Peace』演説後は、世界的に原子力平和利用への注目が高まり、原子力の平和利用が推進され始めた。さらに'73年に発生した、世界中が大混乱に陥った「第一次オイルショック」により、石油資源に頼り過ぎるリスク回避で原発の設置が進んだ。そんな中'79年、米国スリーマイル島の原発事故、さらに'86年、旧・ソ連のチェルノブイリ原発事故が起こり、脱原発を表明する国や新規建設の中止など、原発利用は停滞した。しかし'90年代になると、アジア地域の急速な経済成長などで、世界エネルギー需要の急増と原油資源の供給は伸び悩みでエネルギーの需給はひっ迫し始めた。さらに、この頃から地球温暖化に対する問題意識が高まり、各国がCO_2などの温室効果ガス排出抑制に取り組むこととなる。こうした背景から、先進国および新興国で原発の建設が進められた。しかし、2011年の福島第一原発事故を受け、世界の複数の国・地域が脱原発の方針を表明した。一方で、温暖化対策やエネルギー安全保障のために原発を選択し、引き続き利用する国が多く存在している。

(3) 小形原子力への進化

米国の原子炉は次々と規制上の寿命を迎えつつあり、建設中のわずか2基の建設費は予算を何十億ドルも超過し、数年も遅れている。そこで小型モジュール炉（SMR：Small Modular Reactor）が登場、小型モジュール炉は、複数の原子炉を接続してひとつのユニットを組み立てる設計で、小規模な電力には、2～3基のみ設置でき、大きい電力が必要なら、さらに原子炉を追加する。大型原子炉には使えない冷却や安全性確保のメカニズムのいくつかを活用でき、チェルノブイリ級の原発事故を引き起こす可能性は、ほぼ皆無といえる。NuScaleの原子炉は軽水炉を採用しているが、原子炉は、高さ約19.8メートル、直径約2.7メートルで、それよりもわずかに大きい格納容器に内蔵されている。これはスクールバス2台を縦にして積み重ねた大きさの小型でありながら発電出力は60メガワットで、現在米国で稼働中の最も小さい原子炉の10分の1ほどになる。小型原子炉は安全性が高く、その理由は、小ささゆえに地下プールの水のなかに沈めることが出来、もし原子炉で漏出が起きたとしても、その熱はプール内にゆっくりと拡散できる。この小型原子炉の開発が進められ、2026年にも、米国西部の複数の州に電力の供給が予定されており、脱炭素化を促進する最有望な新エネルギーと期待する。

3.1.4 蒸気機関動力機能から新しい動力機能への転換

火力発電電力の5千万→25千万kW（1988年）への増大と、ガソリン自動車の年間1千万（'50年）→5千万台（'88年）生産という急激な拡大による温室効果ガス増加で、地球温暖化が20世後半から加速をし、急激に気温が上昇する恐れが指摘され、'88年には「気候変動に関する政府間パネル」(IPCC)が設置された。火力発電所のCO_2排出による環境に加えて、車の環境破壊に対する負荷軽減が緊急課題となり、大量CO_2排出の発電電力もCO_2排出削減化、再生可能エネルギー化が進められ、まず石油炊きがLNG炊きに変換され、続いて風力・太陽光発電が急速に拡大した。併せて原子力発電も増大の政策が採られたが度重なる放射能事故で頓挫している。その結果、2019年の発電電力比率では石炭37%、石油3%、LNG23%、原子力10%、バイオ・地熱2%、水力16%、風力5%、太陽光2%で、発電設備容量比率では石炭28%、石油6%、LNG24%、原子力6%、バイオ・地熱2%、水力17%、風力8%、太陽光8%とCO_2排出削減化が進んできて、風力・太陽光発電の設備容量が16%と急激に増加している。しかし、電力量では蒸気機関が73%を占めており、さらに63%の大半に化石燃料が残っているのが実情である。温室効果ガスを排出する化石燃料発電の削減が緊急課題であり、利用可能が既に進んでいる水力を除く、自然エネルギーの風力・太陽光発電の比率を向上させる施策を各国とも進めている。しかし、設備容量に対し電力量が大幅に低い風力・太陽光発電は天候・夜間の制限の為、安定供給できる蒸気機関発電が必須なので、温室効果ガスを排出しない蒸気機関発電「安全な小形原子力及び水素・アンモニア発電などの新しい動力機能」への転換が必要である。

3.2節　内燃機関動力のイノベーション機能創造と進化

内燃機関は熱エネルギーを機械エネルギーに変換する熱機関であり、レシプロエンジンやロータリーエンジンといった容積型内燃機関動力のイノベーション機能とガスタービンエンジンやジェットエンジンなどの速度型内燃機関のイノベーション機能に分類されるが、ここでは燃焼ガスの容積膨張を利用して、クランク機構などにより回転軸出力として機械仕事に転換する容積型内燃機関のイノベーション機能創造と進化について述べる。

内燃機関の黎明期

内燃機関の開発は最も古くは13世紀に中国、モンゴル、アラブなどで使われていたロケットエンジンの最初の記録があり、レオナルド・ダ・ヴィンチが無圧縮式内燃機関についての記述を1509年に残している。さらに、イングランドのサミュエル・モーランドが17世紀に発明した「火薬の燃焼力で動作するポンプ」が世界初の原始的なピストンエンジン、1794年にRobert Streetが製造した最初の液体燃料を使用する内燃機関（非圧縮式）、スイスのフランソワ・イサク・デ・リヴァーズが水素と酸素の混合気体を燃料とした内燃機関を1807年に製作、サミュエル・ブラウンが産業の動力源として使える世界初の内燃機関の特許を1823年に取得などの記録がある。ブラウンの大気圧利用の内燃機関アイデアは、ニューコメンの蒸気機関によって先取りされてしまったが、燃焼のエネルギーを動力として取り出すエンジンを、初めて実用化したのはサミュエル・ブラウンで、蒸気乗合自動車全盛期の1820年代であったため、内燃機関の展開が遅れることとなった。

3.2.1 内燃機関の実用化

(1) ガソリンエンジンの創造と自動車の創造

1860年代になって動力用への展開が一気に進み、1862年にフランスのアルフォンス・ボー・ドゥ・ロシャスが4ストロークエンジンの特許を取得（概念のみで実物の製造はなし）、ニコラウス・オットーは1862年にエンジンの動作周期に2つの工程を経る2ストローク機関を試し、‘64年にオットーエンジンの製造に成功した。’65年頃には、内燃式エンジンのアイデアが蒸気機関の機構を借用し、当時の先進技術である電気を利用して、やっと実用的なエンジンにたどり着いた。その結果、フランス全土で300台から400台の0.5馬力から3馬力程度のエンジンが、据付動力として活躍するようになった。さらに‘76年に4工程（吸収・爆発・圧縮・排気）を1サイクルとする4ストローク機関動力のイノベーション機能を発明した。この4ストローク機関で、エンジンの熱効率は大気圧エンジンの11%から14%に向上したが、エンジンの信頼性品質は70%低下した。これをマイバッハとダイムラーが二輪車に取り付けて実用化に成功した。'79年にカール・ベンツがオットーの4ストローク機関の設計に着想を得た「高信頼の2ストロークガスエンジンの特許」を取得した。

'85年にカール・ベンツは独自の4ストロークガソリンエンジンを搭載した三輪自動車を製作し、86年には特許局からカール・ベンツに特許登録証「この特許は1~4人を運搬するための、主に軽量の荷車や小船の運転を目的としたものである」が交付された。この特許を持って「Patent Motor wagen」と名付けたガソリンエンジン搭載の三輪車は、「世界初の自動車」となった。さらにベンツは96年にピストンの動きによる振動を抑える効果のある水平対向エンジンを発明している。それとほぼ時を同じくして、もう1人の自動車開発のパイオニア、ゴットリープ・ダイムラーがガソリンエンジンを取り付けた二輪車（オートバイ）を開発・特許を取得し、加えて駅馬車にガソリンエンジンを搭載することにも成功したことより、「世界初の四輪自動車の発明者」と称される（1926年にBenz und Cie.はダイムラー創業会社と合併し、ダイムラー・ベンツ（Daimler Benz）になった）。自動車への展開がガソリンエンジンの大発展へと繋がった。すなわち、人々が欲しがっている最適な展開先の準備が新しい機能の普及に不可欠である。

(2) ディーゼルエンジンの創造

1892年に、ドイツのルドルフ・ディーゼルは圧縮点火エンジン（ディーゼルエンジン）動力のイノベーション機能を発明した。ディーゼルエンジンの出発点は、ルドルフ・ディーゼルの「理想的な熱機関」を作るというディーゼルの野望にあった。当時の技術では実現不可能と考えられていた理論を、ディーゼルは実験に実験を重ねて形にしていった。'93年に「合理的熱機関の理論および構造」と題した論文でディーゼル機関の原理を発表すると共に、ディーゼルエンジンの特許を取得した。'97年、ついに空気圧縮によって燃料を自然着火させる仕組みのエンジンが誕生。熱効率に優れているこのエンジンの需要は、たちまち高まっていった。1900年にディーゼルがピーナッツ油を燃料としたディーゼルエンジンをパリ万博に出展した。'12年にB&Wの1,250hp・4ストロークエンジン2基を搭載したデンマークの5,000t級貨物船が建造され、同クラスの蒸気機関搭載船に比して三分の一程度の燃料消費で航行できる成果を上げた。'20年代、舶用大型ディーゼル機関の分野では、4ストローク式と2ストローク式、通常構造の燃焼室を持つ単動式と、ピストン下部とクランク室との間のクロスヘッド部に別途燃焼室を持つ複動式がそれぞれ並行して市場に投入され、出力増大を図った。'24年にベンツ社が初のトラック用ディーゼルエンジンの特許を取得し、自動車用エンジン製造に参入した。ディーゼルエンジンは高速回転と静粛性でガソリンエンジンに劣るが、トルクが高く熱効率に優れているので、トラック・バスなどの大型車や船舶・産業大型エンジンの大半に使われている。すなわち、2大内燃機関はガソリンエンジンが小形用、ディーゼルエンジン大形用と住み分けて、100年以上使い続けられている。

3.2.2 その他エンジン動力の黎明期

1903年にノルウエーのエギディアス・エリングが遠心式圧縮機を使った入力よりも出力が大きい世界初のガスタービンを完成させた。'13年にニコラ・テスラが境界層効果を利用したテスラタービンの特許を取得、'18年にゼネラル・エレクトリックがガスタービン部門を創設した。

1908年にRené Lorin がラムジェットエンジンの特許取得を皮切りに、ジェットエンジンの開発が続き、'10年にアンリ・コアンダが世界初のジェット推進の航空機「コアンダ」を製作、'26年に、スイスのA.Buchiは、エンジンの排気エネルギーを用いて圧縮機を駆動しエンジンを加圧する排気ガスタービン　過給機を提案した。'26年にはAlan Arnold Griffithが論文「Aerodynamic Theory of Turbine Design」で「これまでの圧縮機は飛行には不向きで、ブレードを翼型に設計変更することで、実用的エンジンが製造可能であることを数学的に示すと共にターボプロップエンジンの構築法を発表した。同年、ロバート・ゴダードが世界初の液体燃料ロケットを打ち上げ、'29年にフランク・ホイットルがジェットエンジンに関する論文を発表、'30年にホイットルが遠心圧縮式のジェットエンジンの特許を取得、'36年にフランスのRené Leduc がラムジェットエンジンを独自に再発明し、実験に世界で初めて成功した。

1956年にはドイツのWankelが従来のレシプロエンジンに代わるロータリーエンジンを発明、ロータリー化はエンジン速度を大いに改善した。ドイツのNSU企業が初めてロータリーエンジンを'64年に車に搭載したが、最初の量産車は日本のマツダ「コスモスポーツ」として'67年に売り出された。

3.2.3 内燃機関の改良・進化

(1) ガソリンエンジンの改良・進化

1896年にカール・ベンツがピストンの動きによる振動を抑える効果がある水平対向エンジンを発明、1925年にスウェーデンのJonas Hesselman が世界初のガソリン直噴エンジンを開発、'26年に、スイスのA.Buchiは、エンジンの排気エネルギーを用いて圧縮機を駆動しエンジンを加圧する排気ガスタービン過給機の提案などエンジンの振動抑制・効率向上などの改良が進められ、ガソリンエンジンが自動車動力の中心となり、さらに改良進化を遂げて、自動車＝ガソリンエンジンの世界が続くことになった。自動車台数の拡大に伴い、自動車を取り巻く騒音・排ガス・燃費等の環境が問題になってきた。この課題に対応するため、ドイツのボッシュがコンピュータで制御する「電子燃料噴射(EFI)」を'67年に開発し、自動車エンジンの電子制御技術の歴史を切り開いた。電子制御技術の適用により、エンジンの汚染物質排出、騒音および燃料消費量は大幅に減少し、動的性能は改善され、これにより内燃機関の性能は画期的に進化した。本田技研工業が低公害を目指した新しい低公害エンジン「CVCC」を開発し、シビックに搭載し73年末に発売した。このように、ガソリンエンジン機能の改良進化が続けられた。

(2) ディーゼルエンジンの改良・進化

1940年代後期、液体燃料としては最も廉価だが粗悪な「C重油」を低速ディーゼルエンジンで用いる試みが進められ、C重油のみを燃料とできるエンジンが実用化された。ディーゼル機関大出力化過程で、低速ディーゼル機関の特性を生かした排気タービンによる「静圧過給」が'50年代前半から実用化され、'52年にB&Wがタンカー用に6,500HP機関を製作した。各社も1953-55年までに静圧過給方式導入に進み、舶用ディーゼルの大型化・大出力化と高効率化が進行し、舶用機関としての経済優位性は圧倒的なものとなった。'70年頃までは、国際的な石油需要増大に応じて超大型化が進むタンカーの巨大動力ため、蒸気タービン機関に移ったが、'73年の石油危機での運行コストの低減のため、ほぼ全ての商船は30万t以下でディーゼル動力に戻った。

ディーゼルエンジンはNOX・PM処理（進化されいる）が必要だが、ガソリンエンジンに比べ、圧倒的な燃費性能の高さ、CO_2排出量が少ないこと、さらに船舶などの中型低速ディーゼルエンジンは軽油よりも燃えにくいA~C

重油という燃料で動くなど、EVほどではないがエネルギーの多様性が見込めるため、今後も中大型の内燃機関動力として進化と利用が継続されるものと考える。

(3) ジェットエンジン（ガスタービンエンジン）の改良・進化

ジェットエンジンは原動機にガスタービンエンジンを使用している。これはガスタービンエンジンがレシプロエンジンの間欠燃焼と異なり、連続燃焼による連続回転機であるため、連続的なジェットガス生成用の原動機としても最適である。内燃機関としての仕組や熱機関としてのサイクルは、作業流体・酸化剤として外部から取り込んだ空気を圧縮機で加圧し、燃料と混合してブレイトンサイクルの下に連続的に燃焼させ、その燃焼ガスによるジェットの反動そのものを推力として利用、羽根車（タービン）を用いて回転力を生成しプロペラやファンの揚力に変換し推進力、回転力の一部は圧縮機を回転させる動力として、自体の持続運転に使われる。

現代に繋がるジェットエンジンは、イギリスのフランク・ホイットルとドイツのハンス・フォン・オハインがそれぞれ独立に考え出したターボジェットエンジンである。ホイットルは1937年4月にパワージェットと呼ばれるターボジェットを完成させ、1941年に本格的な飛行を行っている。オハインは1936年からジェット推進機関の研究を始め、水素燃料式のHeS1を経て完成させ、1939年に世界初のターボジェットエンジンによる飛行を成し遂げた。またホイットルも約2年遅れて1941年に本格的な飛行を行っている。第二次世界大戦後半にはドイツ、イギリス、アメリカでジェットエンジンを搭載した航空機が次々に開発された。戦後、ドイツで製造・計画されたジェット推進の軍用機はアメリカや旧ソ連で徹底的に研究され、各国が独自に進めてきた技術研究と相まってジェットエンジンを進化させて、ジェット推進の飛行機が、人々の移動の高速化と快適化ニーズと相まって爆発的に普及した。

3.2.4 「エンジン」という新しい駆動動力への転換

(1) 持続可能性と新しい駆動動力

地球温暖化が20世後半から加速がつき、経済活動による温室効果ガスが増加し、急激に気温が上昇する恐れがあると指摘され、1988年には「気候変動に関する政府間パネル」（IPCC）が設置された。その会議の中で、火力発電所のCO_2排出による環境に加えて、車の環境破壊に対する負荷軽減が緊急課題となってきた。'80年代後半にはCARBのゼロエミッション規制構想が発表されるなど､環境汚染対策が始まった。2000年代に入って車の環境破壊が増々問題視されるようになった。その結果、脱ガソリンエンジンと電気自動車の利用推進は強力に推進されるようになり、一方でそれ以前から技術者たちによって継続的に行われてきた電池技術の改良や発展があったおかげで技術的な障壁は下がり続ける。それらの相乗効果により、各国政府は電気自動車の購入を推進するための法制度が整備され、最近では、電気自動車は公道で日常的に走るための現実的で日常的な乗り物として、存在感を増してきた。

(2) ハイブリッド自動車

1997年12月に京都で開催される第3回気候変動枠組み条約締約国会議(COP3) に合わせて、トヨタは'97年12月に初の量産ハイブリッド自動車プリウスを発売した。トヨタは「モータとエンジンをプラネタリーギアでつなぐ動力分割機構」を創造し、加速時のモータアシスト機能と減速時の充電機能により燃費を従来の2倍の28km/リッターに改善したトヨタ・ハイブリッド・システム (THS) 機能を実現した。電気自動車の航続距離への不安払拭と燃費の高さによる環境負荷軽減の時流に乗って、同種モータとエンジンとの動力分割機構のハイブリット自動車が急速に普及していった。しかし、温暖化による気象異常の増大に伴い、環境負荷軽に残るガソリンエンジンを使うハイブリッド自動車はゼロエミッション規制から外れることになる。

(3) 電気自動車 (ElectricVehicle、EV)

1970年代に比べ、鉛蓄電池からニッケル水素電池と言った技術の進歩もあり、実際にトヨタのRAV4EV、ホンダのEV-PLUS、GM社のEV1などの限定販売･リースが開始され、電気自動車の本格普及も近いと思われた。しかし、ニッケル水素電池はエネルギー・出力密度に優れていたが、電気自動車は充分な性能 (航続距離や充電時間、耐久性、車両価格など) を確保できなかった。

1980年代後半のCARB (カリフォルニア大気資源局) の「カリフォルニア州で販売する自動車メーカは一定台数、有害物質を一切排出しない自動車を販売しなければならない」ゼロエミッション規制構想を発表し、これに対応できるのは電気自動車と考えられ、開発が加速された。

2000年代になると、バッテリー性能がリチウムイオン電池を採用することで、性能向上に大きな進歩がみられた。バッテリー性能向上のほかにも、電気エネルギー効率を高められるインバータによる可変電圧可変周波数制御の性能が向上していった。'08年には米国テスラにより、0-96km/h加速約4秒、最高速度208km/h以上、航続距離400kmを達成したスポーツカータイプの、純粋の電気自動車「ロードスター」が発表された。日本では'09年に三菱自動車により三菱・i-MiEVが生産開始され、続いて'10年1に日産自動車により日産・リーフが生産開始された。

(4) 水素燃料電池自動車

電気自動車の欠点であるエネルギー密度の問題を解決するため、CO_2他汚染物質を一切排出しない「水素燃料電池で発電し、電動機の動力」で走る燃料電池自動車の開発が行われた。

2002年10月に本田技研工業がホンダ・FCXをリース販売。'02年12月にトヨタ自動車がトヨタ・FCHVを日本とアメリカで限定リース開始され、'06年11月、BMWが760Li (E66) をベースに開発され、11月のロサンゼルスモーターショーでお披露目、'06年末に100台が限定生産。

'14年12月15日、トヨタは日本国内でセダンタイプのトヨタ・MIRAIを発売することを発表した。1回約3分の充填での航続距離は約650キロメートル走行するという。事前受注は日本だけで400台を超えた。'16年3月10日、ホンダが量産型セダン「ホンダ・クラリティ フューエル セル」を発売した、1充填（3分）あたり航続距離750kmを実現している。

(5) 内燃機関関連技術の予測

「エネルギー技術展望2015」を国際エネルギー機関が作成した。この資料によると2035年時点でも、純粋なEVが11%、燃料電池車が5%と予測されるも、環境破壊に対する負荷問題以外の動力性能の優秀さから、内燃機関車が8割強残ると予想される。

3.3節　電気動力（電動機・発電機）の創造と進化

1800年にボルタはガルヴァーニとの生物電気に対する論争の中で、電気が金属間の化学的作用で発生することを見抜き、ボルタの電池を発明した。これは電気と化学を確実に結び付けるものであったが、電気の新しい現象である電流が、これ以外にも他の現象と結び付くのではないかという期待が醸成されていた。

エルステッドはボルタの電池の効果を学生に示すため、電極間を白金線で結び発熱させようとしたところ、白金線の下に置いてあったコンパス磁石が動く現象に気付き、電線と磁石の位置、磁石の動きを調査して、地磁気以外に磁針に及ぼす何らかの力が電線の周りに渦巻き状に存在するとの結論を得て「電気と磁気の間が結び付く画期的な論文」を1820年に発表した。

1824年アラゴは磁石をガラス容器の中に納めてその下で銅製円盤を回転時に磁石の針の動く現象「円盤を低速で動かすと、磁針は回転の方向に引きずられるようにゆっくりと本来の位置よりずれるが、回転を速めると90度近くまで引きずられる」を観察し、「アラゴの円板」現象の発見、すなわち誘導電動機の原理となる渦電流の発見と口頭発表し、翌年「回転の磁気」現象と名付けて論文発表した。このような画期的な発明発見は突然現れたものではなく、様々な試みが個別に行われ、それらが周辺の知識をベースに次第に凝縮し、その後、それらを一つの体系にまとめる人が現れることになる。

1831年にファラディはコイルの中で磁石を動かし、「コイルの中で磁気を変化させると電流が流れる」という「電磁誘導の法則」を発見した。この法則が「機械力と電気力の相互変換」を可能にする予測を含むもので、動力源を大きく変えて行く「発電機・電動機機能の発明」に繋がる大発見になった。

この電磁誘導の原理を使った最初の発電機機能を1832年にピクシイが発明し、更にダヴェンポートの最初の実用的な直流電動機（DCM）の特許の1834年の取得へと続いた。その後、1845年キルヒホッフの法則、1864年Maxwellの法則等電気の基本法則の発見や電話や炭素フィラメント電灯の発明が続いたが、発電機・電動機機能の実用化が動力機能として使われ始めたのは、蒸気機関より百年以上遅れる1870年以降となった。

発電機には直流発電機と交流発電機（相数で単相・三相、構造で同期機・誘導機）があり、電動機にも同じく直流電動機と交流電動機がある。また、動力として広い範囲で利用される動力源では車エンジンのクラッチ・変速ギアのような「負荷設備との接続・切り離し、及びトルク・速度などの伝達動力の調整のしくみ」が動力源「電動機」にも必要であり、そのしくみを全てカバーする「可変速制御機能」がパワーエレクトロニクス技術の進歩とともに20世紀後半から急激に進化を遂げている。

この節では、現在の動力の中心となっている電気エネルギーを供給する発電機と駆動動力の中心の役割に成長している電動機機能の創造と進化、及びトルク・速度などの伝達動力を自由自在に制御できる「可変速制御機能」の創造と進化について述べる。

3.3.1 電動機・発電機を創造する基礎技術

(1) 電動機・発電機を創造する基礎技術の黎明期

1800年のボルタ（イタリア）はガルヴァーニとの生物電気に対する論争の中で、金属間の化学的作用で電気が発生することに気づいたことにより、電池を発明した。この発明はそれまで静電気しか知らなかった科学者の間で大変な驚きを持って迎えられた。この発明をさらに発展させたのがファラディ（イギリス）の上司でもあったデービーで、電気分解理論の基礎を作った。

そのボルタ電池の効果を学生に示すために、エルステッド（デンマーク）は1820年の春、電極間を白金線で結び発熱させようとした時、白金線の下に置いてあったコンパス磁石が動くのを見付け、電線と磁石の位置、磁石の動きを調査して、地磁気以外に磁針に及ぼす何らかの力が電線の周りに渦巻き状に存在するとの結論を得た。その結果を「電気と磁気が結び付くこと」の論文に纏めて、1820年7月フランス科学アカデミーに送った。ただちに英語、ドイツ語、フランス語に翻訳され、ヨーロッパに急速に広がり、次のアンペアやファラディによる電流と磁気との力学関係の発見につながる。

アンペアは、磁針の動く方向が電流の流れている方向に関係すること、すなわち、ねじの進む方向に電流の向きをとると、ねじの回転方向が磁力線の向きになると云う「アンペアの右ねじの法則」を1820年に発見した。ファラディは1831年に「電流から磁気がつくられる（エルステッド・アンペア)」のであれば、逆に「磁気から電流がつくれるのではないか」と考え、「コイルの中で磁石を出し入れすると電気が発生する」という電磁誘導を発見した。

また1820年にアラゴは磁石をガラス容器の中に納めてその下で銅製円盤を回転時に磁石の針の動くのを観察。「円盤を低速で動かすと、磁針は回転の方向に引きずられるようにゆっくりと本来の位置よりずれるが、回転を速めると90度近くまで引きずられる」という誘導機の原理に繋がる「アラゴの円板」を発見した。その他にも『オーム電流、電圧と抵抗の関係を示す「オームの法則」』『電流則と電圧則からなる「キルヒホッフの法則」』「マクスウェルの電磁方程式」「フーコの渦電流損失」「フレミングの法則」など電気の基本法則・原理が1800年代に発見発明されている。このような画期的な発見発明が周辺の知識をベースに次第に凝縮し、現在の電動機や発電機創造の基礎技術に繋がっていった。

(2) 電動機の種類「直流電動機・同期電動機・誘導電動機」と回転原理

電動機は直流電源で動く直流電動機と交流電源で動く交流電動機との駆動電源の違いで二種があり、交流電動機には2相交流電動機と3相交流電動機の二種があり、さらに回転原理の異なる同期電動機と誘導電動機との二種類がある。

直流電動機と同期電動機と誘導電動機の「回転する力」は全て固定子側N極と回転子側S極（あるいは固定子側S極と回転子側N極）の吸引磁力により発生する。

直流電動機では図3.3.1（A）のように界磁巻線の励磁電流で形成されるNS磁極に対し、整流ブラシを介して回転子の巻線へ点線の向きの直流電流により回転子にNS磁極が図のようにできるので、固定子磁極・回転子磁極間に⇒印方向の吸引磁力により回転する。回転により「ブラシに対する整流子の位置がずれる」ため、回転子の巻線に流れる電流の向きが反転し、回転子の磁極がNS→SNと反転し、同じ回転方向の吸引磁力が働き回転を続ける。回転力（トルク）は回転子に流す直流電流に比例して発生する。その直流電流の大きさは整流ブラシ間に印加する直流電圧の大きさに比例するので、直流電圧の大きさにより停止から回転速度を制御でき、早くから可変速回転の動力として使われてきた。

同期電動機では図3.3.1（B）のように固定子巻線に周波数（f）の交流電流を流すことにより、固定子に周波数（f）の回転磁界が発生する。一方、回転子は回転子巻線が界磁電流で励磁され、NS磁極が形成されている。回転子の

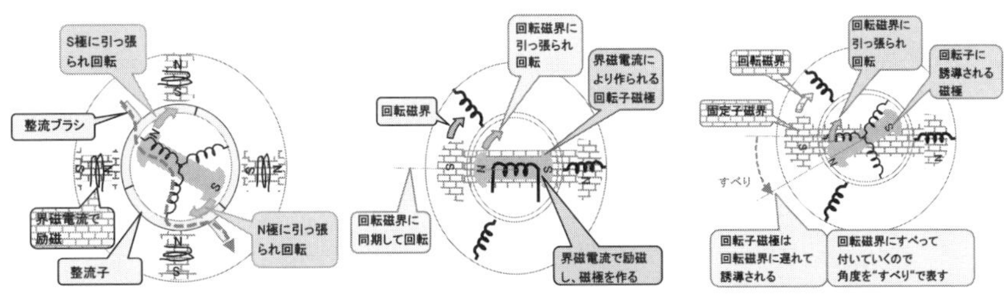

図3.3.1 (A)直流電動機の回転原理説明図 (B)同期電動機の回転原理説明図 (C)誘導電動機の回転原理説明図

NS磁極は固定の回転磁界の⇒印方向の吸引磁力に引っ張れて、周波数（f）の回転磁界に同期して回転する。同期電動機は周波数（f）の回転磁界に同期して回転するため、周波数（f）の交流電圧・電流では回転始動できず、周波数・電圧を0から大きくする可変周波・可変電圧の交流電源で始動する同期発電機による同期始動方式やパワーエレクトロニクス利用による可変周波・可変電圧制御方式がある。

誘導電動機では図3.3.1（C）のように固定子巻線に周波数（f）の交流電流を流すことにより、固定子に周波数（f）の回転磁界が発生する。固定子の回転磁界に遅れて誘導されて、変圧器と同じように回転子巻線に回転NS磁極が形成される。回転子に誘導されたNS磁極は固定子の回転磁界の⇒印方向の吸引磁力に引っ張れて、周波数（f）の回転磁界に誘導遅れの角度で回転する。誘導電動機は固定子の周波数（f）の回転磁界に誘導された回転子のNS磁極が固定子回転磁界に誘導遅れの角度（すべり）で引っ張られる。そのため、始動時はこの誘導遅れの角度が保たれない為に、変圧器の二次巻線に対応する回転子巻線に過大電圧が誘起され過大電流が流れる。その為、過大電流が流れないように、回転子巻線に始動用抵抗を接続して起動する方法が開発された。また、同期電動機のように、低周波数・低電圧から大きくする可変周波・可変電圧の交流電源で始動する方法もパワーエレクトロニクスの進歩と共に実用化されてきた。

(3) その他電動機の種類

前述の主要3種電動機の他に、使用用途に応じて最適で特別な電動機が検討され、ステッピングモータ、リニアモータや超音波モータなどが開発されてきた。1920年代の軍艦（イギリス海軍）で、魚雷の発射方向を指示するアクチュエータとして採用された記録があるステッピングモータは、ドライバを介して直流のパルス電圧を印加して駆動する。簡単な回路構成で、正確な位置決め制御を実現できるので、装置の位置決めを行う場合などによく使われる。ファナックはパルスモータ式位置決めの容易性を利用したNCでシェアを確立した。

リニアモータは誘導型では磁界中に置かれた導体に電流を流したときに生じるローレンツ力を利用しており、同期型では磁極同士の吸引・反発力を利用している。もっとも原始的な構造は、回転型のモータを直線に切り開いた形を想像すると理解しやすく、回転磁界を起こす代わりに直進させる磁界変化を起こしている。1841年にイギリスのホイート・ストーンがリニアモータを開発したが、回転型に匹敵せず、研究も途絶えた。1950年代にLaithwaiteがリニア誘導モータについて理論解析を行い、優れたシステムが構成「回転運動から直線運動への変換不要なダイレクトドライブ化」できることを示し、リニアモータの産業分野への研究が活発化した。応用代表としてはリニア新幹線用‘62年開発が始まった他、精密制御用工作機械や半導体製造装置など広い範囲に展開されている。

超音波モータは圧電素子等により発生させた超音波振動（10-100kHz程度）を利用してステーターにたわみ波動を発生させ、その進行波を利用してローターの回転や、並進運動に変換するアクチュエータで、1980年に指田年生氏によって発明された。‘87年に、キヤノンが 超音波モータの特長「高トルク・高速応答・中空構造可能」を活かして、オートフォーカス一眼レフカメラの交換レンズに内蔵する形で超音波モーター（大口径用リングUSM）を初めて商品化した。

3.3.2 直流電動機・直流発電機の創造と進化

(1) 直流電動機・直流発電機の創造

イェドリク・アーニョシュ（ハンガリー）が1828年に直流電動機の3大要素「固定子と電機子と整流子」を備えた実験用直流電動機（動力源に使えない回転模型）の製作に成功した。機械の動力源として使える世界初の整流子式直流電動機はウィリアム・スタージャン（イギリス）が1832年に発明した。続いて、トーマス・ダウェンポート（アメリカ）が実用回転式電動機を1834年に発明製作し、‘37年に商用利用可能な整流子式直流電動機を開発し特許を取得した。この電動機は毎分最大600回転で、印刷機などの機械を駆動したが、当時は電源としては価格の高い電池しかなく、商業的には失敗し破産するという、電源問題原因による電動機利用展開断念の最初の歴史が始まった。この駆動する電源がないことにより、動力としての利用開始はグラムの環状電機子を利用した発電機の発明される35年後以降となった。この間もキルヒホッフの法則、Maxwellの法則等電気の基本法則の発見や電話や炭素フィラメント電灯の発明が続き、1800年代に電気の原理・法則が発見され第二の産業革命の風希となった。1869年にグラム（ベルギー）はアントニオ・パチノッティ（イタリア）の直流発電機の発明を知り、図3.3.2に示す1870年環状電機子を用いたグラム発電機を開発し’73年のウィーン万博において最新に改良した発電

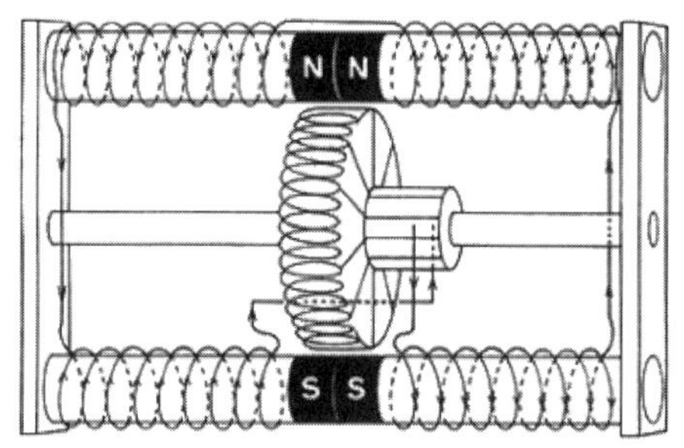

図3.3.2　グラムの環状電機子を備えた発電機

機を出品した。展示会でケーブルの接続を間違えて別の休止中の発電機に接続・送電したところ、止まっていた発電機が回り出して電動機になることを偶然発見した。この発見より2つの重要な原理「①この発電機は少し改良すれば、直流電動機として使え、産業用機械の動力源に出来る。②機械的な駆動力が得られれば、それをこの発電機で電気に変換し、さらにそれを電線で距離輸送し、別の場所で直流電動機を利用して、機械エネルギーに戻せる」を実証した。グラムはこの原理を利用して、電動機としても世界で初めて商業的に成功した。

グラムの環状発電機の開発は、商業ベースに乗った初の直流発電機となると共に、直流電動機の駆動電源問題を解決することになった。この、「得られる機械的駆動力を発電機で電気に変換し、それを電線で距離輸送し、好きな場所の直流電動機で機械動力に利用できる動力イノベーション機能」を発見したことが、最重要なイノベーション機能であり、第一次産業革命での蒸気機関から得ていた動力を電力で供給する第二次産業革命の世界への転換の起爆剤となったと考える。

直流電動機は電源電圧の大きさに比例した回転速度に調整できる動力として利用が蒸気機関に代わり広がって行った。さらに、プレイグ（アメリカ）による電動機の力を電力網に返す回生技術の発明、路面電車用の架線から集電する方式の発明により、1890年前後には路面電車や電動式地下鉄及び電動エレベータなどに展開が広がっていった。

（2）直流電動機の可変速制御への進化

ワード・レオナード方式

1891年にはワード・レオナードが交流電動機などの原動機で直流発電機を駆動し、直流発電機の界磁電流を調整して直流電動機の速度を広範囲に制御する「ワード・レオナード方式」を発明し、特許を取得した。実際にワード・レオナード方式が適用されたのは1910年代になって、100~150HPの石炭用巻き上げ機の利用、さらに7,000HPの鉄鋼可逆圧延機に採用されるなど精密な速度制御が必要な分野で使われ、1960年以降の静止レオナード方式への転換まで広く使われた。

水銀整流器

1900年に米国のクーパー・ヒューイットが水銀アークの整流性を利用してガラス製水銀整流器を発明した。水銀整流器は内部を真空にしたガラス容器または鉄製容器内に水銀を陰極とし、黒鉛の円柱を陽極として封じ込め、水銀アーク放電を利用して交流を直流に変換する（整流）装置「点弧制御付ガラス封止単相水銀整流器」、3相用にはこれを3組使用し、点弧位相角β制御により直流出力電圧を調整できる水銀整流器の技術や次のサイリスタレオナード方式に展開される整流理論が確立された。直流電動機の可変速制御用として鉄鋼の圧延機駆動に展開されると共に、電気鉄道の直流変電所、交流電気機関車等の電力の業務用などに展開され1970年代まで使用されてきた。

サイリスタレオナード方式

1957年に米国GE社が電力半導体「サイリスタ」を開発し、ワードレオナード方式の「交流電動機と直流発電機から成る直流電圧可変制御部分」をサイリスタ変換に置き換える図3.3.3に示す「シンプル構成のサイリスタレオナード方式」が開発され、パワーエレクトロニクス時代が創り出された。このサイリスタレオナード方式は‘60年半ばには精密な可変速制御の必要な鉄鋼圧延機用の直流電動機分野や工作機などの産業分野に急速に利用拡大された。

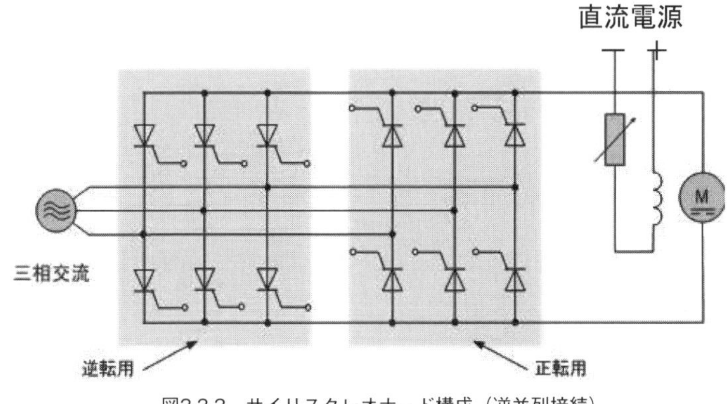

図3.3.3　サイリスタレオナード構成（逆並列接続）

直流電動機の整流子のメンテナンス及び急峻な電流変化でのフラッシュオーバーという欠点を使いこなし、精密な速度制御の優秀さとシンプル構成の特徴が他の動力源を圧倒し、20世紀の終わりまで可変速制御の電動機分野に君臨した。

(3) ブラシレスモータへの進化

直流電動機のメンテナンスが必要な「整流子とブラシ」の問題を解決する開発が進められ、1960年代後半に東洋電機が「整流子とブラシの機能」を「サイリスタと磁束位置検出器」を使って実現したBLモータを開発し、各メーカがサイリスタモータ他の名称で実用化し、ブラシ・整流子を嫌う腐食性ガスのある用途や鉄鋼圧延機用他の千kWクラス以下の中小容量機に展開された。サイリスタモータは図3.3.4のように「整流子+ブラシ」の機能を磁束位置センサーの信号でサイリスタ素子のON/OFFをさせる原理である。そのサイリスタ素子の切替に逆電圧を印加して転流させるため、逆電圧の印加に必要な制御角が必要（詳細は図3.3.13参照）な為にトルクリップルが大きく、1980年代に開発された自己消弧半導体素子を用いた交流電動機のベクトル制御方式に転換された。

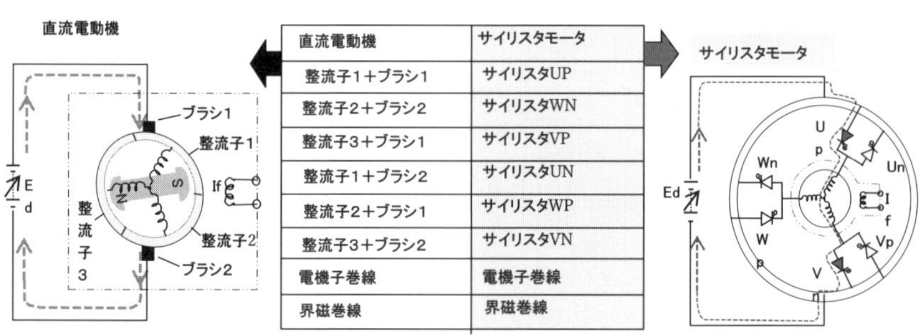

図3.3.4　サイリスタモータの原理説明図

その後、サイリスタ素子の代わりにIGBTやFETなどの自己消弧素子を用いた小容量ブラシレスDCモータ（図3.3.5）が開発され、広い分野で小容量モータの主流に君臨して展開されている。コンピュータ関係では冷却ファンやフロッピーディスク、HDD、CD-ROM装置、プリンターなどのモータとして、家電関係では扇風機や掃除機、ビデオテープレコーダのヘッド用、電動工具や自動車、医療機器などの分野で、さまざまな用途に使用されている。これらサイリスタモータ及びブラシレスDCモータを直流電動機の回転原理機能を利用しているため、ここでは直流電動機の項に分類したが、電動機本体は同期電動機であるので、交流電動機に分類されることもある。

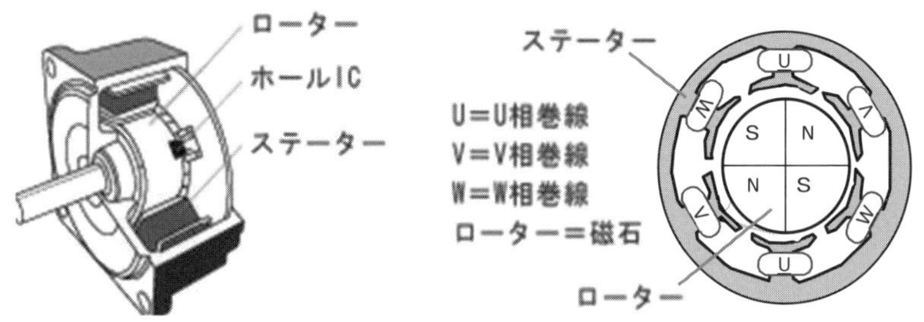

図3.3.5　ブラシレスDCモータ

(4) マイコンディジタル速度制御への進化

1970年代は高度成長の勢いが激しく、自家用自動車や家電製品の大量生産に伴って高機能・高性能の新製品が次々に発売されていた。この高機能・高性能化を含むニーズは鉄鋼素材の鋼鈑の薄板化及び凹凸の無い鏡のような表面鋼鈑化など高度化ニーズが高まり、そのニーズに応えるため、製鉄会社は鉄鋼圧延機の速度制御の高精度化を切望していた。

一方、高性能の速度制御は直流電動機のサイリスタ制御が使われ、マイクロ秒単位の高即応答が可能なアナログ制御で行われ、アナログ演算では限界の高精度制御であり、高精度化のレベルアップはディジタル制御が必須と検討されていた。大前力氏(元中央大学理工学研究所長)・著者が、サイリスタ制御のディジタルコンピュータによるディジタル制御を研究し、ビットスライスマイクロプロセッサーを用いてサイリスタ制御専用命令語を開発した専用ディジタルコンピュータによる全ディジタルサイリスタ制御装置を1978年に開発し、原研(当時)の核融合実験設備JFT2A用に納入し、IEEE学会に論文を発表した。この全ディジタル制御装置の実績効果により、その後製作予定されていたJT60のサイリスタ制御電源装置がアナログ制御方式から全ディジタル制御方式に変更になった。しかし、専用ディジタルコンピュータは高価なため、鉄鋼他産業ニーズに適さなかった。

1978年インテル社から16ビットマイコンi8086発表され、著者らはi8086マイコンと周辺LSIチップ（エンジニアリングサンプル（ES））を入手し、マイコン全ディジタル制御の開発を開始し、1979年のコマーシャルサンプル(CS) 発売後CSに置き換え、i8086マイコン制御位置決め装置の納入で、

i8086ディジタル制御性能を評価し、利用可能と判断した。電動機速度制御でのサイリスタ変換制御の2.7ms（点弧位相により変動）周期の位相点弧制御による電流加減制御には「前点弧から次点弧1周期の電流検出演算及び電流指令に応じた電流の制御のためのサイリスタの点弧位相角演算」の高速処理が必要であった。さらに、これらの制御演算、特に2.7ms周期に変動する交流電流の検出には3回以上の検出が必要とされているが、2.7ms周期での演算処理がマイコンi8086の処理能力に限界があるとの課題他が製品開発に立ちはだかった。そこで、電流が点弧時点の電流に比例することに着目した点弧同期電流制御方式や超低速回転から高速回転速度までの広範囲速度の高精度検出方式など、i8086でも処理可能な制御アルゴリズムを開発し、鉄鋼会社の4スタンド冷間薄板圧延用マイコン全ディジタル速度制御装置に1981年に納入した。このディジタル速度制御化により顧客も予想しなかった新しい機能の効果「速度性能・煎速性能向上により、①製品の鉄鋼板のオフゲージ（売れない部分）が大幅減少、②薄い鉄板を圧延出来る（ビール・ジュース缶の鉄鋼板化）他」などの利点機能が報告され、以降マイコン全ディジタル速度制御機能がマイコン性能向上も加担して、直流電動機を始めとした全て電動機の速度制御の標準系にアナログ方式からの転換が始まった。

3.3.3 誘導電動機・誘導発電機の創造と進化

(1) 誘導電動機・誘導発電機の創造

1832年、フランスのピクシイが手まわし発電機を発明し、同年ファラディも1824年アラゴによって発見されたアラゴの円板を改良して実験的な発電機を作ったが、無欲なファラディは発電機の開発には興味がなかった。ピクシイの手まわし発電機はU字形の磁石を回転させ、コイルを固定としたもので、機械エネルギーを電気エネルギーに変換する実験的な発電機であったが、当時は蓄電池の直流が主体であったことおよび、交流による磁石では磁極が頻繁に変化するので、電磁石の力を回転力に変換する機構が見つからず、その後50年の長くの間検討されなかった。

ニコラ・テスラは1877年グラーツ工科大学2年生のとき、パリから届いたグラムの直流モータが不具合をおこして整流子とブラシの間で烈しい火花を飛ばしているのを見て、火花の出ないモータの発明に確信をいだいて、そのことばかりを考えるようになった。卒業後ブダペストに行きハンガリー国営電信局に就職したが、精神的な苦痛に悩まされていた。快復した'82年公園を散歩中に夕日に感動してファウストの詩を吟じたとき、2相交流を使う回転磁界モータが頭に浮かんだ。その多相交流により回転する磁界を作ることが出来ると考え、交流電動機（ACM）のアイデアを纏めて、1887年に特許を申請、翌年特許を取得すると共に、AIEEに論文「A New System for Alternating Current Motors and Transformers」を発表した。論文では、発生する合成磁界は鉄心の中心の廻りに発電機の回転と同期して回転、つまり回転磁界が発生する、リング鉄心の中心に回転軸芯のある金属円板を置くと、その円板は回転を始める。つまりリング鉄心と金属円盤から成る装置は電動機として機能する、この回転子は必ずしも金属円盤ではなくても、発電機と同じような構造をした巻き線構造で、直流で励磁する構成でも回転する（同期電動機を示唆)。この特許では発電機の固定子コイルを120度の間隔で配置することによって、120度の位相差のある交流が得られる。6個の凸極型磁極の中に金属円盤を置くと、3相の誘導電動機システムが構成できる。また、回転子のコイルはリング鉄心のコイルを一次巻線とした変圧器の2次巻線と同じ関係にあり、二次側巻線が固定しているか、動けるかの違いであると説明している。固定巻線が回転磁界を作れば、2次側のコイルも回転するという特許は図3.3.6の巻線型誘導電動機の基本特許といえる。

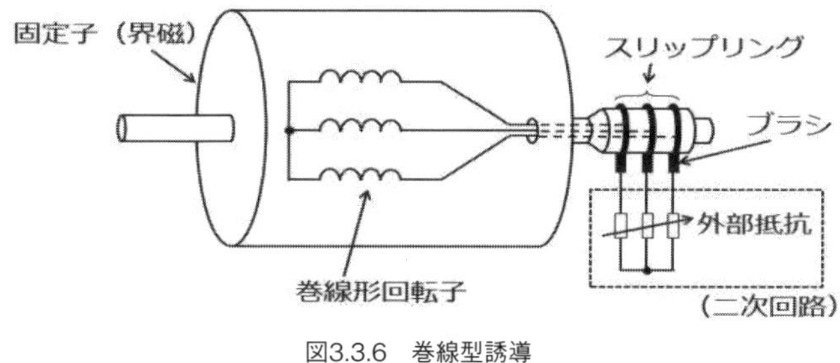

図3.3.6　巻線型誘導

すなわち、2相交流の回転磁界という着想により多相交流と送電システム理論の発明、そして2種の交流電動機「3相の誘導電動機と3相同期電動機」の発明という交流3大イノベーション機能の創造をニコラ・テスラは一気に果たし、交流の生みの親と云われている。

ジョージ・ウェスティングハウスはテスラの特許を現金で5万ドル、電動機1馬力当たり2.5ドルのロイヤリティ条件で1888年7月に契約を結んだ。ウェ

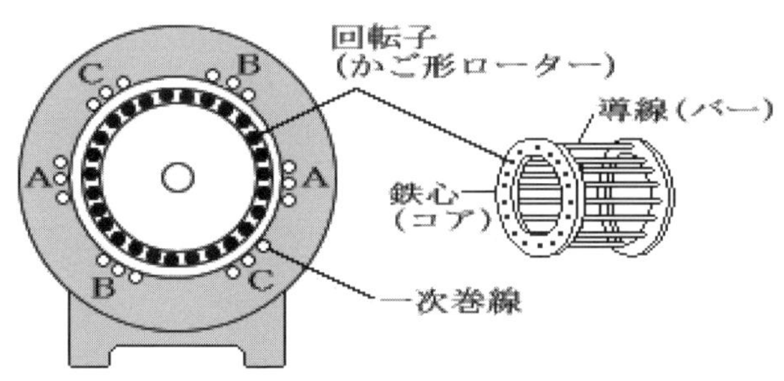

図3.3.7　かご巻線型誘導電動機

スティングハウスはこの特許によって交流関連の事業を成功させると共に、両者の結びつきは多相交流に対する興味を欧米に一挙に広げた。それまで動力源として直流電動機しかなかったところに交流電動機の可能性が示されたことと、変圧器による長距離送電が可能になったことの相乗効果により、1889年を境に多相交流に関する多くの研究成果や製品が続出した。

1889年、AEG社ドブロヴォルスキーが、巻線型電動機の回転子に集電リングを設け、そこに外部回路をつなぎ起動電流を押さえ起動する方法を発明した。加えて、回転子を鉄材で作り円筒の表面に母線上に溝を掘ってここに銅線を埋め込み、両端をリングで結合する方式を発明、渦電流は抵抗の少ない銅線に流れ、発熱を劇的に軽減すると共に渦電流による回転力を有効に取り出せるかご型回転子の原型を発明した。

1891年のフランクフルト国際電気技術博覧会で、初の長距離三相交流送電システム「15kV定格電圧、ネッカー川のラウフェンの滝からの距離175kmの交流送電」の成功を発表した。ラウフェンの発電所には240kWの86V40Hzの交流発電機と昇圧トランスがあり、展示会では降圧トランスから100馬力の三相誘導モータに給電して人工の滝を動かし、交流送電の有効性を表現し、それまでの直流電源配電網から交流送電・配電網への変革が始まった。

1896年11月16日にナイガラ瀑布の水力発電所からバファローの町に交流の電気が送られた。その時の周波数が60サイクルで米国の標準になった。これによって、産業用に使用される電力は輸送効率の観点から三相交流電気が主体となり、そこで使用される大型電動機のほとんどが三相かご型誘導電動機になった。かご型三相誘導電動機は自己始動性、信頼性、巻線型はブラシスリップリング保守フリーなど経済性に優れているため、産業用駆動装置として利用が拡大した。単相誘導電動機は家電用扇風機などの小さな負荷にも対応し、ブラシレスDCモータの出現まで君臨した。

(2) 誘導電動機の特徴

かご型誘導は完全ブラッシレスで堅牢な構造のため、安価、信頼性が高い、スイッチで三相動力電源に投入すれば、自己起動し、定格速度で運転出来る電動機単体の特徴がある。さらに、一台の可変電圧可変周波数インバータにより、多数台の電動機の回転数を制御でき、ベクトル制御適用で、より高精度の制御が出来る特徴を持っている。これらの長所の反面、1次巻線から主磁束を作るので、遅れの無効電力を電源に与え、力率・電源電圧の降下をひき起こす。始動時は定格電流の約6倍の遅れ無効電力を発生するので、大きな容量の電動機では、電源電圧低下を許容値以内に収める必要があると共に、ローターバーの熱疲労折損などで始動回数の制限があり、1,500kW以下の容量で使われる。電動機力率が相対的に低く、1次電流も同期電動機より大きく、2次の損失もあり、電動機効率は同期電動機に比べ低いという欠点もある。

巻線形誘導電動機は始動電流を抑えて、慣性モーメントの大きな負荷の起動が出来て、回転数の高い範囲だけのコンパクトセルビウス制御方式による回転数制御が変換器容量を最小にでき、三乗負荷となるポンプ・ブロワや風力発電機用に最適な可変速である長所の反面、巻線形誘導電動機はブラッシメンテの手数がかかる、かご型より高価格となる欠点がある。

(3) 巻線誘導電動機の可変速制御への進化

産業用駆動源としてメンテナンスフリー・堅牢構造のかご型誘導電動機の可変速制御化ニーズが増加してきた。巻線型誘導電動機の2次電圧制御が1910年代に巻き上げ機用に適用された。大容量巻線誘導電動機のクレーマ制御やセルビウス制御が浄水場など大型ポンプ制御用に使われた。1957年に開発されたサイリスタ素子を利用して静止セルビウス、クレーマ制御、転流回路付サイリスタインバータ、1次電圧制御他のいろんなACM制御方式が開発されたが、DCM可変速制御の性能に遠く及ばず、ポンプ制御用途等三乗負荷用に限定された。中大容量のポンプ制御やブロワー制御用途に静止セルビウス方式が広く採用された。70-100%の可変速制御で負荷を35-100%の範囲を制御できる三乗負荷用での誘導電動機の二次巻線制御方式は、半導体変換器を小容量・小型化(定格の30%)できる。自己消弧素子「IGBT素子」が‘84年に開発されると、静止セルビウスの欠点を改善{基本形のダイオード整流部もIGBTインバータ

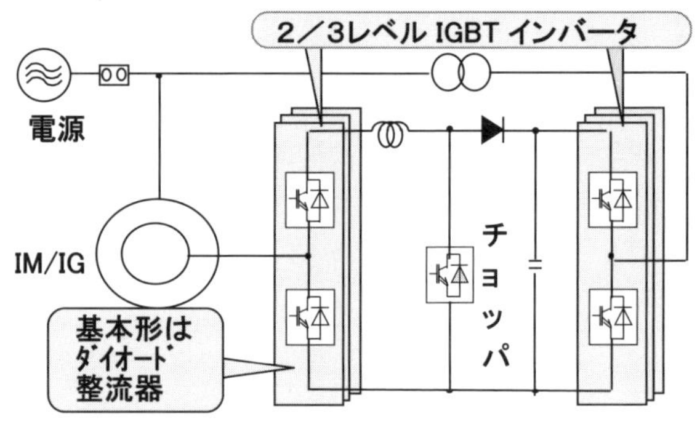

図3.3.8　コンパクトセルビウス方式

に改変｝した図3.3.8のコンパクトセルビウス方式を当時在籍した企業の奥山氏が開発・特許取得し、中大型ポンプ制御中心に展開された。90年代には川の安定な流れ利用の自然エネルギー発電を目指した可変速小水力発電を某電力会社と共同開発したが、日本での市場が少なく展開がされなかった。

注：（静止セルビウスの欠点…起動時抵抗起動等必要で、加速した後セルビウス制御運転に切替える為､瞬時停電（2サイクル程度）が発生すると再起動が必要となり、10~30分ポンプを停止することになり、供給連続性が必要な上下水道の取水や配水ポンプ場は悩みの種で対策要望があった。）

しかし、2005年京都議定書の発効に始まった温暖化対策「自然エネルギー発電「風力発電」のニーズ」が大きく着目されて、EUに続き、巨大CO_2排出国のUSAと中国で風力発電所建設計画が発表され、風力の変動が±15%程度の風の強さが安定した場所から設置が開始された。したがって、定格±15%

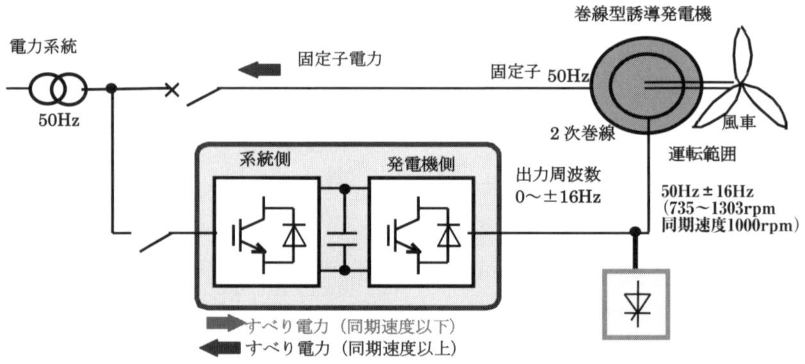

図3.3.9　PCS：Power Conditional System

程度の可変速制御範囲で使用出来れば良いので、上述のコンパクトセルビウス方式が変換器容量を少なくできる最適方式であったため、風力発電機の代表的容量1.5MWクラス用に図3.3.9に示すDF型PCS（Power Conditional System）という名前で風力発電用の主要方式として君臨することとなった。当時在籍した企業からも中国の風力発電用に4,000台以上展開した。

(4) かご型誘導電動機の可変速駆動制御への進化

自己始動性、信頼性、保守性、安価な「かご型三相誘導電動機」の可変速制御のニーズが根強く、それを実現したのが1960年代後半のパワーエレクトロニクスの進歩により最も進化を遂げたサイリスタ変換技術による「可変電圧可変周波数制御技術である。最初に、かご型三相誘導電動機の可変速制御用には、自己消弧素子が未開発の当時の最新技術の「電源転流を利用小形な18アームのサイクロコンバータ変換器」や強制転流形インバータ変換器が使われた。このように周波数制御による交流可変速駆動がブロア・ファン・ポンプをはじめとして繊維機械・鉄鋼ローラテーブル、コンベア、製紙機械などで多くの利用が拡大した。特に'73年の石油危機以後はブロア・ファン・ポンプの可変速ドライブによる省エネルギー効果が認められ、新設・既設交流機駆動の可変速化が進み、交流可変速駆動も直流機駆動と同程度の生産量に拡大した。

サイクロコンバータ変換速度制御方式は電圧/周波数（V/F）比例であり、その制御応答などダイナミック性に欠けた。かご型三相誘導電動機の可変速制御は固定子巻線・回転子巻線ともに鎖交する磁束を一定としたとき、供給周波数と供給電圧とは比例関係にあることから、磁気飽和を避けるためにV/fを一定に保つ制御が必要であった。また、誘導電動機は図3.3.10で示すすべりートルクカーブのトルクピーク点より右側の線上の定格すべりs近傍で必要トルクを出して回転する。その為、V/f一定の可変電圧可変周波数で誘導電動機を起動するには、各周波数でのトルクピーク点より右側のすべり—トルクカーブ上で制御する必要があり、図で示すようにトルクピーク点のトルクピーク値は低周波では小さく、同じ電流でも発生するトルクが小さくなる。また、設計で決める定格すべりsrは誘導電動機の損失に関係するので、大容量の電動機ほど小さく設定され、数百kWクラス以上ではs=0.5%程度以下に設計され、数kW～数十kWクラスではs=5%程度以上に設計される。定格すべりsrが大きいほど「V/f一定可変電圧可変周波数制御」がやり易く、定格すべりが1%より小さくなると、可変周波数制御での加速時にトルクピーク点を超えて左側領

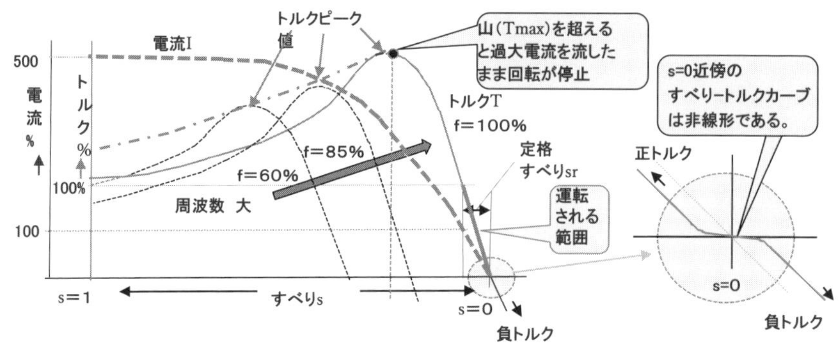

図3.3.10　誘導電動機のすべり－トルクカーブ（可変電圧周波制御のすべり－トルク）

域に脱調しやすくなると共に、無負荷運転時に可変周波数制御が追従せずに負トルク領域に突入する恐れもある。これはs=0近傍のすべり－トルクカーブが右側の拡大図ように非線形であることにも起因する。

(5) かご型誘導電動機のベクトル制御への進化

瞬時応答のPWM制御IGBTインバータシステム

1970年代に行われた自動車電動化開発プロジェクト（日本）で、大容量トランジスタ（電流300A）が開発され、転流回路を無くした「自己消弧機能を利用のPWM制御インバータ変換器」が実用化され、小容量の誘導電動機の可変速駆動へ展開が急速に広がった。

‘83年に東芝が自己消弧の「ノンラッチアップIGBT素子」試作に成功し特許を出願し、’85年には600V、1,400Vクラスの高耐圧IGBTが製造され、さらに利用拡大と特性の改善が進み「耐圧は4.5kVや6kV、電流は1.5kA」クラス素子が製造されるまでにIGBT素子技術が進化した。IGBT素子の大容量化に伴いIGBT素子利用の中大容量誘導電動機用のIGBTインバータ変換器が開発される。図3.3.11に誘導電動機の大容量IGBTインバータ駆動システムの構成例を示す。インバータ駆動システムは交流電源より直流変換するIGBT3レベルコンバータと電動機を可変電圧・周波で駆動するIGBT3レベルインバータより構成される。中小容量用ではIGBTコンバータ・インバータとも2レベル構成となり、コンバータ変換・インバータ変換ともPWM制御で直流⇔交流変換するので、交流変換の基本成分は正弦波で、かつ瞬時応答の電流加減及び位相変化ができる制御性を実現できるようになった。

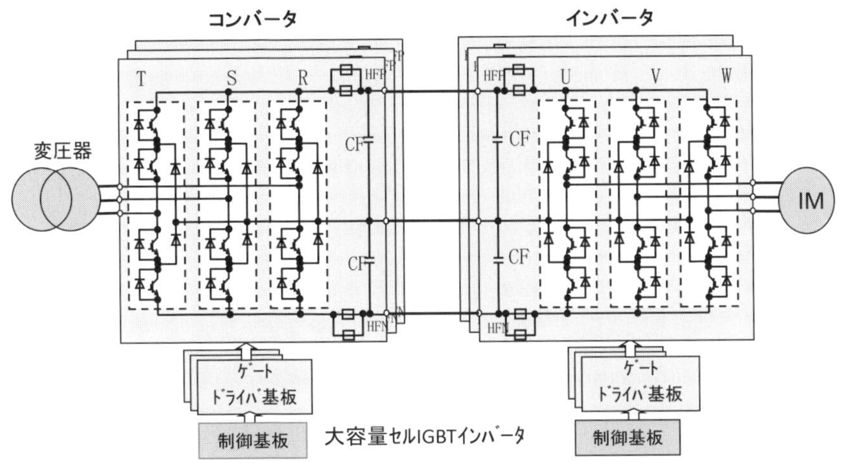

図3.3.11　IGBTインバータ駆動システム

ベクトル制御方式の創造

一方、交流電動機の可変速駆動制御の研究・開発はドイツや日本で進められており、誘導電動機のすべり周波数制御方式など瞬時値制御に一歩近づいた性能の制御式や交流機の一般化理論に基づく電動機特性の瞬時値解析と空間ベクトル表現、さらにはそれを応用した変換装置を電源とする電動機特性の解析と過渡応答改善の研究などが盛んに行われていた。このような交流機の瞬時値制御の基礎となる技術が高められた状況のなかでベクトル制御が生まれた。

ベクトル制御はドイツではフィールドオリエンテーション制御と呼ばれ、磁界ベクトルの方向を基準座標軸としてモータの電流ベクトルの大きさ・方向を瞬時値制御しようとする考えを、Hasseが誘導機の一制御方式として1979年に発表した。さらにBlaschkeによって、より一般化された制御概念として体系化され、フィールドオリエンテーション制御という名称で発表され、ドイツ発信とみられている。しかし、安川電機の研究者岩金が開発間もないパワートランジスタの高速電流制御性を利用して瞬時電流を制御し、電動機内部の空間的ベクトル『トルク発生の基本の「磁束成分と直交するトルク電流成分」とに分解して、トルクを直流機のようにとらえる理想的な考え』で制御する開発を始め、すべり周波数制御方式の実証に至り、‘74年に発表したことがベクトル制御実用の最初と考える。

ベクトル制御は図3.3.12（A）の誘導電動機の等価回路で示す励磁電流Imとトルク電流Itを目標値に一次電流で制御、すなわち図3.3.12（B）のように、

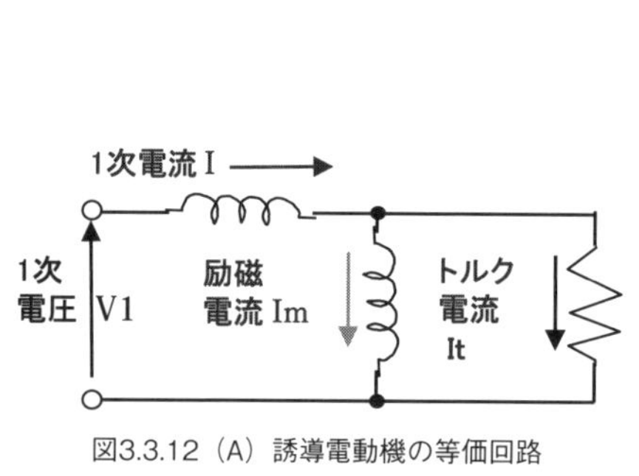

図3.3.12（A）誘導電動機の等価回路

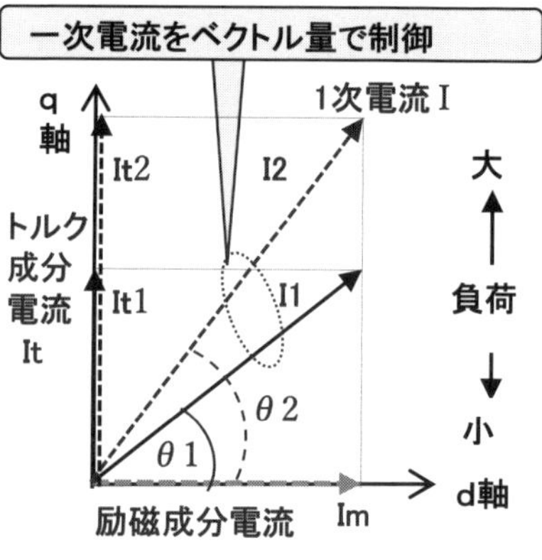

図3.3.12（B）ベクトル制御の原理

d軸の励磁電流Imを一定に制御し、負荷に応じてq軸のトルク電流をIt1⇔It2に制御する為、電流位相角θ1の一次電流I1⇔電流位相角θ2の一次電流I2のように、電動機端子からの一次電流Iをベクトル量で制御する。このように一次電流Iをベクトル量で制御することにより、応答の遅い励磁電流（磁束を作る電流）を一定に保ち、瞬時応答の出来るトルク電流のみを負荷に応じて制御できるため、直流電動機以上に誘導電動機の可変速制御応答が可能な理想の可変速駆動制御が期待できる。

しかし、ベクトル制御には座標変換やベクトル演算など乗除算・非線形を含む複雑な演算、交流瞬時値制御に対応できる高速演算を必要とし、その制御演算処理規模も直流機駆動の場合に比較して数倍に増大する。これをアナログ技術での実現ではコストの問題は別にして、要求性能・信頼性の確保が容易でなく、これが実用拡大を妨げた理由である。'79年に16ビットマイコンi8086が発売され、日立が直流機のマイコンデジタル実用化より、'80年代にはマイコン・LSIによるディジタル処理ベクトル制御が展開されるようになった。もう一つの課題は正弦波の位相瞬時変化制御を含めた電圧電流の制御遅れが少ない電力変換装置が必要であるが、上述のように'80年後半に大容量IGBT素子利用のPWM制御IGBTインバータによりベクトル制御に必要な電力変換性能が満たされた。以上のようにベクトル制御に必要な2大技術とも'80年後半には解決され、すなわち、新しいベクトル制御理論に加え、IGBTインバータでのPWM技術確立の生態系が整ったことで、理想の交流可変速駆動制御が実用化され、中大容量可変速動力に君臨し、産業分野や鉄道車両用などあらゆる分野に拡大している。

3.3.4 同期電動機・同期発電機の創造と進化

(1) 同期電動機・同期発電機の創造

同期電動機・発電機は1887年にニコラ・テスラの多相交流の発想で、回転磁界に同期して回転する同期電動機の創造を誘導電動機と同時に発明している。同期電動機は直流電動機からブラシと整流子を省き、直接、3相交流を電機子コイルに与えるもので、その回転、トルク発生原理は（2）の電動機回転原理の項で述べたように直流電動機と全く同じだが、3相交流を用いることで、その特徴、用途は全く変わってきた。

(2) 同期電動機の特徴とブラシレス化

同期機（電動機・発電機）は磁極を回転子に設け、電流の少ない界磁電流をスリップリングとブラシを通して界磁コイルに与えることが出来るため、大容量機製作制限のある直流機と違い、容量制限が少なく、百万kWの同期発電機も実用化されている。また、同期電動機の電動機効率は誘導電動機に対し電動機力率が高く、コイルに流れる電流が小さくなり、電機子コイルの損失も小さくなり、リラクタンストルクもあるので高効率である。このため、誘導電動機に比べ、電動機が小さくできるため、1,500kW以上の大容量・超大容量用途には同期電動機が通常用いられる。

ベクトル制御の適用により急速な加減速と高精度制御などの理想的な可変速駆動となる特徴を持っている。同期電動機単体としては、始動には誘導機始動、低周波始動、ポニーモータ起動など始動装置が不可欠、また誘導電動機に比べ構造的に複雑で高価な上に始動用機器も必要で経済性に劣り、可変速制御でも電動機毎にインバータを設ける必要がある。電気自動車用などの小容量機では「回転子磁極の永久磁石化」としたPMSMの進化が進み、更なる小型化が進んでいる。

(3) 同期電動機の可変速制御への進化

同期電動機は直流電動機からブラシと整流子を省き、3相交流を電機子コイルに直接与え、回転・トルク発生原理が直流電動機と同じことに着目し、サイリスタ素子の開発により、ブラシと整流子の機能を位置検出信号とサイリスタ

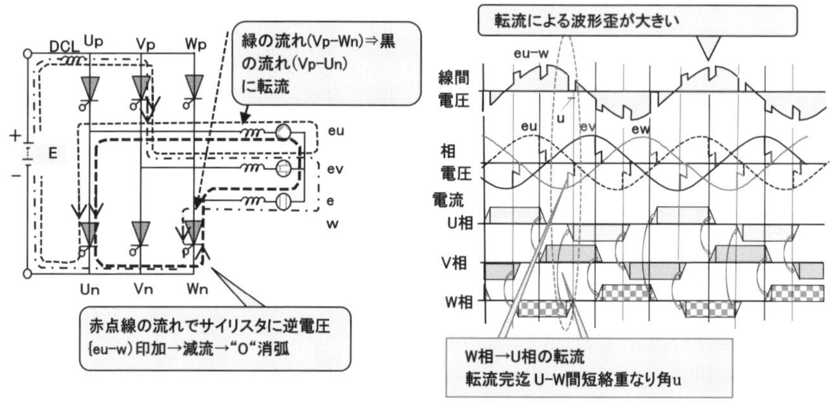

図3.3.13　電流型サイリスタインバータの転流動作

スイッチに置き換える考案で開発されたのが「同期電動機を可変速制御できるサイリスタモータ」である。サイリスタモータは直流電動機の項で説明したように、回転子の磁極相対位置に応じて、直流電動機と同じくトルク発生するので、直流電動機と同等に電圧の大きさに比例した回転速度に制御できた。同期電動機を可変電圧可変周波数変換器「電流型インバータ」で制御した可変速制御駆動方式であった。

電流型サイリスタインバータ変換器は強制転流回路が必要であったが、同期電動機には誘起電圧があることに着目した「誘起電圧を利用して素子に逆電圧を印加して転流する「負荷転流」」を利用した「高応答・高機能化のサイリスタモータ」が1970年後半に開発された。すなわち、図3.3.13の左の電流型サイリスタインバータで（E-Vp-モータV相-W相-Wn-E）の1点鎖線電流⇒（E-Vp-モータV相-U相-Un-E）の点鎖線電流への転流ではサイリスタUnを点弧（オン）して（Wn-モータW相インダクタンス＋誘起電圧ew-モータU相インダクタンス＋誘起電圧eu-Un-Wn）の太点鎖線短絡ループでサイリスタWnに逆電圧を印加して、サイリスタWnを消弧させて転流を完了する。電流型サイリスタインバータは左の波形図のように各層とも（正電流に120度一定電流を通流⇒他相に転流し60度休止⇒他相より転流し負電流に120度一定電流を通流⇒他相に転流し60度休止）という通流角120度の矩形波電流で制御され、転流は消弧する素子Wnに逆電圧（eu-ew）が印加されて行う。太点鎖線ループでW相インダクタンス+U相インダクタンスを介して誘起電圧eu-ewを短絡する回路で転流がおこなわれるが、モータのインダクタンスにより転流時間「重なり角u」が図のようにかかり、重なり角uが電流の大きさに比例し、線間電圧に波形歪みが生じる。また、重なり角uが大きくなり過ぎると転流余裕角（転流余裕の式）が不足し転流できなくなるので、点弧進み角βを回転数・電流、界磁電流の変化に追従する制御が必要である。回転数・電流検出値より「重なる角u」を計算し、「制御余裕角γを時間的に一定」にするように「制御進み角βを演算し制御する方式」が開発された。その機能開発により、厚板噛み込み時に負荷（電流）が275%に急峻（20ms）になる圧延主機用やモータインダクタンスが大きく変動する界磁範囲の広いリール巻取り用などの圧延機の高速応答・高精度速度制御用途までに実用化された。

転流余裕の式：転流余裕角γ＝点弧進み角β－転流重なり角u（電流・インダクタンス・周波数の関数）

(4) 同期電動機のベクトル制御への進化

同期電動機は誘導電動機に比べ、電動機効率・力率が高く、コイルに流れる電流が小さく損失も小さく、大きさも小さくできるなどの特長があり、回転座標系という数学的テクニックを取り入れた同期電動機のベクトル制御が要望されている。同期電動機を回転子と同期して回転する座標系（回転座標系）から見ると、回転子である界磁磁極が静止して見える。一方、固定子は回転する電機子に見える。すなわち、同期電動機における電機子を、直流電動機において整流子によって回転とともに電流極性が切り替わる電機子の動作に置き換えることを考えることがベクトル制御の基本である。静止座標系から回転座標系への変換により同期電動機をそれと等価な直流電動機としてモデル化できる。三相二相変換は対称三相交流をそれと等価な二相交流へのαβ変換で、三相モデルを図3.3.14（a）のように直交するα軸とβ軸を考え、（b）のようにα軸と

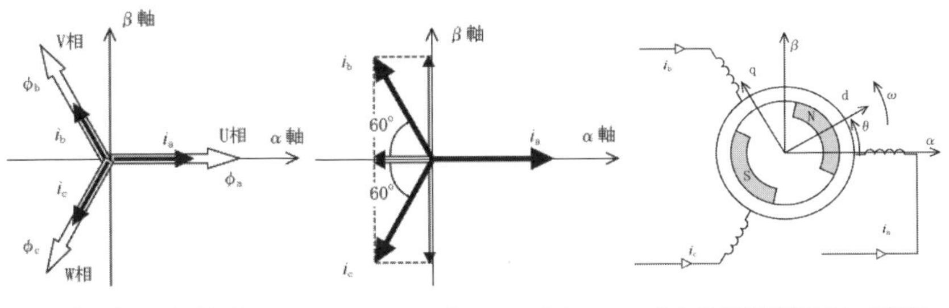

(a) 三相と二相座標系　(b) α、β座標系への変換　(c) PM同期電動機のd、q軸設定

図3.3.14　同期電動機の三相モデルとαβ座標・dq軸

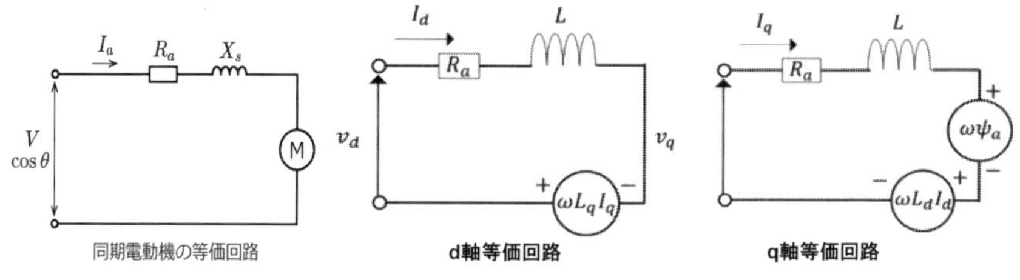

図3.3.15　同期電動機の等価回路

U相軸を合うように配置して、α・β座標系に変換する。

三相電流ia、ib、icをそれぞれ流れている状態を二相座標系のα軸、β軸で表現すると

Iα=ia-1/2×ib-1/2×ic、Iβ=0・ia+ib・√3/2-ic・√3/2

とi_a、i_b、i_cの三相電流の状態をi_α、i_βの二相電流で表現でき、三相から二相へ座標変換できる。

さらに、PM同期電動機の固定子のU軸を（c）図のようにα、β軸に合わせ、回転子の磁極に対応してd、q軸を設定し、U、V、W相の電圧及び電流をv_a、v_b、v_c及びi_a、i_b、i_cとしてd・q座標系に変換する。

Id=Iα・cosθ+Iβ・sinθ、Iq=-Iα・sinθ+Iβ・cosθ

同期電動機（PMSM）の等価回路、及びd軸・q軸の等価回路は図3.3.15のようになる。

図の、d・q軸等価回路から三相同期電動機の回路方程式は、

vd=Ra・id+Ld・did/dt－ωLqiq、vq=Ra・iq+Lq・diq/dt+ωLd・id

突極形同期電動機の発生トルクTMは（p=d/dt)、

$$TM=Lq/Ld[\psi a\cdot ia\cdot\cos\beta+1/2\cdot(Lq-Ld)i^2\cdot\sin2\beta]$$

円筒形同期電動機の発生トルクTMは「円筒形同期電動機は対称性から、Lq=Ldが成立」

TM=Lq/Ldψa・iacosβ

三相同期電動機の回路方程式よりdq軸の電圧・電流・磁束ベクトル図を描くと図3.3.16のようになる

ベクトル制御によるPM同期電動機の速度制御ブロック図を次の図3.3.17に示す。目標速度指令値ω*に応じて、界磁を制御するd軸電流制御系と回転速度を制御するq軸電流（トルク電流）制御系のd軸q軸での2つの検出値との演算制御ループで構成する。電動機は静止回転座標系の3相電圧、電流、周波数で動作するので、dq軸からαβ軸座標変換およびαβ軸から3相へのベ

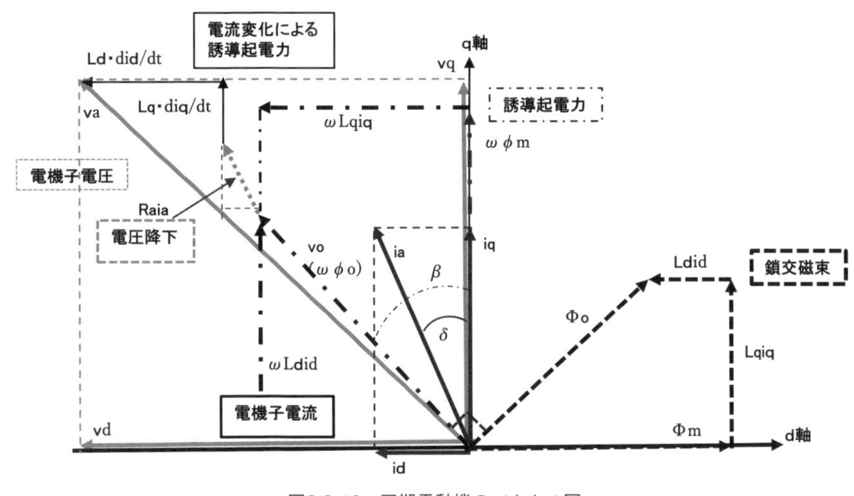

図3.3.16　同期電動機のベクトル図

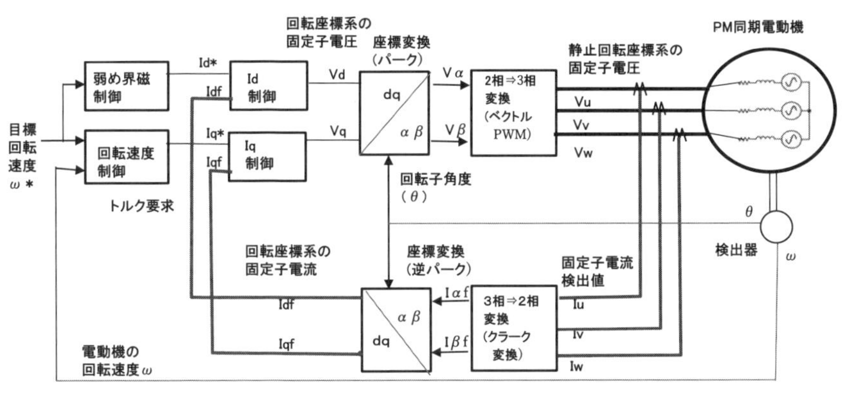

図3.3.17　ベクトル制御によるPM同期電動機の速度制御ブロック図

クトルPWM変換して、電動機各層端子にVu、Vv、Vw、周波数fの三相可変周波可変電圧の交流を出力する。また、検出信号は電動機各層電流Iu、Iv、Iw3相からαβ軸2相Iαf、Iβfに変換し、さらにαβ軸からdq軸座標変換して、Id、Iq制御に必要なフィードバック信号Idf、Iqfをつくる。検出回転速度ωをフィードバック信号として速度制御演算し、回転子角度θはαβ軸・dq軸座標変換「dq→αβの2相交流変換、αβ2相交流→dq軸変換」に使う。回転子角度θは位置検出器で直接検出するか或いは速度検出信号より演算する方法がとられる。厳密な速度精度を必要としない場合はセンサーレスベクトル制御が用いられる。

(5) PM同期電動機の小型化の進化

地球温暖化対策で脱ガソリン化の電気自動車が推奨され、電池の長距離走行を可能にするため、電池エネルギーを最大限の効率で引き出す電動機システムの開発が全世界で進められてきた。

最大限の効率で引き出す電動機システムはインバータの効率化もあるが、まず、電動機本体の高効率化と自動車搭載に不可欠な小型化が必要であり、誘導電動機に比べ、電動機効率・力率が高く、マグネットトルクに加えリラクタンストルクも利用でき、小型化できる同期電動機の高効率化が検討され、ブラシレス可能な永久磁石型回転子のPM同期電動機が研究され、表面磁石同期電動機（SPM）と埋め込み磁石同期電動機（IPM）の2種類のPM同期電動機が開発された。図3.3.18にSPMとIPMの回転子構造を示す。SPM はケイ素鋼鈑の回転子表面に永久磁石を張り付ける、IPMはケイ素鋼鈑の回転子の中に永久磁石を埋め込める構造である。

ネオジム永久磁石の強力な磁界により高トルクを得る永久磁石式同期電動機は、性能を飛躍的に向上させた。SPMは図3.3.19のように定格速度ω_1まで一定のトルクを発生する、また強力な磁界は回転子回転に伴い大きな逆起電力を生む。その為、それ以上の回転数を上げるためには電動機に高い電圧の印加

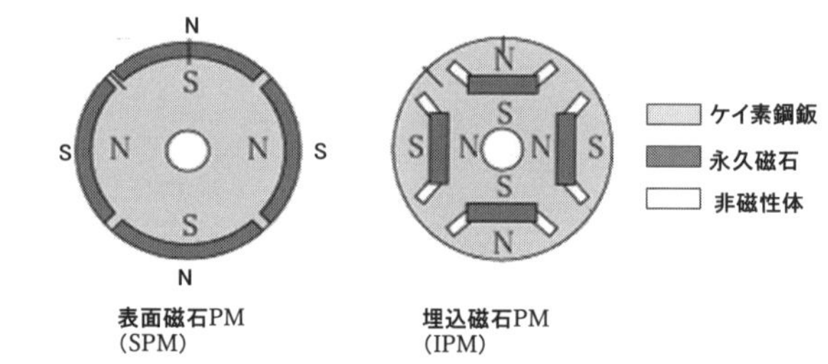

図3.3.18　SPMとIPMの回転子構造

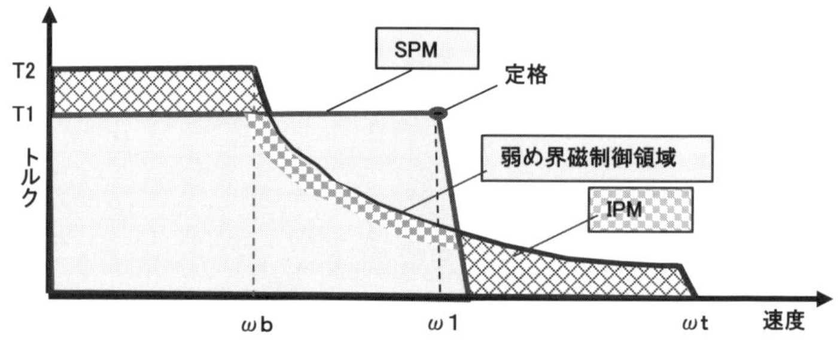

図3.3.19　SPMとIPMの速度-トルク特性

が必要となり、そのままでは高速運転が出来ない。そこで図3.3.19の網目特性のようにIPMにより高速域（ωb-ωt）ではトルクと効率を低下させる弱め界磁制御により高速運転する。

SPMは回転子表面に磁石が張りつけられ、磁石の磁束を有効活用できて、高トルク発生に効果的で、トルクリップルが少なく、制御性、応答性の良い同期電動機とすることができたが、高速回転で回転子表面の磁石が剥がれる可能性があるため、高速回転が必要な自動車用途には不向きと判明した。

一方、IPMは磁石が鉄心の中に埋め込まれ、磁石剥がれの問題を改善し、マグネットトルク(永久磁石とコイルの吸引反発力)とリラクタンストルク(磁力線の曲がりを直線にする力＝コイルが鉄を引き付ける力）の両方を有効活用でき、高いトルクが実現できる。また、インバータによる弱め界磁制御（固定子のコイルに電流を流し、逆起電力を低減させること）が利用でき、速度制御範囲を広く取ることができる。さらに、トルク特性を「磁石の形状や配置」の設計から作り出せる。IPMは回転子の磁石埋込方式が研究され、固定子からの磁力線を有効作用できる「埋込磁石の形状」として図のようなV字磁石やアーク磁石などが検討され、永久磁石によるトルクを弱めて回転子のリラクタンストルクを強め総合トルクを最大にするように永久磁石形状、埋込方法が開発された。アーク磁石は図3.3.20のように固定子磁力線に沿った形状磁石を埋め込んでいる。

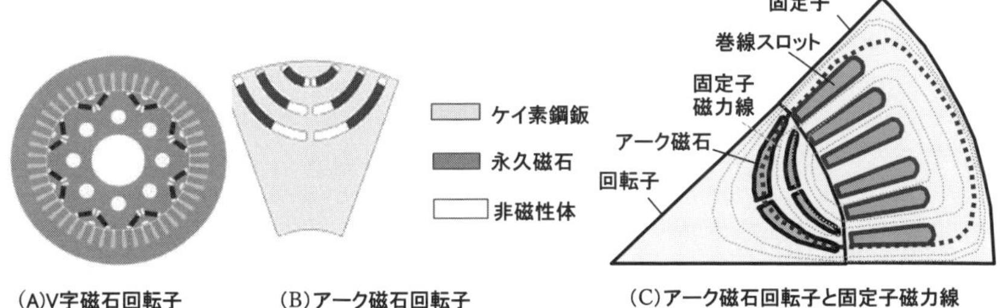

図3.3.20　IPMのV字・アーク磁石回転子と磁力線

V字磁石回転子IPMでは、図3.3.21のようにマグネットトルク40%以下とリアクタンストルク60%以上の比率とし、総合トルクを120%以上に向上することが出来ると共に、電動機重量も誘導電動機に比べ40%以上軽量化されたV字磁石回転子IPMに進化させた。

固定子からの磁力線を有効作用できる埋込磁石の形状「V字磁石やアーク磁

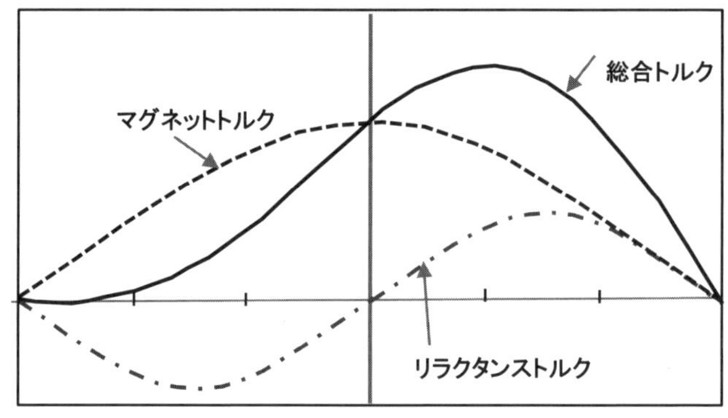

図3.3.21　IPMの発生トルク

石など」の改革によりリアクタンストルクを活用した高い総合トルクを実現でき、さらに固定子からの弱め界磁制御により12,000rpmに至る高速回転までの広い速度制御範囲のIPMが開発され、進化が続いている。

それによって、高トルクの必要な低速運転からトルクより高速回転を優先する高速回転領域までを高効率で動作する自動車駆動動力に最適なイノベーション機能を持つIPM同期電動機が創造できた。V字磁石回転子のIPMは1997年12月に発売となった電気自動車「ハイブリッド車プリウス（HEV）」に適用され、電気自動車の幕あけを開いた。その後、長距離走行を可能にするリチウムイオン電池などの電池システムが改良され、電気自動車（EV）が次々と開発され、2030年以降ガソリン車から電気自動車への移行が2020年に宣言されている。

3.4節　動力のイノベーション機能が創造された時代背景

3.4.1　蒸気機関のイノベーション機能が創造された時代背景

(1) 市場環境と新技術イノベーション機能が結合した市場展開

蒸気機関は第一次産業革命の2000年前に天才工学・数学者ヘロンが蒸気タービンの概念のモノを発想していたが、1712年に鉱山の排水用動力として実用化されるまで、忘れられていた。これは、人々の生存に必要最低限の農作物を含めたモノ生産の生活環境で動力への要望が薄かったこと、ヘロンのような新しい発想者が現れなかったからと考える。

イギリスは17世紀ごろから海外諸国へ侵略し植民地支配を増やして、18世紀にはアメリカ大陸、インド、オーストラリアなど世界中にイギリス植民地を広げ、綿などの原料を安く得られ、生産した製品を売買できる市場を持った。併せて、森林資源枯渇の問題があったイギリスは、石炭を新しいエネルギーとする変革期で「苦しい炭鉱の水くみの解決と新しい動力への渇望」の市場環境にあった時に、これらを解決する蒸気機関の発明、輸送革命となる蒸気機関車への展開が第一次産業革命の引き金となったと考える。加えて、植民地支配と農業革命により植民地労働者・奴隷労働力と余剰農業労働者など大量生産に必要な労働力を持っていたので、イギリスで産業革命が起こった。移動機関としてニーズの出始めた鉄道車両や船の動力として適していることより、蒸気機関車と蒸気船に展開され、交通機関を大発展させた。蒸気自動車への展開も試みられたが、大きな設備構成が小形な自動車には適さず展開されなかった。

画期的なイノベーション機能の創造も適用ニーズへの適正性と、それを渇望する時代背景とが整わないと市場に展開されないことがわかる。すなわち、時代背景と適用ニーズへの適正化への機能の向上を諦めずにする必要があると考える。

(2) イノベーション機能は新たな活用と新技術・機能に置き換えられる

レシプロ式蒸気機関は効率を改善した「蒸気タービン方式動力機関」に進化した。産業革命を起因したレシプロ式蒸気機関は産業設備や機関車を直接駆動する動力として展開されたが、発電機・電動機が誕生すると設備・機関車など直接駆動する動力は新しい電気動力のコンパクト性能に太刀打ちできずに切り替えられた。すなわち、熱機関に相当する原動機機能を別の所に発電機を共通に設置出来、電線で長距離輸送された電力で、必要なところで動力機能だけをコンパクトな電動機に置き換えられた。原動機機能として共通に設置される発電機施設「発電所」は規模の大型化が必要となっていった。効率を改善した「蒸気タービン式動力機関」に進化し、大規模システムに適する進化型蒸気機関は大容量規模発電用の原動機の役割に移っていった。

すなわち、蒸気機関機能は発電機と電動機の電力システムというイノベーション機能の登場という時代変化により、直接駆動する動力機能の役割を電動機に置き換えられ、大規模発電所の駆動役割に高効率な蒸気タービン式へと進化して、新しい活用へと転換された。

(3) 地球温暖化を背景とした熱発生機能の脱化石燃料化への転換

蒸気機関は蒸気を作り出すための燃料を燃焼させて熱を取り出す熱機関が最重要要素であり、大規模発電所用に転換されても、その位置づけは変わらない。一方、燃料は産業革命当時から使われている石炭に加えて、石油、天然ガスの化石燃料が中心に用いられ、第二次世界大戦後の原子力の平和利用として登場した「原子力熱機関」が一部先進国で普及した。

経済の急激発展に伴い、地球温暖化対策として火力発電所のCO_2排出に対する負荷軽減が緊急課題となり、脱化石燃料化のため、自然エネルギーの風力・太陽光発電の展開が始まった。併せて原子力発電も増大政策が採られたが、度重なる放射能事故でとん挫している。その結果、設備容量比率で風力・太陽光発電は16%に急増、水力17%、バイオ2%の自然エネルギー計35%と増加、しかし、発電電力比率では石炭37%、石油3%、LNG23%、原子力10%、バイオ・地熱2%、水力16%、風力5%、太陽光2%で、63%の大半に化石燃料が残っているのが実情である。

風力・太陽光発電の拡大施策を各国とも進めているが、天候や夜間制限に左右されない、安定供給できる蒸気機関発電が必須である。したがって、温室効果ガスを排出しない蒸気機関発電「小形原子力発電及び水素・アンモニア発電」への転換が叫ばれている。

3.4.2 内燃機関のイノベーション機能が創造された時代背景

(1) 蒸気機関の課題解決が自動車時代の幕あけ

蒸気機関は設備の大きさが大きな設備も大きな移動体「船舶・汽車」では問題とならなかったが、小規模な自動車への展開は100年以上続けられたが、適さず実用化に至らなかった。そんな対策研究の中、ニコラウス・オットーが1862年の2ストローク機関に始まり‘76年に4ストローク機関を発明した。この4ストローク機関に着想を得た「独自の4ストロークガソリンエンジン」を搭載した三輪自動車をカール・ベンツが製作し、運搬車の特許をとった。この特許で「Patent Motorwagen」と名付けたガソリンレシプロエンジン搭載の三輪車は、「世界初の自動車」となり、これが自動車の幕あけとなった。「内燃機関ガソリンレシプロエンジン機能」は自動車の動力となったことで、お客の馬力・振動・騒音などの性能向上の要求に応えるため、飛躍的に進化、さらに自動車の進化と供にガソリンエンジン機能も進化を続けた。ガソリンレシプロエンジン機能はコンパクト性・高出力・取扱容易性・経済性の点で自動車動力用として優れているので、発明されて以来君臨し続けている。

(2) 特定用途に最適なディーゼルエンジン機能で中大設備動力の主流へ

自動車の幕あけとなった「ガソリンエンジン搭載での世界初の自動車」の創造に数年遅れた1892年にドイツのルドルフ・ディーゼルがディーゼルエンジン機能を発明した。このエンジン機能は静粛性の点でガソリンエンジンより劣るが、①燃費が良い、②燃料が安い、③トルクが強い、④エンジンの耐久性が高い長所を持った。大型設備に使われていた蒸気機関の大きさ・騒音・使い勝手の悪さといった不満のあった利用者が、機関車・大型船舶の動力や馬力が必要なトラック等の大型自動車に使われ出し、上記の4利点より産業用据付型の動力設備へと昇りつめた。

すなわち、大型自動車・機関車・大型船舶や据付型動力設備などの特定用途で優れた機能を有することで、蒸気機関のみならず、既存のガソリンエンジン機能をも凌駕することが出来た。

(3) 特定用途に最適なジェットエンジン（ガスタービンエンジン）機能で旅客機は世界へ

戦闘機をより早く飛行させる目的で第二次大戦時に軍事用として、ジェットエンジンの研究が盛んに行われた、その成果は戦後、先勝国での戦闘機を皮切りに大型旅客飛行機として花開いた。

ジェットエンジンイノベーション機能は従来のエンジンと比べ、画期的な推進力の大きさから、航空機を音速で飛行させることや、多人数乗客の旅客機の輸送を実現した。第二次大戦時に各国で軍事用に莫大な研究費と人材を投入して開発されたイノベーション機能はジェットエンジン、宇宙開発ロケットや原子力発電機能など戦後に民生用として開花した。

(4) 化石燃料エンジン動力機能から脱却へ

第3回気候変動枠組み条約締約国会議（COP3、1997年12月）に合わせて販売開始したTHS機能のハイブリッド自動車が負荷軽減の切り札として日本で一気に普及した。当時の世界の生産台数は約5,300万台もあり、さらに中国他自動車新興国の急激な増加で2010年には2,500万台増加の7,800万台と膨大な生産拡大がおこなわれ、世界の自動車保有台数は13億台を超えている。

CO_2排出ゼロの自動車（電気自動車EV、燃料電池車）の生産は数％でCO_2削減目標に程遠く、主要国がやっと腰を上げ、ガソリン車・ディーゼル車の販売禁止を2030年前後から行うと発表があり、世界は電気自動車EVへの転換に走り出している。

自動車動力用としてコンパクト性・高出力・取扱容易性・経済性の点で優れて、走行に必要な燃料を低コストで補給できる利便性をもつ化石燃料エンジン動力機能が13億台超の普及拡大となったと考える。しかし、自動車のCO_2排出が環境破壊の大きな原因との反社会的烙印を押されたことで、経済性、利便性他に優れた化石燃料エンジン動力機能も、100年以上前に押しのけて来た「電池＋電動機動力機能」に明け渡しの運命になっている、すなわち、経済性、利便性他で人々に評価されていても、地球環境の保全に重要な機能を欠落させてはいけないのである。

(5) 最高の移動手段「エンジン動力自動車」の展望

十年先の2030年に転換方向の電気自動車（EV）はエンジン車より先に現れ、1900~20年代に普及しはじめたが、1908年にフォードが大衆向けエンジン車T型を誕生させ、同時に米国で大油田が発見され、大規模エネルギー企業「メジャー」の誕生でエンジン車に敗れ去られた。しかし、大気汚染と気候変動という二大環境問題で、誕生から134年を経て世界に広まったガソリン自動車は、EVへの転換が求められている。ところが、スマートフォンやPCも使うリチウムイオンバッテリーの素材となるリチウムは、地球資源として限界があり、13億台ものクルマをEV化することはできないとされ、燃料電池車の拡大も考えられる。一方、所有車稼働率わずか1割という現実より、車の所有を変える新たな発想が生まれている。それは環境保全と資源の限界、それらとともに世界75億の人々が快適な生活を続けるために調和していいける「共同利用」という動きである。最高の移動手段である「エンジン動力自動車」の機能は人類にとって捨てられないものとなっている。また、生活する国・都市・地方での生活様式の多様性によって、現在保有される13億台の自動車は脱CO_2排出車化を中心に共同利用など、様々な方向へと移るものと考える。

3.4.3 電動機・発電機のイノベーション機能が創造された時代背景

(1) 革命的発見（イノベーション機能）が次々と電気の基本的法則を産み出

す（電池から発展）

ボルタはガルヴァーニとの生物電気に対する論争で、金属間の化学的作用で電気が発生する「電池」を発明した。この発明はそれまで静電気しか知らなかった科学者の間で革命を引き起こし、エルステッドの「電気と磁気との結び付き」、アンペアやファラディの「電流と磁気と力学関係」「アンペアの右ねじの法則」「電磁誘導の法則」、さらに「アラゴの円板」「オームの法則」など電気の諸法則が発見され、電気エネルギーの展開へと繋がった。

ガルヴァーニが発見した「生物電気」機能を活用して、金属間の化学的作用で電気が発生するボルタの「電池」の発明は、人類が必要な時に電気エネルギーを造り、そのエネルギーを生活に活用する「電気エネルギーの製造・利用のイノベーション機能」を創造した。この「電気エネルギーを必要な時に造り、利用するイノベーション機能」はそれまでのある一定条件下で発生するという静電気から「電気」をエネルギーとして積極的に利用できるという革命的発見であり、その革命的発見が必要な時に造りだせる「電気エネルギー」を利用するための電気の基本的発明（基本的法則）を産み出した。すなわち、いつでも使える電気を人工的に造り出せるという革命的発見（電気エネルギー機能）には関連する分野の新しいイノベーション機能創造の可能性があったと考える。

(2) 既成概念の弊害と偶然の現象で新しいシステム機能を発見（発電機への偶然の誤接続）

ダウェンポートが1837年に整流子式直流電動機を開発、特許取得し、印刷機などの駆動に成功し、既成概念の「電源を電池で供給」で商業化を始めたが、電源コストの問題に直面し、商業的には失敗した。安価な供給電源開発の発想に至らず、長期間（35年間）の停滞となる電動機利用展開の断念の最初の歴史が始まった。1873年実用発電機を発明したゼノブ・グラムは、ウィーン万博に発電機を出品し、展示会場でケーブルの接続を間違えたことより、発電機で発電した電力でもう一方を電動機として駆動できることを発見できた。この偶然の発見をグラムは直流発電機で発電した電気エネルギーを送電し、直流電動機を駆動させる「電気動力システム機能」として発展させ、直流発電機-電動機システムによる電気エネルギーによる動力駆動のイノベーション機能を創造できた。このイノベーション機能の創造は電動機そのものの機能を革新的な機能として確立したものと考える。この「得られる機械的駆動力を発電機で電気に変換し、それを電線で距離輸送し、好きな場所の直流電動機で機械動力に利用できるイノベーション機能」の発見が、第一次産業革命での蒸気機関から得ていた動力を電力で供給する第二次産業革命の世界への転換の起爆剤となった。電源は電池という既成概念が電動機の実用化を35年も遅らせたように、原点に戻って機能を考える必要がある。また、発現した「新しい現象」を見逃さず分析・研究したことが今日の電気動力の基となる「電動機システム機能」を創り出せたと考える。

(3) 新しい発想で従来標準機能を置き換える新機能を創造（直流電気から交流電気へ）

1832年にピクシイが手回しの交流発電機を作り、最初の交流電気を発電したが、交流電気を活用する市場が考えられず、手回し玩具以上の進展はなかった。それは交流による磁石では磁極が頻繁に変化してしまうことから、交流電動機の「電磁石の力を回転力に変換する機構」が見つからなかったように、何十年も試行錯誤研究の時代が続いた。それを打開したのは1887年にニコラ・テスラが創造した「多相交流という発想」だった。この多相交流の発想によって回転する磁界を作ることが出来ると考え、その回転磁界よって交流電動機機能を実用化し、送電システム機能と２種の交流電動機機能「3相の誘導電動機、3相同期電動機」という交流3大イノベーション機能の創造をした。特に、交流電気による送電システム機能は変圧器機能の昇圧降圧機能と送電の低ロス性能により全世界での電力網を展開できている。

テスラは交流･直流変換で火花（損失）を出して回転する直流電動機を見て、交流の「電流・電圧が周期的に変わり扱い難い」という弱点を克服すれば「交流」は電力の主役になれると考え、それを数年考え続けていた。散歩中、夕日に感動としたときに、回転磁界と２相交流モータを着想した。その着想したイノベーション機能が現在の電力の中心として使い続けられている。すなわち、それまで主流として使われている機能の弱点を分析し、解決策を考え抜くことで新しいイノベーション機能の創造につながった。

(4) 市場の要求に応えるイノベーション機能の創造１（直流機の可変速制御）

交流電動機の開発実用化も進み、動力を電動機中心とする電気エネルギーに転換する第二次産業革命への途上、ワード・レオナードが原動機で駆動する直流発電機の界磁電流を調整して直流電動機の速度を広範囲に制御する「ワード・レオナード方式」を発明したが実用化されなかった。発明から20年後の1910

年代になって、第二次産業革命の産業発展と共に電動機動力の回転数を可変速度で運転したいというニーズが強まり、速度を広範囲に制御する「ワード・レオナード方式」が注目され、100~150HPの石炭用巻き上げ機の利用が開始された。さらに7,000HPの鉄鋼可逆圧延機に採用されるなど精密な速度制御が必要な分野に利用が拡大した。その後、交流電源より可変電圧の直流電源に変換する水銀整流器が開発され、そのコンパクト性より電気鉄道の直流変電所、交流受電電気機関車等への展開を経て、さらに、1957年に「サイリスタ」が発明されると、サイリスタレオナード方式が開発実用され、精密な速度制御の優秀さとシンプル構成の特徴が他の動力源を圧倒し、20世紀の終わりまで電動機の可変速制御分野で君臨した。

1世紀近く利用されたイノベーション機能「直流電動機の可変速制御機能」も市場のニーズ環境が伴わないと実用化されないように、イノベーション機能と市場のニーズ環境が実用化のための必須条件であると考えなければならない。また、そのイノベーション機能の弱点・性能を上回る新しいイノベーション機能を分析評価し、時代の変革を考える進化が必要である。

(5) 市場の要求に応えるイノベーション機能の創造2(巻線誘導電動機の可変速制御)

水道用ポンプで可変速での駆動ニーズが増加して、巻線型誘導電動機の2次電圧制御、セルビウス方式やクレーマ方式など「2次電力を電源に戻して回転速度を制御する機能」が発明され、その後サイリスタ素子の開発でコンパクトな静止セルビウス方式に成長し、さらにIGBT素子の開発でコンパクトセルビウス方式に成長を遂げた。そのイノベーション機能は系統電源周波数の±15%程度の可変範囲で使用する風力発電システムで変換器容量を少なくできる最適方式と評価され、コンパクトセルビウス方式が風力発電機の代表的容量1.5MWクラス用のDF型PCSという名前で風力発電用の主要方式として君臨している。

70-100%や100±15%の不完全と思われる速度制御機能も「70-100%の可変速制御で負荷を35-100%の範囲を制御できる」三乗負荷用での誘導電動機の二次巻線制御方式は三乗負荷という用途分野では使用電力が(30%、15%)で済むというコンパクト性の為、ポンプ・ブロワ駆動及び風力発電用で利用し続けられている。このように、一見不完全と思われる機能も特定分野で評価されるような利点があれば、特定分野では最適なイノベーション機能になる。

(6) 市場の要求に応えるイノベーション機能の創造3 (ブラシレス可変速制御)

可変速制御性の優れた直流電動機のブラシと整流子は「定期的な保守点検」「フラッシュオーバー不具合」の弱点を抱えるため、ブラシと整流子の無いブラシレス化が要望されていた。そのニーズに応え、1960年代後半に「整流子とブラシの機能」を「サイリスタ素子と磁束位置検出器」で置き換えたブラシレスモータ「サイリスタモータ」を開発し、ブラシ整流子を嫌う腐食性ガスのある用途や鉄鋼圧延機用他の千kWクラス以下の中小容量機に展開された。サイリスタ素子の転流制御での、トルクリップルが大きかったため、大きく普及しなかった。自己消弧素子「IGBT･FET」を用いた小容量ブラシレスDCモータが開発されると、広い分野で可変速小容量モータの主流に君臨して展開されている。

それまで、君臨していた直流電動機の弱点を解決する「ブラシレス機能」はイノベーション機能であったが、実現するための要素（部品:サイリスタ）が性能不十分であると新たな弱点が生じてしまう。しかし、その性能不十分の要素が自己消弧素子「IGBT・FET」により最適な性能にまで向上することで、弱点の無い「ブラシレス機能」のブラシレスDCモータが完成することになる。すなわち、実現するための要素で実現不十分なイノベーション機能は諦めず、最適な要素の開発、もしくは要素の掘り出しを続けることが重要と考える。

(7) 新デバイス開発によるイノベーション機能の創造1（マイコンディジタル制御）

1970年代の高度成長で次々に高機能・高性能の新製品が発売され、鉄鋼素材の鋼鈑の薄板化、及び凹凸の無い鏡のような表面鋼鈑化などで、鉄鋼圧延機の速度制御の高精度化に代表されるように、速度制御のディジタル制御化の研究が進められた。速度制御はサイリスタ制御が使われ、マイクロ秒単位の高速な応答が可能なアナログ制御で行われていたが、サイリスタ制御専用命令語まで開発された専用ディジタルコンピュータによる全ディジタルサイリスタ制御装置が研究設備用に開発された。産業用の速度制御システムには専用ディジタルコンピュータでは経済的に難しく、LSI技術進歩で開発されたマイクロプロセッサでのディジタル制御化が不可欠であるが、1978年に16ビットマイコンが発表され、ディジタル演算処理が工夫され、冷間薄板圧延用マイコン全ディジタル速度制御装置が1981年に開発された。学会や上司からは無理と判断され研究開発を禁止されたが、隠れて開発を進めていた「ディジタル速度制御システム」は、マイクロプロセッサの急激な進化により日の目を見た。すなわち、演算処理性能と小形・低コスト化が課題の要素部品（この例ではLSIマイコン）をその業界が開発してくれると信じ、理想のイノベーション機能の開発を粘り強く進めるべきと考える。

(8) 新デバイス開発によるイノベーション機能の創造2（IGBTインバータ制御）

かご型回転子構造とブラシスリップリング保守フリーなど経済性に優れている「かご型誘導電動機」の可変速制御のニーズが根強く続いた。1960年代後半から電源転流サイクロコンバータ変換器や強制転流型インバータ変換器による可変電圧可変周波数制御が開発されたが、サイリスタ転流の制限から、誘導機の定常状態を扱う式から導き出された平均値的な周波数制御しかできず、瞬時値でトルクを制御する直流機駆動には遠く及ばなかった。

日本の大型プロジェクトで自己消弧機能を有する大容量トランジスタが開発され、さらに1980年代に自己消弧の「IGBT素子」の開発・大容量素子が製造されるまでにIGBT素子技術が進化した。誘導電動機用のIGBTインバータ変換器が開発され、高いスイッチング周波数のPWM制御により直流⇔交流変換するので、交流変換の基本成分は正弦波で、かつ瞬時応答での電流加減及び位相変化ができる制御性を実現できるようになった。すなわち、自己消弧素子の開発が基本成分を正弦波に制御でき、かつ瞬時応答での電流加減及び位相変化を制御できる「PWMインバータ変換機能」を可能にした。

(9) 新しい制御理論によるイノベーション機能の創造（ベクトル制御）

堅牢回転子構造とメンテナンスフリーのかご型誘導電動機を直流電動機のように瞬時値でトルクを制御したいとのニーズで、可変電圧可変周波数制御方式、すべり周波数制御方式などが開発、制御性は改善されたが、誘導機の定常状態を扱う平均値的な周波数制御だけでは、瞬時値でトルクを制御することはできずに、制御方式の工夫が各国で進められてきた。

電動機内部の空間的ベクトル「トルク発生の基本を磁束成分と直交する電流（トルク）成分とに分解して、トルクを直流機のようにとらえる理想的な考え」制御理論を発想し、ベクトル制御の実用である「新しいすべり周波数制御方式」

を1974年に発表、くしくもドイツからはField Orientation制御「磁界ベクトルの方向を基準座標軸としてモータの電流ベクトルの大きさ・方向を瞬時値制御しようとする考え」が1979年に発表されている。

両国から発想された新しい制御理論「ベクトル制御理論」と前述のPWMインバータ変換機能との結合技術により誘導電動機のベクトル制御機能というイノベーション機能が創り出され、直流電動機の性能を上回り、電動機の可変速制御システムの頂点に成長した。

(10) 同期電動機のベクトル制御とPM化による小形化

誘導電動機の可変速制御システムよりも直流電動機の性能において上回る「ベクトル制御理論」は、効率・力率で優れている同期電動機の可変速制御へと展開され、誘導電動機のベクトル制御機能を上回る性能を実現し、いろんな分野に展開されている。さらに、同期電動機の欠点である界磁用スリップリングを解決する永久磁石回転子型同期電動機の高性能化が検討され、マグネットトルクとリラクタンストルクの両方の有効活用で高いトルクが実現でき、インバータでの固定子からの弱め界磁制御により12,000rpmに至る高速回転までの広い速度制御範囲とするIPM回転子の磁石埋込方式が開発された。その結果、総合トルクを120%以上に向上すると共に、電動機重量も誘導電動機に比べ40%以上軽量化したV字磁石回転子IPM同期電動機を開発した。それによって、軽量かつ高トルクの必要な低速運転からトルクより高速回転を優先する高速回転領域までを高効率で動作する自動車駆動動力に最適なイノベーション機能を持つIPM同期電動機のベクトル制御システムに成長した。

IPM同期電動機の自動車駆動動力に適した機能と、電池の長距離走行不足を補うハイブリッド機能を結合したハイブリッド車の開発をして、最初の電気自動車から100年後の1997年「ハイブリッド車HEVプリウス」発売され、電気自動車の幕あけに漕ぎつけた。その後、電池システムが改良され、電気自動車（EV）が次々と開発され、ガソリン自動車から電気自動車への転換が近づいている。

ガソリン車の環境破壊に対する負荷軽減のニーズと電池性能による走行距離の不安をハイブリッド化で切り抜けたことで電気自動車への転換を10年以上早めたと考える。

第4章

生態系「細胞生物」の進化過程で創造されたイノベーション機能

生態系は図4のように46億年前に地球誕生、原始海誕生、40億年前の原始生命体の誕生を経て、生物は、原核生物、光合成生成細菌、真核細胞生物、多細胞生物、有性生殖の多細胞生物へと進化してきた。その生物の根源である細胞一つ一つが生命そのものとして「細胞」機能の進化を続けて、38億年かけて人類他の哺乳動物や被子植物に進化してきた。

進化過程で生物は環境に順応し連続的な進化を続ける為に、持続的イノベーション機能を次々と創造して来た。また、度々発生する突然変異によって、従来生物環境を破壊する、例えば「酸素生成機能」のような破壊的イノベーション機能が創造され、その酸素生成機能は地球全体を凍結と大半の生物が滅亡するという「破壊的イノベーション機能」であった。全球凍結させる破壊的機能である酸素生成機能は、一方で生物の運動能力を20倍化や生物を大型化するなど生物の進化発展の最重要なイノベーション機能でもあった。同じように人類が創造する新しい機能（進化）も大半は市場を発展させるが、時には従来の市場を破壊し、新しい市場を創り出した。

本章では40億年前に誕生した原始生命から多細胞生物への進化過程で、環境に順応し連続的な進化を続ける為に創造されてきた「持続的イノベーション

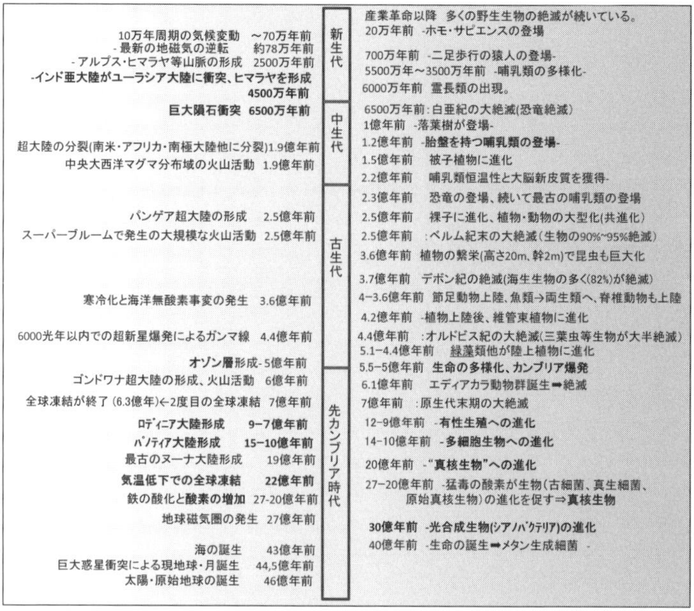

図4　地球の形成と生命誕生からの生態系の歴史

機能」、および突然変異で不連続的（劇的）進化した「破壊的イノベーション機能」がどのような環境背景で創られ、生物生活環境へ及ぼした影響などを学びつつ、人々に役立たち・影響を及ぼす「モノづくりのイノベーション機能創造」の観点で整理考察する。

4.1節　細胞生物の進化過程で創造されたイノベーション機能

4.1.1　「原始生命体の誕生と原核生物への進化」…持続的進化1

進化の背景：

46億年前地球が誕生、激しい隕石の落下で、地表はドロドロのマグマオーシャン状態だった。43~42億年前に原始海が誕生したが、温度は100℃をはるかに超える高温だった。60気圧もあった空気中の炭酸ガスが海水に溶け、カルシュウムやマグネシュウムと結合し、空気中の炭酸ガス濃度が急速に低下し、CO_2、CO、N_2の空気は数気圧まで減少し、海水の温度も下がっていき、

2億年後には海水の温度は80℃程度に低下していった。

このような高温「60~80℃」と無機物「H_20、CO_2、CO、N_2」環境条件より海水の中で低分子有機物「アミノ酸、ヌクレオチド糖、リン脂質」が合成された。さらに高分子有機物「タンパク質、糖類、核酸」の合成まで進化したと考えられる。そして、それらの進化された高分子部品が組み立てられて、38億年前に「生命というイノベーション機能」を持つ原始生命体が誕生した。このように、生命は地球上での化学進化の結果で誕生したと考える化学進化説が広く受け入れられている。

1953年、ユーリー・ミラーが「水+メタン+アンモニア+水素」の混合液に6万ボルト程度の放電を加える実験を行い、アミノ酸の生成に成功した。

しかし、アポロ計画における月の石の分析結果や宇宙から飛来する隕石を分析した結果、多くの有機物が含まれていることが分かり、アミノ酸など生命を構成するものも見られた。このことより、ミラーの実験は、地球における有機物の誕生を再現したものとは言えない。また、ミラーの実験で作られたアミノ酸のほとんどがR型（右巻き）であるのに対し、生命になりうるアミノ酸はすべてL型（左巻き）であることで、もう一方の宇宙飛来説が浮上している。すなわち、惑星についているウイルスが地球に落ちて、それが地球生物として誕生したという「パンスペルミア仮説」である。また、アミノ酸からタンパク質を合成するのに必要な「生物学的に意味のある配列をなすDNA」がどのような過程で創り出されたかなど、生命の誕生にはまだ未解明なことが多くあるが、ここでは広く受け入れられている「地球上で生命誕生」の化学進化説に従って生態系の進化を述べる。

生命体誕生と生物への進化:「1」

生命の誕生は図4.1.1のように海水誕生と「無機物H_20、CO_2、CO、N_2など」の環境条件により、化学進化でアミノ酸が創られた。さらにRNAとタンパク質が合成され、「生命というイノベーション機能」を持つRNAとタンパク質からなる原始生命体が40億年前に誕生し、その生命体がDNAを持つ共通祖先（LUCA:Last Universal Cellular Ancestor）に進化した（RNAとタンパク質から生命が始まったという説を採用）。生物進化は共通祖先から始まったといわれ、共通祖先に近い生命の原核生物が約2億年かけて進化したと思われる。原核生物はまだ細胞核を持たない1μ程度の単細胞生物で、ヒモのようなDNAがむきだしのまま、細胞の中を浮遊している生物であった。同じころウイルスも誕生していたことが化石分析から報告されている。この単細胞生物は早い増殖方法の為、度々突然変異が発生して、持続的な進化機能を持つ原核生物である図4.1.2の「古細菌（アーキア)」と「真正細菌（バクテリア)」へと進化し、これらの細菌は多様な環境下に順応して生き延びた。

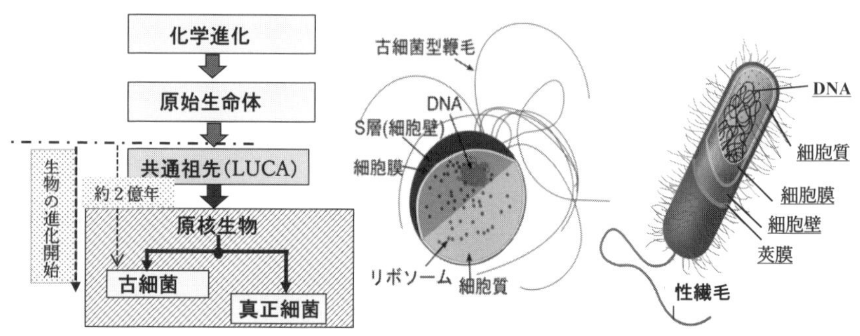

図4.1.1　生命の進化の概念図　　図4.1.2アーキア（古細菌）の構造　　真正細菌の構造

原核生物への持続的進化では、熱水が噴出している海底の「熱水噴出孔」等の異常環境下で生息出来るイノベーション機能を持つメタン菌などの古細菌へと先に進化し、その数億年後に現在も生き残っている細菌（大腸菌等）の真正細菌に進化した。原核生物へ進化してから、これらの生物は生命危機や食料危機などの不自由がなかったようで、約10億年の長い期間イノベーションもなく、食料とエネルギーという制約を受けながら、増殖を繰り返していった。

原核生物への進化で創造されたイノベーション機能…持続的進化機能1A、1B

(A) 無機物「H_20、CO_2、CO、N_2」と高温・無酸素環境条件で有機物および高分子合成する「有機物合成イノベーション機能」が創られた。

(B) 高分子有機物「タンパク質、糖類、核酸」の組合せと環境条件での生命体誕生進化により「生命というイノベーション機能」が創られた。

4.1.2　「光合成生成細菌の誕生」…破壊的進化1

進化の背景:

原核生物である「古細菌（アーキア)」と「真正細菌（バクテリア)」が繁栄するも、従属栄養型の古細菌の生命活動に必要なエネルギーとなる食料である「有機物」、および独立栄養型と従属栄養型の真正細菌の炭素源となる「二酸化炭素及び有機物」は当時の地球には十分存在していた。その結果、環境に順応するために必要な特別な進化が10億年以上の長い間必要でなく、原核生物である「古細菌」と「真正細菌」の同種の仲間の増殖のみで、記録されるような進化は見られなかった。

環境に順応して緩やかに増殖している環境の中に、二酸化炭素（CO_2）を利用できる独立栄養細菌の一種が真正細菌増殖コピーミスにより突然変異して、エネルギー源として「光エネルギーを利用するイノベーション機能」を創造した「新しい細菌シアノバクテリア」への進化が30億年前に起こり、細菌世界を大きく大変革することになった。

光合成生成細菌への進化：「2」

新しい細菌シアノバクテリアは「太陽光」のエネルギーを利用し「水と二酸化炭素（CO_2）」を食料にして「酸素を排出するというイノベーション機能」、すなわち、太陽光エネルギーで「水と二酸化炭素（CO_2）」でぶどう糖（$C_6H_{12}O_6$）生成と酸素（O_2）を排出するというイノベーション機能を持つ光合成生成細菌に突然変異した。この「新しいイノベーション機能」の食料となる「水と炭酸ガス」は当時無尽蔵に存在する為、突然変異で産まれた新しい細菌は急速な勢いで増殖していった。太古の地球は自転速度が1日6時間程度と早く、30億年前にはまだ日照時間が少ないので酸素生成が遅く酸素濃度の増加は緩やかだった。しかし月の引力により自転速度が18時間程度に遅くなった25億年前頃から日照時間の増加で酸素濃度が急激に増加していき、地球の寒冷化が始まった。

当時の環境では「新生物の排出する酸素」はあらゆる物質を酸化するので、従来生物にとって猛毒物質であった。その猛毒物質酸素が海中や大気中に増加して、従来のCO_2が充満した温室環境を破壊し、あらゆる物質を酸化する酸素（O_2）を含む新しい環境へと変革した。

そんな中、一部の原核生物が酸素呼吸を行う酸素呼吸細菌に進化を遂げた。酸素での20倍のエネルギーにより大きな運動能力も獲得し肉食性の細菌が産まれ、捕食・被捕食の新しい細菌世界が生まれ、従来の細菌世界が破壊されていった。また、シアノバクテリアがCO_2を分解し、酸素を排出し続けた為、大気中の炭酸ガス濃度が大幅に減少し、気温が下がり22億年前頃地球は全球凍結となり、大半の生物は絶滅した。一部の火山が活動継続していて、活火山からのCO_2が再び大気中に蓄積され、温室効果で凍結状態が千万年後解消に向かい、生態系は再び進化を開始する。

それまで10億年繁栄して来た従来の細菌世界は突然変異したシアノバクテリアにより破壊されたが、シアノバクテリアによる地球環境の酸素ガス化が生物の運動能力を20倍に進化させるイノベーション機能が「生物の弱肉強食の世界」をつくり、そのなかで生き残るための「生態系の現在の動植物の細胞の基幹となる大型生物（真核生物）」への大発展につながった。

この突然変異による新しいイノベーション機能は従来世界を破壊変革する一方で､その後の世界を大きく発展･進化させていくと云う「破壊的イノベーションの特徴」をもっている。

進化で創造されたイノベーション機能…破壊的進化機能1A

（A）「太陽光」のエネルギーを利用し「水と炭酸ガス」を食料に「酸素を排出するというイノベーション機能」（光合成機能）…猛毒酸素環境に激変させた為、それまでの細菌世界を破壊した。このイノベーション機能「水とCO_2を太陽光エネルギーで酸素と糖質を合成する機能」の「酸素排出機能」は従来の細菌世界と地球環境を破壊した破壊的イノベーション機能である一方、地球環境の酸素ガス化が生物の運動能力を20倍に進化させるイノベーション機能が「生物の弱肉強食の世界」をつくり、そのなかで生き残るための「生態系の現在の動植物の細胞の基幹となる大型生物「真核生物」」へ大発展する機能でもあった。

近年の植物の光合成機能「水とCO_2を太陽光エネルギーで酸素と糖質を合成する機能」の研究により、図4.1.3のように、①「太陽光による水を酸素と水素に分解する機能」の明反応と、②「生成した水素と大気中の二酸化炭素からデンプン・ブドウ糖などの糖質を合成する機能」の暗反応の２段階で葉緑体を触媒として光合成するイノベーション機能と解明された。

「光合成」機能は次の２段階機能で「水とCO_2を太陽光エネルギー」で酸素と糖質を合成する
「明反応」：太陽光による水を酸素と水素に分解、及びCO_2の還元に必要な$NADPH_2^+$とATPの生成
太陽光＋$2H_2O$ ➽ $2H_2+O_2${酸素} の分解とCO_2 還元に必要な「$NADPH_2^+$とATP」の生成
「暗反応」：生成した水素と大気中の二酸化炭素からデンプン・ブドウ糖などの糖質を合成（還元）
「$6H_2+6CO_2$ ➽ $C_6H_{12}O_6${炭水化物（糖）} ＋ $3O_2$(酸素・・・内部で利用)

図4.1.3　光合成機能の明反応と暗反応

4.1.3 「真の生物となる真核生物への進化」…持続的進化２

進化の背景：

原核生物である「古細菌（アーキア）」と真正細菌（バクテリア）の繁栄するに従い、従属栄養型の古細菌の生命活動に必要なエネルギーとなる食料であ

る「有機物」が不足していき、新たなる進化が必要となっていく。シアノバクテリアが30億年前に誕生し、その排出する酸素が海中・大気中に蓄積されてきた。従来のメタンガスやCO_2で生活していた細菌に変わり、ある真正細菌が酸素で生活する酸素呼吸菌に進化した。それら酸素呼吸菌は糖や脂質のような基質を酸化してエネルギーを得るために酸素を利用することにより20倍のエネルギーの運動能力も獲得し肉食性の細菌に発達し、捕食・被捕食の細菌世界に変貌した。

生態系は環境変化に生き残る為、「集合による力の結集」「補完する仲間との共生」という現在に引き継がれている「進化のしくみ」（進化のイノベーションのしくみ）を創造した。自分自身で栄養を作り生きていける化学合成細菌・光合成細菌（シアノバクテリア）などの真生細菌の増殖に伴い、細菌の死骸は海の底に沈んでいき海の底で暮らしていた古細菌の栄養源となった。また、古細菌の中で酸素の少ない海底に退避し水素・CO_2・酢酸を取り込んでメタンを排出する嫌気性古細菌は、肉食性の好気性細菌が現れると、生存の危機に立たされ、対抗するために古細菌は図4.1.4のように複数の仲間と合体して細胞を大きくする道を選択した。古細菌がもっていた遺伝子を一つにまとめ、その外側を膜で囲んだ「核」を持つ原始真核生物に進化させた。

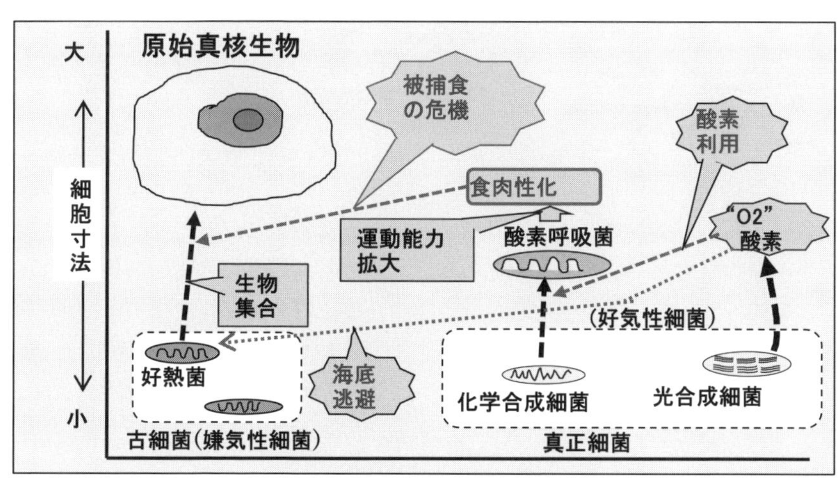

図4.1.4　原始真核生物への進化過程

古細菌は核をもち、柔らかい細胞膜でくるまれた大きな細胞の原始的真核生物に従属的な進化をし、海底で生活し続けた。

真核生物への進化：「3」

酸素の環境下で生活する為、この原始的真核生物は図4.1.5のように酸素呼吸菌と共生関係となり、更に体内に取り込まれた酸素呼吸菌が生物の体内で酸素を消費して栄養を分解してエネルギーに変換する器官である「ミトコンドリア」に進化した。酸素利用による20倍の運動能力を発揮するミトコンドリアを内蔵する真核生物は爆発的な発展を遂げた。

そのミトコンドリアを持つ「真核生物」が光合成生物を取り込むことで光合成を行う器官である「葉緑体」を持つことで、ミトコンドリアや葉緑体を細胞内器官にもつ『現在の動植物の細胞の基幹となる「真核生物」』に当時の弱肉強食の環境に順応した進化を21億年前に遂げた。ミトコンドリアのみを持つのが動物の元祖に、ミトコンドリアと葉緑体の両方を持つのが植物の元祖となる。

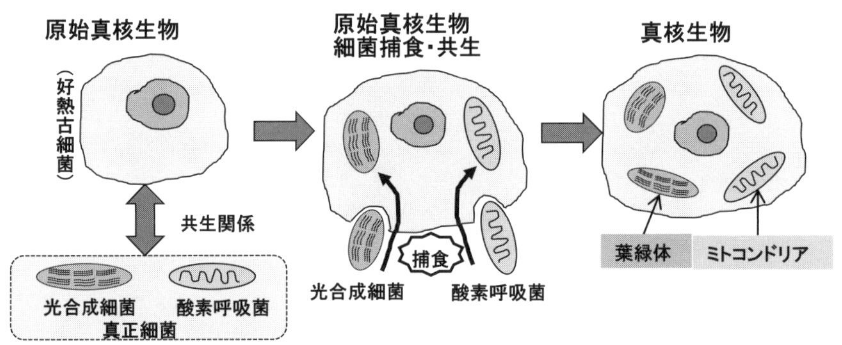

図4.1.5 真核生物への進化過程（原始真核生物と真正細菌の共生からの進化）

葉緑体とミトコンドリアは核の外に独自の遺伝子をもっており、それらに由来する細胞質遺伝をしており細胞内器官となっても共生の名残で半分独立した存在を保っている。真核生物は古細菌由来と真正細菌由来の遺伝子が交雑している。それが真核生物の多様化をもたらしたと考えられ、酸素時代の新しい生物「α-プロテオバクテリア」や「シアノバクテリア」を取り込むなど、「酸素という新しい環境」で従来の20倍の運動能力と大型化をした真核生物に弱肉強食の環境に勝ち抜く為に進化をとげ、生態系は緩やかな発展と繁栄を続ける。

真核生物への進化で創造されたイノベーション機能…持続的進化機能2A、2B

(A)「集合による力の結集」「補完する仲間との共生」という「集合と共生のしくみのイノベーション機能」を創造した。＊酸素環境と食料の確保の為、酸素を利用して糖や脂質のような基質を酸化してエネルギーを得る酸素呼吸菌や自分自身で栄養を作り生きていける光合成細菌と共生するしくみを創造した。サンゴ虫と褐虫藻の共生に代表されるように、今日の生態系がこの「共生するしくみ」無しには成り立たないといわれる重要な機能である。

(B) 細胞の中に他の生物を取り込み自分の細胞器官とする「エンドサイトーシス機能」、及び仲間の細胞にホルモンを放出する「エキソサイトーシス機能」など細胞同志で融合するイノベーション機能を創造した。この細胞融合するイノベーション機能は細胞が細胞外の生物（物質）を取り込む「エンドサイトーシス」と細胞内の物質を細胞外へ放出する「エキソサイトーシス」で、ウイルスの遺伝子から取り込んだ機能ともいわれる「生態系の創造した偉大なイノベーション機能」であり、「多細胞生物への進化や有性生殖化への進化」の必要要件として、生態系を飛躍的に進化させることになるイノベーション機能と考える。現代動物の受精（卵子細胞への精子細胞の入り込みと卵子・精子融合）や母体内の子供を拒絶反応から守る胎盤のしくみ、抗原の細胞内取り込み（エンドサイトーシス）、細胞からのホルモン放出（エキソサイトーシス）など生態系の重要なしくみはこのイノベーション機能の展開である。

4.1.4 「多細胞生物への進化」…持続的進化3

進化の背景:

21億年前に現在の動植物の細胞の基幹となる「真核生物」は当時の環境に順応した進化を遂げ、ミトコンドリアと葉緑体の器官を得た事と酸素という環境で急速に繁栄していた。エネルギーの効率的製造と吸収の進化に加え、地球環境も穏やかでかつ生存を脅かす天敵も無かったので、10億年近くの長い間大きな進化が見当たらなかった。しかし、長い繁栄で個体数が膨大に増えてしまい、生存競争を勝ち抜き更なる繁栄の為には更なる大型化が必要となった。

多細胞生物への進化:「4」

単細胞の集合化が試され、現在も淡水に見られる「単細胞生物と次の進化生物（多細胞生物）の中間的な生物と云われる「緑藻の一種のボルボックス」」（直径1ミリにも満たない生き物）が産まれた。しかし単細胞のまま、或いは細胞集合で大型化をすると、細胞のサイズが2、3、4倍に増えれば表面積は4、9、16倍、体積は8、27、64倍と増加し、細胞を保持する機械的強度が保てなくなる。更に細胞集合体・多細胞化はさまざまな機能を維持する為に必要な物質の取込みと排出が破綻するなどの問題山積みで大型化を果たすことは困難であった。

細胞には食物（エネルギー）摂取と酸素摂取が必要不可欠である。単細胞であれば常に細胞膜が外界に接しているので、細胞膜を通して食物摂取・酸素摂取が可能であるが、多細胞では外皮細胞を除いて、直接細胞膜が外界に接しなくなる為に、食物摂取・酸素摂取する為の何らかの器官（消化器・循環器）が必要になる。

生物として生きる為、食物摂取及び、その摂取した食物を消化する食物摂取・消化器官が最初に必要であった。その必要性に応じて多細胞への進化過程で最初の進化した臓器は「小腸」で、それは小腸だけの初期多細胞生物ヒドラ「口と小腸だけの生物」であり、口から取り込んだものが何であるかを検知するセンサーがあり、その結果を腸全体の細胞に知らせる情報伝達物質（ホルモン）を分泌する。すると、腸全体が反応して的確な消化・吸収が行われる。すなわち、「モノを検知・判断」⇒「関係部署に伝達・指示」⇒「関係部署と連携して消化・吸収」⇒「生物の生存」するという生存する為のイノベーション機能を創造した。

このような優れた腸の機能は、進化の果てにいるヒトの小腸に受け継がれている。そのため、小腸にはどんなものが入ってきたかを検知する「センサー細胞」があり、実際に入ってきたものが何であるのかを、瞬時に判断する能力を備えている。この細胞が腸の内容物を化学的に認識して反応を起こす。細胞の中に蓄えてある信号物質（ホルモン）を放出して、「こんなものが腸の中にあるよ」と近くの細胞や神経に伝達する。O157のような細菌の毒素に反応するEC細胞と呼ばれる細胞があって、こうした毒物を検知するとセロトニンというホルモンを出して、周りの細胞から大量の水分を放出させるなどして、排出の信号を胃大腸他全身に伝え、嘔吐や下痢で素早く排出しようと働きかける。このように瞬時に判断して情報伝達物質を放出して、関係臓器「胃・小腸・大腸・膵臓…」に伝達指示して、関係臓器と連携して処理する「臓器間ネットワーク機能」に進化させた。この毒物や細菌ウイルス等生物にとっての害を排除する機能、及び生存に不可欠な機能「免疫機能」が強いので小腸は癌ほか病気が極端に少ない要因と考える。また、小腸は脳がダメージを受けても食料が入れば消化・吸収の栄養獲得を続けられる「脳と独立して仕事を続ける小脳付き臓器」であり、一説には第一の脳機能を持つといわれるほどの「生存するための

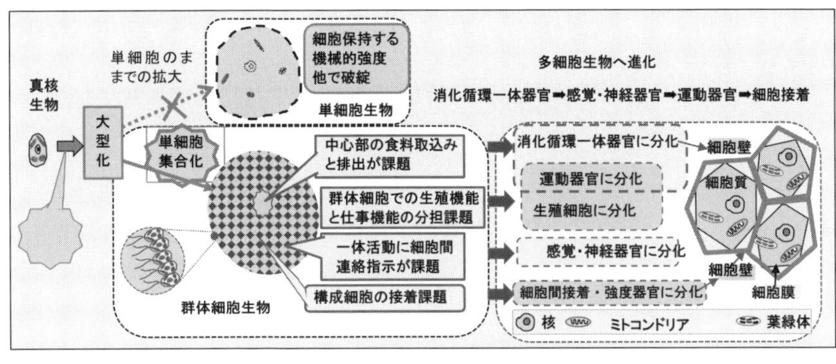

図4.1.6 多細胞生物への進化過程 （単細胞の群生からの進化）

知性」を進化させた。

小腸のセンサー・伝達・小脳の役目等の機能を持つことが動物に受け継がれると共に、この生存の必須な臓器「腸」の進化からその他のさまざまな臓器、組織を派生させ進化していった。大型化に必要な多細胞化には図4.1.6に示すように、役割分化した細胞機能、①消化器官の次に食物に関連する口・食道・排出器官や循環器官、②群体細胞での生殖機能と仕事機能の分担、③一体活動に細胞間連絡と各細胞への指示、④構成細胞の接着などの課題が解決され、多細胞生物へ進化した。

機能が発達した腸に続き、腸⇒脊髄⇒脳へと神経系へと器官が進化、腸⇒胃・大腸他の臓器創造と進化、更に腸で創られた情報伝達機能が臓器器間の連携のための情報伝達物質による臓器間ネットワーク機能へと進化、この臓器間連携ネットワークシステム機能は現在の情報ネットワークで結ばれる端末機器のシステムよりセンシング・判断・必要先への伝達など数段上の機能をもっている。以上動物進化に例えて述べたが、もう一方の植物に例えると、①食料摂取の「根」、②エネルギーを吸収する「葉」、③養分の輸送と身体を支える「茎」などに相当する器官と構造組織などの多細胞生物への課題を進化させていった。

このように群体する細胞生物が生活する為に必要な器官機能（動物の持つ臓器機能）を持つ多細胞生物に進化するのに、群体する細胞生物が必要とする「数多くの器官機能」を次々と持続的進化させて行くことが必須である為、突然変異の進化では困難で、10億年という長い歳月を要し、10億年前に現在の動植物の器官機能の基幹となる機能を持つ「多細胞生物」に生態系最大の持続的進化を遂げたものと考える。その後、多細胞生物は後述する「移動しない生存戦略を選んだ植物」と「移動しながら食料獲得戦略を選んだ動物」とに分化して、それぞれ違った進化をする。

多細胞生物への進化で創造されたイノベーション機能…持続的進化機能3A、3B、3C

(A) 多細胞生物に進化し、初期の小腸（原型）だけの動物でも、生存するための課題を解決する能力「モノを検知・判断」⇒「関係部署に伝達・指示」⇒「目的の仕事を関係部署と連携」するという「必要な機能を各細胞と分担実行するイノベーション機能」の知性システムを創造した。

(B)「モノを検知・判断」して「関係部署に伝達・指示」する「検知・伝達・連携するネットワークイノベーションシステム（しくみ)」を創造した。

(C) 生態系は生存に必須機能、増殖・行動に必須機能、集合体連携に必須機能、集合体保持に必須機能など集合体としての必要機能を専用細胞群（器官）に分担機能させて、各器官を神経や情報伝達物質のネットワークで連携するイノベーションシステム（しくみ）を創造した。

4.1.5 「有性生殖の多細胞生物の誕生」…破壊的進化2

進化の背景:

生命の誕生以来、単細胞生物の生殖方法は、自身を複製する細胞分裂の「無性生殖」だった。無性生殖は仕組みが単純であると同時に、常に親と同じ子孫（クローン）が誕生するので、繁殖速度が極めて速い「生殖」であった。無性生殖のまま多細胞生物に進化したので、時々発生する遺伝子のエラーを修復できない、単細胞生物に比べ繁殖性で格段に劣る多細胞生物にとって、遺伝子のエラーは系統が途絶える危険性があり致命的であった。そんな状況の中、7億年前に天の川銀河が他の銀河との衝突で超新星爆発が次々と起こり、生物に有害な「強力な宇宙線」が地球に降り注いだ。当時地球は全球凍結となり生物の大半が絶滅し、生物は海深くで生き残った。それら多細胞生物に強力な宇宙線があたり遺伝子エラーが発生した。

有性生殖への進化:「5」

当時、多細胞生物の世界でも弱肉強食の捕食される世界が展開されていた。ある多細胞生物が他の多細胞生物に捕食された際、捕食した多細胞生物が細胞分裂時に紫外線等による染色体変化の発生した突然変異の子であった為、消化されず、自身を捕食した多細胞生物の核と結合した。この突然変異の「核と結合」によりDNAの「二重らせん構造」が誕生し、この「二重らせん構造」が生殖の過程で２本に分解し、それぞれが「精子細胞」と「卵子細胞」に含まれるようになったのが有性生殖の始まりと考えられている。

図4.1.7に無性生殖（普通の細胞分裂）と突然変異の細胞分裂と有性生殖による子の細胞への親からの遺伝の様子を示す。無性生殖（普通の細胞分裂）では親と全く同じクローンが産まれる。

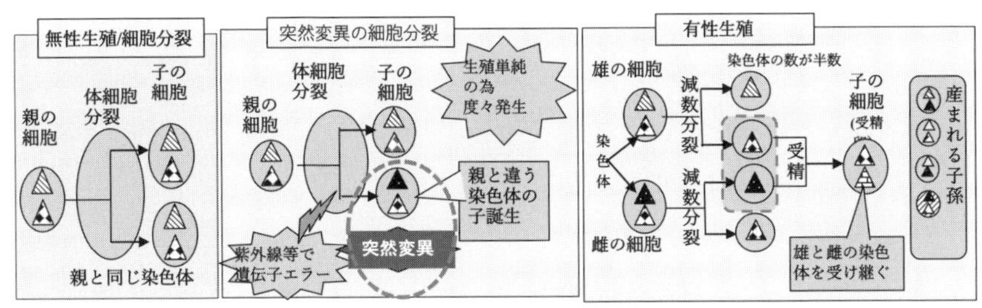

図4.1.7　無性生殖から有性生殖

細胞分裂である無性生殖では生殖が単純の為、細胞分裂時に紫外線等による染色体変化が度々発生し突然変異の子が誕生したと考えられる。有性生殖では精子、卵子が雄、雌より減数分裂（染色体の数半数）し、染色体の数半数の卵子と精子が受精するため、染色体構成が親と違う受精卵が産まれる。突然変異で創られた有性生殖のしくみは、環境が変化した時もそれに適した子孫が早く生まれ、絶滅のリスクが少なくなる長期的なメリットを持った。更に短期的に見ても有性生殖の方が、進化のスピードが速い病原体や寄生虫に対抗しやすいという「遺伝子エラーでの突然変異の機会を利用して、環境変化に素早く対応して進化する機能」を創造した。

有性生殖生物の誕生は常に異なる遺伝子情報が結合するため、誕生する多細胞生物はそれまでと異なり多様な生物種が誕生し、新しい強い生物種が生まれ、従来の無性生殖生物を圧倒し、有性生殖生物全盛の世界に変わっていったと考えられる。

遺伝子を持っている染色体の数は「人で46本（23対）」「アメーバで12本（6対）」と数が多いので、子の染色体構成の組合せは膨大な数となり、産まれる子孫の多様性が幾何学的数で拡大していくことになり、有性生殖を期に進化は多様化してカンブリア爆発となり、それまで数十数種しか居なかった生物が短期間（1000万年）のうちに3門の動物グループから現在と同じ38門（数万種）にまで爆発的に増加したと考えられる。

有性生殖多細胞生物への進化で創造されたイノベーション機能…破壊的進化機能2A

（A）有性生殖のしくみで「遺伝子エラーでの突然変異の機会を利用して、環境変化に素早く対応して進化する機能」を創造し、有性生殖の仕組みの染色体の組合せで多様性の生物に次々と進化させ、従来の生物世界を破壊し、カンブリア爆発といわれる「短期間で5万種もの新生物爆発」で新しい生物世界に変貌した。＊環境が変化した時もそれに適した子孫へ早く進化することで、絶滅のリスクが少なくする長期的メリットと進化の速い病原体や寄生虫に対抗しやすいという短期的メリットを持つことで、絶滅のリスクを少なくするために環境変化に素早く対応して進化する機能を創り出した。

4.1.6 「生命の素『細胞』機能の進化」「6」…持続的進化4

38億年前に高分子部品が組み立てられて、「生命というイノベーション機能」を持つ原始生命体が誕生したという最も有望な説を4.1.1節で述べたが、生命の基本単位である「細胞」が「考えぬかれた生命維持目的に設計された完成機能」を当初より有していることより、宇宙から生命が飛来したとの説もある。ここで生命は、①自分と同じ姿をした子孫をつくりだすための「自己複製機能」、②-1取り入れた糖を分解してエネルギーを得る異化過程（細胞呼吸）、②-2そのエネルギーを使ってタンパク質・核酸などを合成する同化過程から成る生命を維持するための「代謝機能」をもつ物体と定義できる。この生命は前の節で述べたように、原始生命体の誕生より始まり、原核生物、光合成生成細菌、真核細胞生物、多細胞生物、有性生殖の多細胞生物へと進化して来たが、その細胞一つ一つが生命そのものであることに着目し、生命の素である「細胞」機能の進化について深掘りする。

原核生物の細胞

最初の生命である原核生物は1~2 μ程度の単細胞生物で、図4.1.8のようにヒモのようなDNAがむきだしのまま細胞質の中を浮遊している、多様な環境下に順応して、古細菌（アーキア）と真正細菌（バクテリア）へと進化し、細胞は複製の分裂で増殖を続け、「生命」である細菌の世界は繁栄へと向かった。原核生物は環状二本鎖DNAを備えている。遺伝子情報のDNA機能をいつ獲得したかは不明確であるが、原核生物の時代、すでに遺伝子情報を持っていたようである。

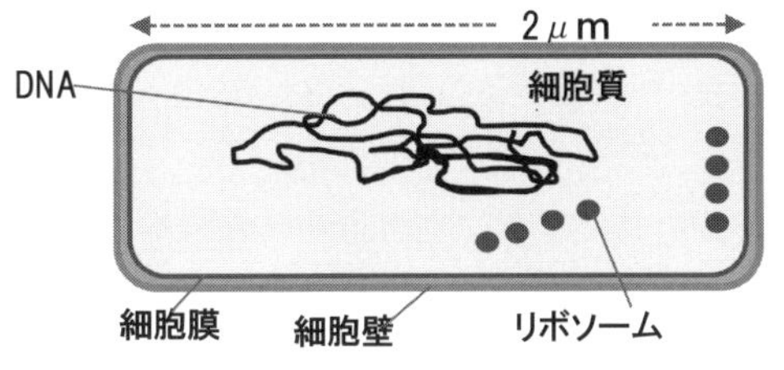

図4.1.8　原核生物の構成

真核生物の細胞

繁栄に伴い生存競争が激しくなり、生存競争に勝つために大型化戦略を採った古細菌の仲間は細胞質に浮揚するDNAを二重の膜で覆われた核に収納することで、DNA情報を大量に安定的に保持する進化、すなわち、細胞核化が大型な真核生物への進化を開始させた。

酸素で生活できない古細菌の仲間から進化を続ける真核生物は、酸素を利用するため、好気性の細菌と共生を始め、その細菌を細胞内に取り込み細胞小器官「ミトコンドリア」に進化させた。さらに、細胞小器官「ミトコンドリア」を取り込んだ仲間が光エネルギーを利用するため、光合成細菌と共生し細胞内に取り込み細胞小器官「葉緑体」に進化させるなど、生命としての重要な機能を受け持つ細胞小器官「細胞核」「ミトコンドリア」「葉緑体」を次々に細胞内に創り、図4.1.9の示すような「生命の基となる」真核生物へと進化した。そ

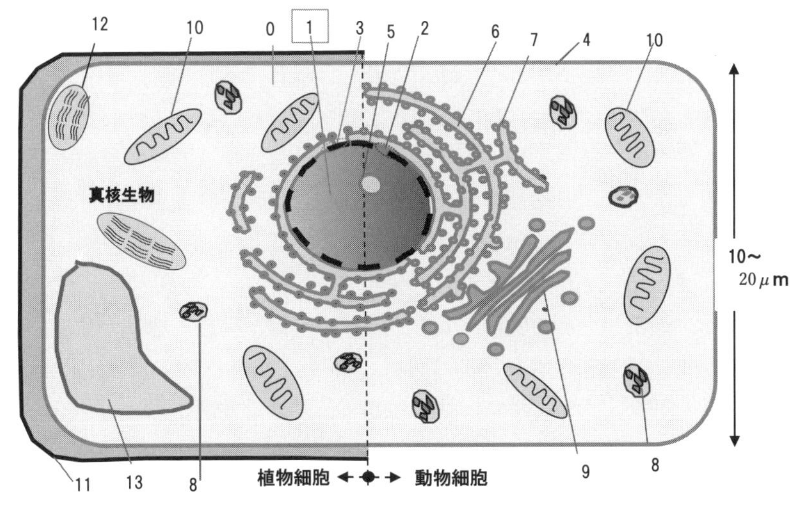

図4.1.9　真核生物の動物細胞と植物細胞の構成

図の説明：0細胞質　1核　2核膜　3核膜孔　4細胞膜　5核小体　6粗面小胞体
7リボソーム　8リソソーム　9ゴジル体　10ミトコンドリア　11細胞壁
12葉緑体　13液胞

の基本構成・機能が現在の動植物に引き継がれている。植物細胞と動物細胞の違いは、植物細胞に、①自立機能の為骨格の役割の細胞壁、②光合成機能を細胞内に取り込む葉緑体、③排出器官がないため不要物を貯める巨大な液胞があることである。

次々に細胞内に創りあげた動植物共通の細胞小器官であり、生命の存続・増殖の機能を分担する「細胞核」と、生命の源のエネルギーを創り出す機能を分担する「ミトコンドリア」についてそのイノベーション機能の観点から考察する。

細胞核内収納のDNA（自己複製の核）情報

DNAの構造

生命の存続・増殖を制御する機能を分担する真核生物の細胞核には図4.1.10で示すように、染色体23種46本（人の場合）が核膜に守られて収納されている。その1つの染色体はたった1本の細くて長い糸からできている。長い糸を丁寧にしまうには物に巻きつけることで、絡まらずコンパクトに折りたたむことができる。細胞核に収納するため、ヒストンというタンパク質のまわりにDNAを2回巻きつける（これをヌクレオソームという）。それをまた、隣に同じものを作って2回巻きつける、隣に2回、隣に2回……と延々と繰り返していく、ビーズみたいにして並んで折りたたむ（クロマチン構造）、長さ2mになる「染色体46本のゲノムDNAの長い糸」を並んで折りたたんで、小さな5~10μmの細胞核に収納している。クロマチン構造にはヘテロクロマチンとユークロマチンの2種があり、狭い核内に収納に有利な「凝縮度が高い」のがヘテロクロマチンで、ヘテロクロマチンの遺伝子は強い凝縮があるために遺伝子は発現されない。一方のユークロマチンは凝縮度がゆるいクロマチンでこの部分に存在する遺伝子が発現する。

有性生殖に進化した多細胞生物であるヒト細胞は、卵子と精子の受精により新たな生命である受精細胞が誕生する。その受精細胞の46本の染色体（1～22・XYの23種）には60億の塩基対がある。これは卵子に含まれていた30億の塩基対情報と精子に含まれていた30億の塩基対情報とが受精によって一緒になった為であり、情報量としては半分のヒトゲノムDNAである30億である。1～22・X・Yの染色体の遺伝子の数はバラバラでYが極端に少なく

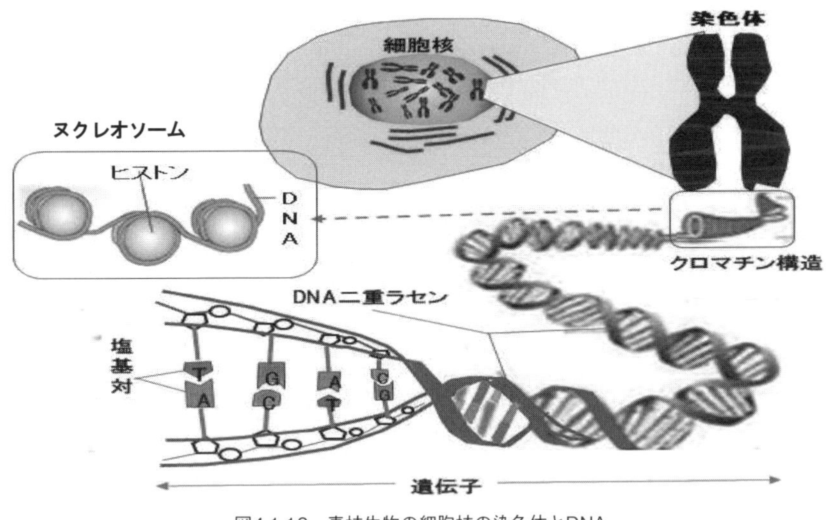

図4.1.10　真核生物の細胞核の染色体とDNA

78で、1が2610と最も多く、337~1748に分布し、塩基対数は48M（million）対~279M対に分布している。

DNAが塩基配列に書き込まれている4種類ATGCの塩基は鎖のように30億個つながり、2重らせん構造の「2本の鎖」塩基配列を創っている。その塩基には、アデニン（A)、チミン（T)、グアニン（G)、シトシン（C）の4種類があり、4つの塩基はデオキシリボースという五炭糖とリン酸と結合しヌクレオチドとなり、4種類の塩基は鎖のようにつながっていて、2重らせん構造である「2本の鎖」並びを塩基配列といい、2本の鎖のうち、どちらかの塩基配列が遺伝情報として使われる。2本のヌクレオチドの鎖の間で、アデニン(A)はヌクレオチドのチミン（T）とだけ結合し、一方のグアニン（G）は、シトシン（C）とだけ結合する。

DNAの情報・遺伝子

ゲノムに含まれているDNAの情報というのは、その生物を作るのに必要なものであり、60億ある中の1~2%くらいが、タンパク質のアミノ酸配列を指定している領域で、それが遺伝子と呼ばれているところで、ヒトでは約2万2千個あるといわれている。DNAが塩基配列に書き込まれているATGCだけの情報ではなくて、実際に細胞核の中に2万2千個の遺伝子が折りたたまれている。折りたたまれ方の違い（ユークロマチンとヘテロクロマチン）によって、遺伝子がオンになったりオフになったりするというメカニズムが最近わかってきた。

＊DNAからタンパク質が作られて、生物ができて、生命が生きている。

＊遺伝子は化学物質が意味のある順番で並んだ文字列で、それが生命を作る・起動するために必要な情報を含んでいる。

＊ゲノムはその生物に含まれている、その生物を作るのに必要なすべてのDNA情報である。

新しい細胞の創造

新しい細胞は原核生物時代からの複製（クローン）での細胞分裂による新細胞の創造（細胞の増殖・成長）と有性生殖の多細胞生物進化後の受精による新細胞の創造（新生命の誕生）の2種類がある。細胞分裂時には最初に遺伝させる染色体を複製2倍化した後、体細胞分裂する方法で、①それぞれの染色体が複製される、②2本ずつくっ付いた状態で太くなる、③細胞膜が消えて、細胞の中心に集まる、④2本ずつくっ付いた染色体が一本ずつに分かれ、それぞれが両端に移動する、⑤細胞の両端に2つの核ができはじめと共に、細胞質も2つに分かれはじめる、⑥完全に細胞質が2つに分かれ、核も完成し、2つ細胞ができる、⑦分裂して小さな細胞は成長して元の大きさの細胞になる。

一方、親の生殖細胞から減数分裂で作られ保存されていた卵子と精子との受精による新細胞の創造は正しく「新しい生命の誕生」となる。卵子は胎児時代に減数分裂で造られて、染色体数23本の細胞で、精子も減数分裂で染色体数23本の細胞である。これら減数分裂細胞の卵子と精子が受精して、染色体46本の受精卵細胞「新しい生命」が誕生する。

細胞分裂とDNA複製

上記にように新しい細胞はいずれも親細胞からの細胞分裂である「体細胞分裂」と「生殖細胞の減数分裂」で作られるが、ここでは体細胞分裂について述べる。

細胞分裂は分裂準備である期間「G1期（DNA合成準備期で5h)、S期（DNA合成期で12h)、G2期（分裂準備期で6h)」と分裂期（M期1h）となる細胞周期（24h）で行われる。DNA合成準備のG1期はDNAを合成するための物質のチェック期間、DNA合成のS期は細胞周期の50%を占める時間をかけてDNAを合成（複製）し2倍量にする期間、分裂準備のG2期はDNAを合成（複製）が正しく行われたかをチェックする期間である。

分裂期（M期）は図4.1.11のように前期、中期、後期、終期があり、前期ではS期でDNA複製し2倍量DNA格納の核膜を消滅させると共に紡錘糸付

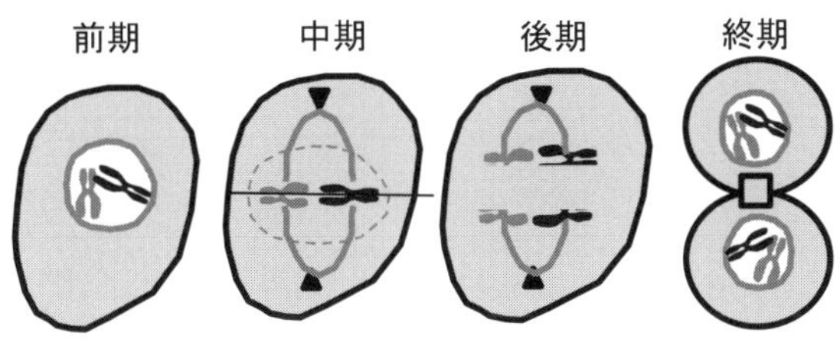

図4.1.11　細胞分裂

き中心体を2つ分裂する。中期では染色体を細胞の中心（赤道面）へ移動し、各染色体を紡錘糸と接続する。後期では:染色体が一本鎖に分かれ、各中心体に紡錘糸で両極に分かれる。終期ではDNAが核膜で覆われ、細胞にくびれが生じ、細胞質の分裂で、2細胞に分離する

細胞分裂で最も重要なのは、親から受け継いでいるDNAを分裂前に正確に複製準備することであるため、DNA複製の細胞周期S期に半分の時間をかけている。

DNAには60億塩基対の情報が含まれ、これを複製するため、合成に必要な物質のチェックをG1期で行ってから､DNA合成（複製）をS期で開始する。S期では図4.1.12のように、①二本鎖「塩基ATGCのヌクレオチドで構成の

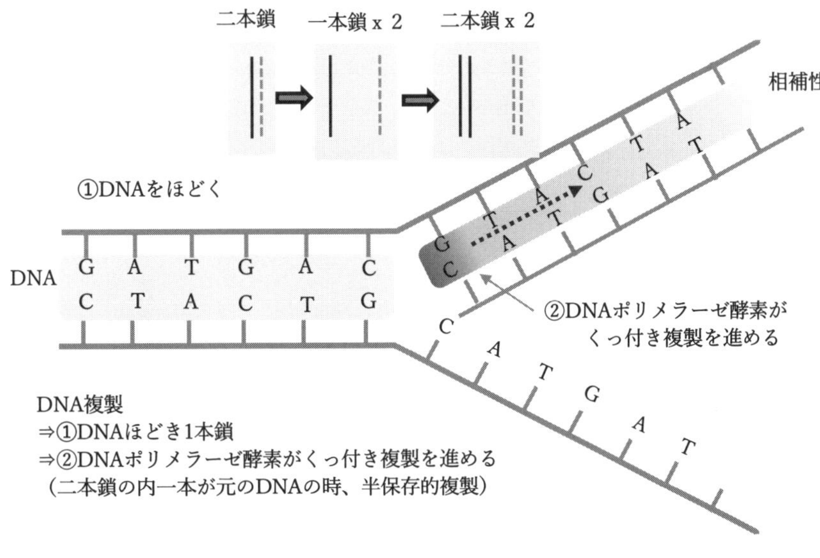

図4.1.12　DNAの複製

鋳型鎖と非鋳型鎖」をほどき一本鎖にする、②一本鎖とした鋳型鎖の塩基GTAC…にDNAポリメラーゼを相補性に従い、くっ付けて半保存的複製を進め、二本鎖DNAを2倍量に合成する。G2期ではDNAの合成（複製）が正しく行われたかをチェックして、合格で複製が完了する

セントラルマグマ「DNA⇒mRNAに転写⇒タンパク質に翻訳」

DNAに保存されている「遺伝情報」は核内のDNAでは何の働きもできなく、真核生物の細胞では、前述のDNA複製と同じしくみで、DNAから必要な情報をRNAに写し取る。写し取ったRNAを核外に運んで色々な分子装置を使ってタンパク質を作る。この「遺伝情報がDNAからRNAを経てタンパク質生成する」ことを分子生物学でセントラルドグマと呼ぶ。

細胞が、DNAをRNAに写し取る仕組みを「転写」と呼び、RNAはDNAと同じ核酸であるが、DNAとは構造的に2つの違いがある。1つ目は、RNAの糖（リボース）は、酸素分子がDNAの糖（デオキシリボース）より一つ多いことで、RNAはDNAに比べて立体構造を取りやすくなっており、細胞内では一本鎖のまま存在する。2つ目は塩基にチミン（T）がなくウラシル（U）があることである。ウラシルはDNAのアデニンと水素結合で対合している。

DNAからmRNAに転写

DNAからmRNAへ遺伝情報の転写はRNAポリメラーゼ酵素によってDNAからRNAが作られる。DNAからRNA への転写はDNA複製と異なり、①二本鎖「塩基ATGCのヌクレオチドで構成の鋳型鎖と非鋳型鎖」をほどき一本鎖にする。次にDNA複製と同じように②一本鎖とした鋳型鎖の塩基GTAC…の上流（5'側）に存在する転写を調節する領域に、RNAポリメラーゼをくっ付けて、RNAポリメラーゼをプロモーター領域の下流（3'側）へ連続的に移動しながら、DNA（鋳型鎖GTACT）に対応するRNA塩基（A、U、G、Cのどれか）を運んで塩基対を形成させ、DNAの塩基配列を相補的に写し取ったRNAを合成する（チミン（T）に代わりウラシル（U）で、ウラシルがDNAのアデニン（A）と対合する点がDNA複製と異なる）。この合成されたRNAはタンパク質を合成する「指令」を写し取ったRNAであり、メッセンジャーRNA（mRNA）と呼ばれる。

mRNAからタンパク質への翻訳

mRNAは、4種類の塩基AUGCの配列情報をもっている。一方、タンパク質を構成しているアミノ酸は20種類あり、mRNAの持つ4種類の塩基AUGC

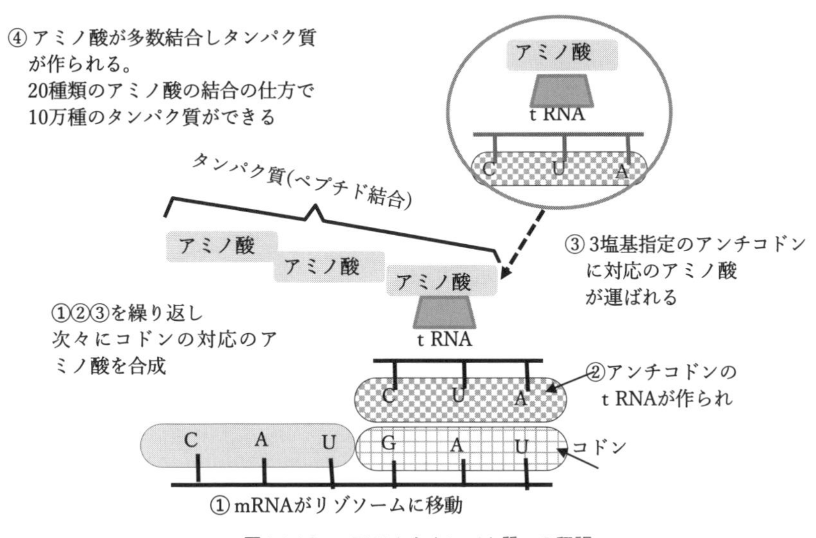

図4.1.13　mRNAからタンパク質への翻訳

の配列情報で指定するには3種塩基の組合せが必要となる。3個の塩基を組み合わせると4×4×4=64通りの組み合わせができるので、20種類のアミノ酸全てに対応できる。3個1組の塩基（コドン）でアミノ酸1個を指定できるが、1種類のアミノ酸に1種類のコドンが対応しているわけではなく、1個のアミノ酸を指定するコドンは1～6種類あり、さらにコドンには開始コドンと終止コドンが存在し、開始コドン（AUG）はメチオニンというアミノ酸をDNAのどこから翻訳するのかを決定し、終止コドン（UAA、UAG、UGG）まで来るとその前でアミノ酸の合成は終了する。

図4.1.13のように、①mRNAをリゾソームに移動、②アンチコドンのtRNAが作られ、③3塩基指定 のアンチコドンに対応のアミノ酸が運ばれ、④②③を繰り返し作られたアミノ酸がペプチド結合、⑤アミノ酸を多数結合して、20種類のアミノ酸の結合の組合せで10万種のタンパク質が作られる

mRNAから翻訳されるアミノ酸はアミノ基とカルボキシリ基から成り、側鎖（R）が異なる20種のアミノ酸がある。ただし、20種の内9種類のアミノ酸は体内では合成できない必須アミノ酸である。タンパク質は多種多数のアミノ酸をペプチド結合して合成する。

DNA機能

DNAはATGCという四文字で書かれた情報の「直列配列」で出来ていて、情報の保存や伝達に有効な戦略を採っている。すなわち、最新のコンピュータ

やスマホのプログラムの情報が少ない桁「0・1」のディジタル組合せで保存されている。DNAの桁はA・T・G・Cのヌクレナド塩基四つで、このような少数の桁で符号化の大きな強みは、DNAの符号からRNAへ翻訳し、更にタンパク質に翻訳するなど、一つの方式から別の方式に容易に「翻訳」できることである。科学技術を発達させてきた人類が数十年前にやっと到達した「情報の保存・伝達に最適なしくみ（4桁ディジタル情報システム機能）」を20億年も前に創造している。

もう一つのDNAの重要な機能は、分子構造の直接的な帰結を利用して「自分自身を極めて正確にコピーする機能」である。すなわち、一対の塩基の間の分子間引力「AとT、GとC」はDNA分子が持っている60億情報のコピーを実現する「正確で信頼性あるしくみ」を創って、20億年以上に渡って遺伝子の中核的な生命情報を保存・伝達している。

さらに、細胞は自分の為に必要な情報を全遺伝子情報から特定部分だけを選択できる機能を創っている。例えば、受精卵の胚は最終的に人間へと発達するが、胚細胞の時点で、心臓や皮膚や脳の細胞は二万二千個の全遺伝子を持っている。心臓を作るための遺伝子調節では心臓に必要な遺伝子だけが「オン」を選択された幹細胞になり、皮膚や脳を作るために機能する胚細胞では心臓に必要な遺伝子は「オフ」になる。このようにして、異なる遺伝子を組合せて「オン」する胚細胞から、細胞の異なったそれぞれの器官を成長させている。人間の遺伝子の内オンになっている遺伝子は4000個くらいといわれており、残りは必要な時にたまに利用され、ある種の細胞だけに必要な特定機能を果たすために使われる。

「ミトコンドリア」のエネルギーを創り出す異化（細胞呼吸）機能

生命体である生物は食べたり、作ったり、吸収したりした糖、脂肪、タンパク質からエネルギーを得るために不可欠な酸素に依存している。エネルギーは食べ物を燃焼する「細胞呼吸」といわれる化学プロセスで造り出される。この化学プロセスは真核生物の酸素を利用するため、好気性の細菌と共生し、さらに細胞内への取り込みに進化させた細胞小器官「ミトコンドリア」内で行われる。

ミトコンドリアの主な役割は、生命の化学反応に細胞が必要とするエネルギーを造り出すことである。休まず動き続ける心臓の筋肉の一つひとつの細胞では、エネルギーがたくさん必要なためにミトコンドリアを全部合わせると心臓細胞の体積の40%を占めるほどたくさん存在する。ミトコンドリアの細胞呼吸は光合成の中核となる反応を反転「糖と酸素が反応して水と二酸化炭素を造ると共にたくさんのエネルギーを放出」させている。

ミトコンドリアの細胞呼吸では、生物が摂取した食物を分解する過程でエネルギーを取り出す機能であり、{$C_6H_{12}O_6 + 6H_2O + 60_2 \rightarrow 6CO_2 + 12H_2O$ + エネルギー} の反応式が示される過程を（A）解糖系と（B）クエン酸回路、（C）電子伝達系で処理される。

(A) 解糖系:

解糖系はミトコンドリア内ではなく細胞質内で行われ、次の反応 {$C_6H_{12}O_6$（グルコース）$\rightarrow 2C_3H_4O_3$（ピルビン酸）+2（$NADH+H^+$）+2ATP} が進行、細胞質基質で行われる解糖系は、グルコース1分子が2分子のピルビン酸になるまでの、10種類の酵素が関与する複雑な化学変化である。

①グルコース（$C_6H_{12}O_6$）は2分子のATPを使って、2分子のC_3化合物に分解、②C_3化合物に脱水素酵素による脱水素反応が起こり、$2H_2$が補酵素NADに渡される、③2分子のC_3化合物から4分子のATPが生成、2分子のピルビン酸（$C_3H_4O_3$）が生じる、④解糖系では、グルコース1分子の分解を通して、差し引き2分子のATPが生成される。

$$C_6H_{12}O_6 \rightarrow 2C_3H_4O_3 + 2H_2 \text{（NAD）} + 2ATP$$

すなわち、解糖系ではATPの2分子と4個の水素イオンH^+を得る。

グルコースから分解したピルビン酸をミトコンドリアのマトリックスに移行して、(B) のクエン酸回路で次の反応へと進み、2（$NADH+H^+$）はミトコンドリアの内膜へ移行して、(C) の水素伝達系で次の反応へと進む。

(B) クエン酸回路:

クエン酸回路では①解糖系で分解生成されたピルビン酸がミトコンドリアのマトリックスに入り､$2CO_2$と（$2NADH+H^+$）を放出して活性酢酸C_2となり、②活性酢酸C_2はクエン酸回路内で、オキサロ酢酸C_4と$2H_2O$と結合し、クエン酸C_6となる。③クエン酸C_6は$2CO_2$と（$2NADH+H^+$）を放出してαケトグルタル酸C_5になる。④αケトグルタル酸C_5は$2H_2O$ と結合して、CO_2と（$2NADH+H^+$）と2ATPを放出してコハク酸C_4になる。コハク酸C4は$2FADH_2$を放出してフマル酸C_4になり、コハク酸C_4は$2H_2O$と結合してリンゴ酸C_4になり、さらにリンゴ酸C4は（$2NADH+H^+$）を放出してオキサロ酢酸C_4になり、クエン酸回路を一巡する。このように細胞呼吸のクエン酸回路一巡の反応の間に20個の水素イオンH^+と2分子のATPを放出している。

(C) 電子伝達系:

電子伝達系の反応は図4.1.14のように外膜と内膜の間に「プロトンポンプ」

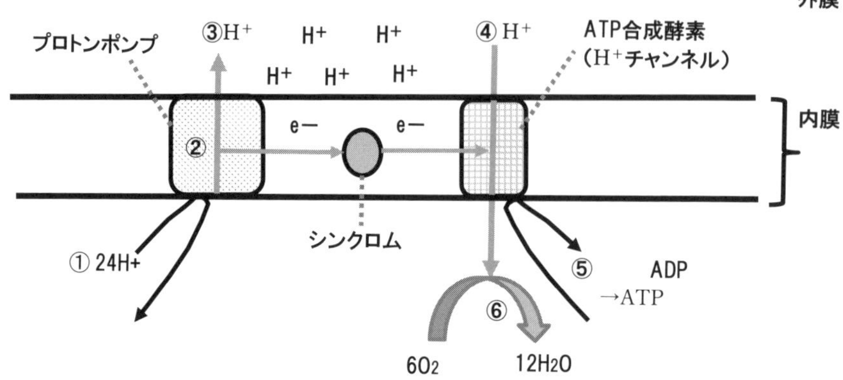

図4.1.14　電子伝達系

「シトクロム」「ATP合成酵素（H^+チャンネル）」で行われる。

すなわち、①10（NADH+H^+）と2FADH2、前記解糖系・クエン酸回路で作られた「水素24H^+」がミトコンドリア内蔵に運ばれる、②水素24H^+の電子e-は分離（この時エネルギー放出）されシンクロムに移行する、③前工程の電子e-の移動時の放出エネルギーで水素イオンH^+が膜間腔に能動輸送される。(1つの電子が通過するごとに約5分子のプロトンが膜間腔に輸送される。)④膜間腔に高濃度となった水素イオンH^+がミトコンドリア内蔵に受動輸送される。⑤水素イオンH^+のH^+チャンネル移動で、ADPとリン酸（Pi）からATPが合成される。(3分子の水素イオンH^+が通過するごとに1分子のATPが合成される。)⑥移動した水素イオンH^+と酸素O_2が結合して水が合成される。

このような反応が水素伝達系で行われ、水素伝達系の反応トータルでは前記解糖系・クエン酸回路で作られた「水素24H^+」を利用して、34分子のATPエネルギーが作られる…「$24H^+ + 6O_2 \rightarrow 12H_2O + 34ATP$」。

ミトコンドリアの解糖系（A）とクエン酸回路（B)、及び電子伝達系（C）で反応処理される細胞呼吸では、生物が摂取したブドウ糖（グルコース）の分解毎に、次の反応式に示す細胞呼吸の異化反応［$C_6H_{12}O_6 + 6H_2O + 6O_2 + 38ADP + 38Pi \rightarrow 6CO_2 + 12H_2O + 38ATP$］が行われ、ブドウ糖を分解（有機物が酸素と水と結合し、二酸化炭素と水及びエネルギーをATPに蓄積）する代謝（化学反応）がおこなわれ、エネルギーを蓄積する「38分子のATP」を作り出し、生命の生存・活動エネルギーに使われる。ここでは光エネルギーで二酸化炭素と水より有機物「糖」を光合成する同化反応の代謝（化学反応）の逆の反応が行われる。

上記のようにエネルギー製造の制御するATP合成酵素はミトコンドリアの内膜にあり、水素イオンの流れによってエネルギー蓄積するATPを作っている。その仕組みは水力発電に例えると、水の位置エネルギーを電気エネルギーに変換するもので、ダムの堤で高所に水を貯めておいて導水路の中に落とし、その勢いで発電機のタービンを回して電気を生みだすようなものである。ATP合成の場合、水素イオンが水で、膜がダムの堤、ATP合成酵素が導水路と発電機にあたり、水素イオンの濃度差が、ダムにおける水位の高低差に相当し、ミトコンドリアの外側にある水素イオンは、膜によって内側に入るのを塞き止められている。この水素イオンは溜まってくると内側との濃度差によって膜に点在するATP合成酵素の中に流れこむことで、ATPを合成するマシンが動き、ADPとリン酸（Pi）からATPが合成される。これを続けるとミトコンドリア内部の水素イオン濃度が上がっていずれ内外の濃度差がなくなってしまうが、食べ物を燃焼すること（細胞呼吸）によって水素イオンを外側へ汲み出す機構がいつも働いているので、水素イオンの濃度差は維持されて、ATP合成酵素はATPを作り続けることができる。

ATP（アデノシン三リン酸）は、生物に必要不可欠なエネルギーの供給源、植物もバクテリアも、全ての生物はこのATPという小さな分子をADP（アデノシン二リン酸）とリン酸に加水分解することで生まれるエネルギーによって活動している。

生物は運動ほか細胞の中のいろいろな化学反応を進行させる。嗅いや味を感じる、あるいはDNA（遺伝子）の複製まで、あらゆることにATPは用いられ、エネルギーと交換できるお金のようなもので、「エネルギー通貨」と呼ばれることもある。ATPが分解されて出来たADPとリン酸は、食べ物を燃焼して得られるエネルギーによって再びATPに合成される。人間の体内にはわずか数10グラム、約3分間分のATPしか存在しないが、常時使っては合成しているので、一日に作られるATPは体重に相当する量になる。

細胞機能の進化で創造されたイノベーション機能…持続的進化機能4A ～ 4F

(A) A・T・G・C の4文字で書いた情報の直列配列で、60億文もの膨大な生存・遺伝・生命情報を正確に保存・伝達する「4桁ディジタル情報システムのイノベーション機能」を創造した。

(B) 分子構造の直接的な帰結「一対の塩基の間の分子間引力「AとT、GとC」」を利用して二本鎖を母・父遺伝子の一本鎖にほどき、各々を上流より「自分自身を極めて正確に複製するイノベーション機能（自己複製機能)」を創造して、DNA分子が持っている60億文情報の複製を実現し、20億年以上に渡って遺伝子の中核的な生命情報を保存・伝達している。

(C) 細胞は自分の為に必要な情報を2万2千個の全遺伝子情報から特定部分だけを選択「オン」させて、目的の器官に成長できる幹細胞やタンパク質をつくるイノベーション機能を創造している。

(D) 生存・成長・活動に必要なタンパク質をDNAの塩基配列情報を使って合成する、すなわちDNAの塩基配列情報をmRNAに転写して、そのmRNAの塩基配列情報の内の「3個1組の塩基情報（コドン)」で次々と指定してアミノ酸を合成し、合成した多数のアミノ酸より細胞が必要とするタンパク質を合成するセントラルドグマのイノベーション機能（代謝機能の同化）を創り出した。

(E) 細胞呼吸は細胞質内の解糖系及び、ミトコンドリアでのクエン酸回路と電子伝達系で化学反応処理される。生物が摂取したブドウ糖（グルコース）の分解毎に、ブドウ糖を分解（有機物が酸素と水と結合し、二酸化炭素と水及びエネルギーをATPに蓄積）する「ミトコンドリアの代謝でエネルギーを製造・蓄積するイノベーシ機能（代謝機能の異化)」を創り出した。

＊細胞呼吸は細胞質内の（A）解糖系及び、ミトコンドリアでの（B）クエン酸回路、（C）電子伝達系で化学反応処理される。（A）解糖系ではATPを2分子と4個の水素イオンH^+が生成される。（B）クエン酸回路では、細胞呼吸のクエン酸回路一巡の反応の間に20個の水素イオンH^+と2分子のATPを生成している。（C）電子伝達系では上記で生成された24個の水素イオンH^+の電子e-分離エネルギーで水素イオンH^+がミトコンドリア膜間腔に輸送され、膜間腔で高濃度となった水素イオンH^+がミトコンドリア内蔵に受動輸送され、この受動輸送でADPとリン酸（Pi）からATPが合成され、34分子のATPエネルギーが作られる。

(F) 創り出したエネルギーをATPに蓄積「ADP⊕Pi→ATP」して置き、生命として生存・活動動作に必要なエネルギーをその都度、そのATPをADPとリン酸に加水分解することで、エネルギーを蓄積したATPからエネルギー放電「ATP⊖Pi→ADP」・細胞に供給する。また、ブドウ糖分解でのエネルギーのATP蓄積「ADP⊕Pi→ATP」を繰り返すミトコンドリアによる「分子の電子/陽子の分離移相を利用した電子伝達系によるエネルギーの充放電のしくみ」を創り出した。

＊蓄積エネルギー生成の仕組みは水力発電に例えると、水の位置エネルギーを電気エネルギーに変換するもので、ダムの堤で高所に水を貯めておいて導水路の中に落とし、その勢いで発電機のタービンを回して電気を生みだすようなものである。ATP合成の場合、水素イオンが水で、膜がダムの堤、ATP合成酵素が導水路と発電機にあたり、水素イオンの膜間腔と内臓間の濃度差が、ダムにおける水位の高低差に相当し、ミトコンドリアの外側にある水素イオンは、膜によって内側に入るのを塞き止められている。この水素イオンは溜まってくると内側との濃度差によって膜に点在するATP合成酵素の中に流れこむことで、ATPを合成するマシンが動き、ADPとリン酸（Pi）からATPを合成され、エネルギーが充電される。

これを続けると膜間腔の水素イオン濃度が下がってしまうが、食べ物を燃焼すること（細胞呼吸）によって水素イオンを膜間腔へ汲み出す機構がいつも働いているので、水素イオンの濃度差は維持されて、ATP合成酵素はATPを作り続けることができる。

4.2節　動植物の進化過程で創造されたイノベーション機能

前節では38億年前に誕生した原始生命から多細胞生物への進化過程で、環境に順応し連続的な進化を続ける為に創造されてきた「持続的イノベーション機能」、および突然変異で不連続的（劇的）に進化した「破壊的イノベーション機能」がどのような環境背景で創られ、どのように生物生活環境へ影響を及ぼしたかなどについて、進化過程で創り出された細胞のイノベーション機能を中心に述べた。

有性生殖多細胞生物への進化により生物の多様性が爆発的に拡大して、現代の人類他の哺乳動物や被子植物への進化過程で、生物は環境に順応し連続的な進化を続ける為に、持続的イノベーション機能を次々と創り出してきた。また、度々発生するコピーミスで生じた突然変異を種族繁栄のために有効に活用することによって、従来生物を追いやる破壊的イノベーション機能が創造された。

進化過程で創り出された「持続的イノベーション機能」、および突然変異で不連続的（劇的）進化した「破壊的イノベーション機能」がどのような環境背景で創られ、どのように生物生活環境へ影響を及ぼしたかを学びながら、人々に役立たち・影響を及ぼす「モノづくりのイノベーション機能創造」観点で整理考察する。

4.2.1 「陸上植物への進化」細胞壁・気孔・被子植物…持続的進化5・6、破壊的進化3

進化の背景:

移動しない生存戦略を選んだ植物は常に動物の一歩先へと、図4.2.1に示すように進化してきた。20億年前ミトコンドリアを共生によって獲得した真核細胞に光合成細菌が取り込まれた。取り込まれた光合成細菌が独自に保持していたDNAの大部分は宿主の真核細胞の核内の染色体に移動した。その結果、現在の植物細胞の原型の真核生物に進化した。14-10億年前に多細胞生物に進化する段階で、①消化循環、②形状・保護、③細胞接着、④生理学的制御、⑤生殖など必要な機能を分担する器官細胞に分化させた。5.5億前に始まるカンブリア紀には、酸素濃度は第2臨界点である0.1PALに到達し、オゾン全量は0.6PALに達し、紫外線は89%がオゾン層で吸収されるようになった。5億年前大気を満たす酸素が大気圏上空でオゾン層を形成した。このオゾン層が紫外線を遮断することにより、地球は生物が地上で活動できる環境になった。

陸上植物への進化:

5億年前に菌類と共生した緑藻類が陸上植物に進化した。しかしオルドビス紀の大絶滅(超新星爆発によるガンマ線バーストを地球が受けたことが引き金)で三葉虫他の生物が大半絶滅した事件で上陸の進化が一時停止した。茎の先端に胞子嚢を持つ本格植物クックソニアが4.4億年前に上陸を再開し、4.2億年

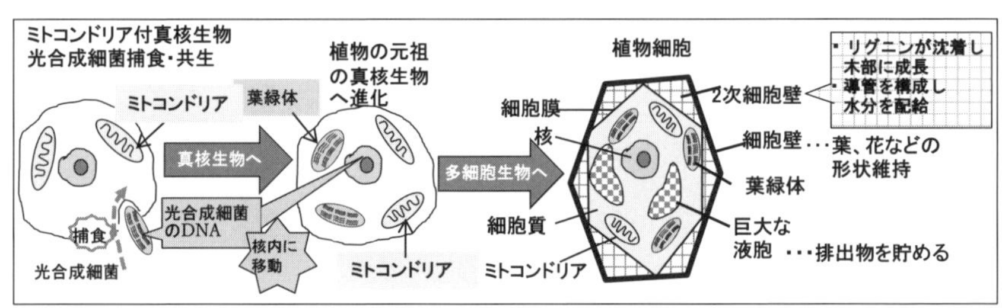

図4.2.1　植物細胞の進化過程

前には細胞壁を『水分やミネラルを植物全体に運ぶ「リグニン維管束」』に進化させた維管束を持つ本格植物が登場するなど、次々と上陸した植物は太陽光を効率よく受けて大躍進を遂げる。

＊植物進化のKey器官である細胞壁：[7]

植物は陸上進出時に大きな課題を突き付けられた。一つは地上での「体の支え」、2つ目は「水を吸い上げ、隅々への配給」である。この課題を細胞壁による形状維持と細胞壁内の維管束組織よる水分の通導で解決する機構に進化した。1次細胞壁はセルロースやヘミセルロースとペクチン等からなり、細胞の形状を保ち、2次細胞壁は一次細胞壁の内側に形成され、セルロース、ヘミセルロースと芳香族高分子のリグニンからなる微繊維管を造り（図4.2.2)、「毛細管現象を利用した通水」と「微繊維管束を束ねた柱での支持」の機能を担うように進化した。そのリグニンが沈着し木部となり数十mの樹木をも支える。

二次細胞壁の形成は、細胞の成長が停まった後、プログラム細胞死（細胞が自ら計画的に死ぬこと）と連動して進行する。すなわち、二次細胞壁の形成を完了した細胞は細胞の中身（原形質）を失い空洞化した筒状の死細胞であり、通水細胞は水道管のように空洞化した細胞の内側に水を通すことで効率的に働く。また、この空洞化した構造は、高い強度を保持しつつ、軽量性と断熱性を有する支持細胞の機能も兼ね備え、植物の体勢維持、水分の通導、病虫害に対する耐性の機能を持つ細胞壁に進化させた。

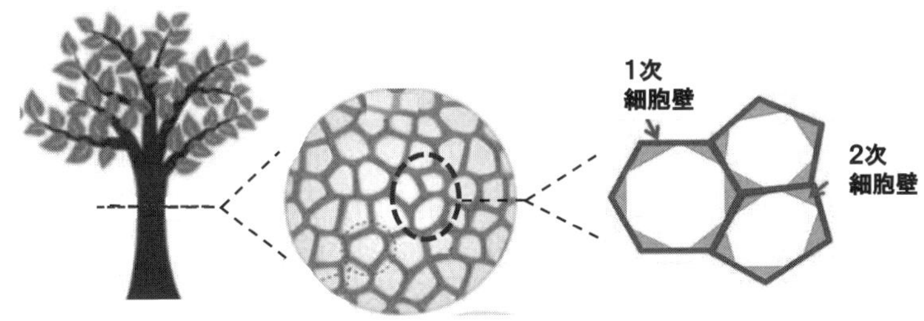

図4.2.2　微繊維管での通水と支持の機能

＊植物の形を保つ機能を持つ植物の細胞壁

細胞壁は鉄筋コンクリートのように形を保つように進化した。図4.2.3のように概略構成は、①鉄筋に相当するセルロース微繊維と、②鉄筋を結ぶ針金に相当する②-1ヘミセルロースと、接着材のセメントに相当する②-2ペクチン等でなるマトリックスである前者②-1にはセルロース微繊維同志を水素結合で架橋する架橋性多糖が含まる。②-2ペクチンはセルロース微繊維を繋ぎ合わせる接着剤の働きで植物の形を支える。二次細胞壁にはさらに②-3リグニンがあり、リグニンは、ミクロフィブリルの隙間を充填し、細胞壁内のミクロフィブリルを強固につなぎ合わせ、高く大きくなる樹木を強固に支える、樹木は木化にリグニンが増加するよう進化した。②-2細胞壁内の接着剤であるペクチンは水に溶け、特に熱に弱く、エチレンガスで分解される性質を持っている。果物は成熟すると「成熟ホルモン（エチレンガス）」によりペクチンが分解され糖分に変化し、果肉が甘くなると共に柔らかい果物に熟する。果物に熟することで果肉を動物に食べてもらい、種族を繁殖させる為に「消化されないように硬い殻で覆われた種」を遠くに運んでもらうように進化してきている。このように細胞壁は、植物の形を支える、細胞死させて水分輸送する、動物に食べてもらうために果物を熟するという最重要な機能を果たしている。

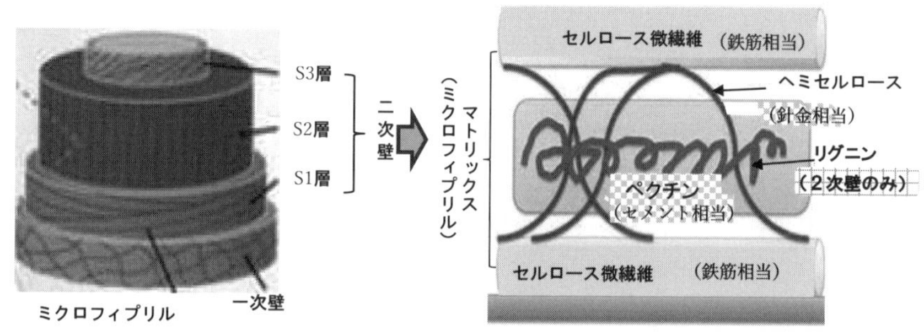

図4.2.3　細胞壁の模式図

＊気孔の進化:「8」

水分の通導の維管束組織を進化させた植物は、取り込んだ水分の蒸発を防ぐため、外気に接触するところに防水性の外皮層を進化させた。しかし、全てを覆ってしまうと、光合成の為のCO_2も得られなくなるので、シダ植物以降の維管束植物は気孔システムを創造した。すなわち、維管束植物は呼吸を行う為の小さな穴「気孔」を進化させ、水分のコントロールおよびCO_2の獲得の能力を得た。この呼吸と共にコントロールされる「気孔を介した蒸散」により、高木の葉まで水の吸い上げを可能とした。気孔は葉の表面に1mm^{2}あたり約50個～数百個存在して、気孔の開度は図4.2.4に示すように、変転する環境刺激「光・乾燥ストレス・二酸化炭素濃度など」に敏感に応答して調節される。気孔は、植物が光合成を盛んに行う太陽光下で開口して二酸化炭素の取り込みを促進し、同時に葉から蒸散を行って根から水や無機養分の取り込みを促す機

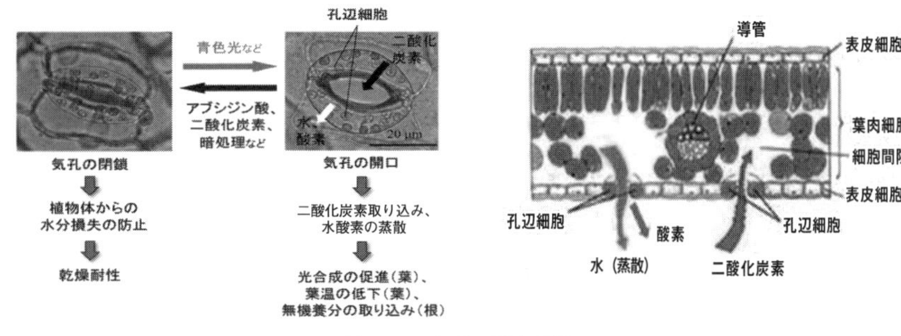

図4.2.4　気孔の開度調整

能も有している。気孔の開口と閉鎖は、孔辺細胞の体積が変動することにより引き起こされる。

＊根の進化:

根は主に2つの点、①地盤への固着性、②土から水と栄養分の吸収が重要で、植物を高くしっかりと生長させる。また、多くの植物の根は、菌類との共生関係によって効率を上げている。

＊葉の進化:

葉は光合成の為の太陽光をなるべく多く捕えるために進化してきた。針葉樹は草食動物から身を守るための針状の突起に由来する進化を遂げた。落葉樹葉を持つことによるもう一つの不利益を処理している。冬の間、風の力や雪の重みは表面積を増大させる葉がない方が好ましいので、冬になる前に落葉させるように進化した。冬の来るのを「例年の温度変化の学習」より予測して秋の終わりに落葉させるように進化した。

＊被子植物への進化:「9」

乾燥環境や昆虫からの食害への対策の為、胞子で増えるシダ植物が種子で増える植物に進化した。シダ植物の前葉体における精子と卵子の受精において、精子が最後の所を泳ぐので水が必要で完全には湿った環境から離れられなかった。受精時に必要な水を植物が準備する方法（精子が移動出来る花粉管を伸ばす）を進化させ、被子植物の「雄しべと雌しべによる生殖」に進化させた。被子植物は昆虫により花粉を媒介してもらうという繁殖戦略で成功し、同じ植物に確実に花粉を運んでもらえるように、各植物が花の形・色・匂い等を工夫進化させた。また種子の散布を動物に依存する等きわめて多様な種子散布方法を作る為、動物が好んで食べる果実を創るように進化をした。

＊被子植物の受精の進化:

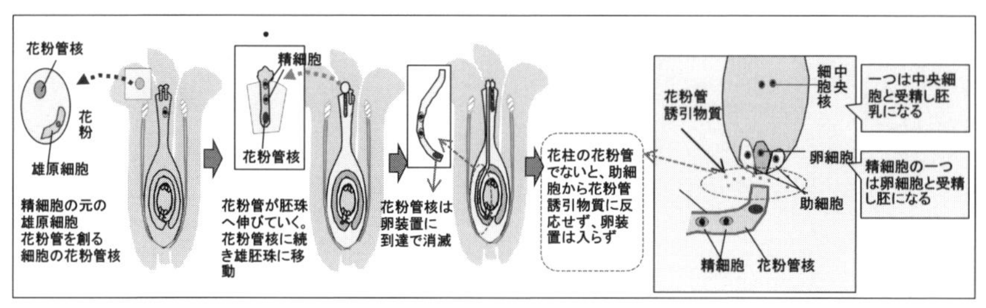

図4.2.5　被子植物の受精の過程

被子植物の受精は図4.2.5のように、花粉が雌しべに付くと、花粉から花粉管という細い管が雌しべの卵細胞に向かって伸び、その管の中を2個の精細胞が移動して、1つが卵細胞と受精、もう1つが中央細胞と受精する「重複受精」という方法に進化させた。この重複受精は将来幼植物になる「胚」にすると共に、中央細胞は発芽に必要な養分を供給する「胚乳」を準備して確実に子孫を残す為に進化させたものである

被子植物の受精後に成長する種子は成熟段階で、図4.2.6に示すように、発芽時の栄養となる胚乳に覆われる形で、分化細胞が発芽に必要な幼根、胚軸、幼芽、子葉に器官分化する「多細胞生物への進化時に創られたDNA」のシーケンスで成長している。また、硬い種皮で覆われて、動物に食用されても消化されずに地上に糞と一緒に排出されるように工夫さてれいる。

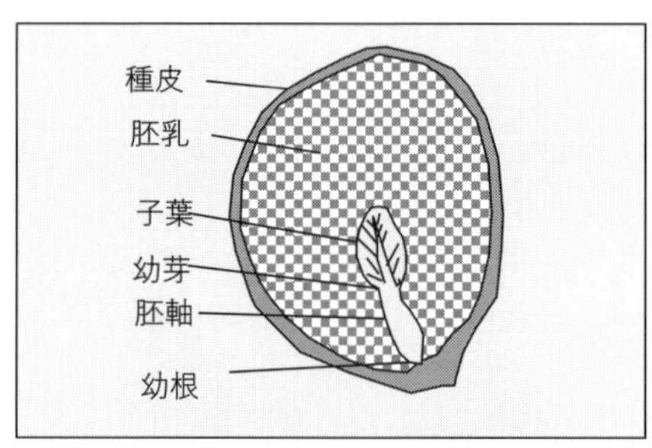

図4.2.6　被子植物の種子（かき）

被子植物への進化段階で、精子移動に必要な水の道（花粉管）準備、発芽に必要な養分を受精時に「重複受精」で準備するしくみ等確実に子孫を残す「生殖システム」を創った。また、同じ植物に確実に花粉を媒介してもらう為、各植物が独自な花の形・色・匂いを工夫した。昆虫の少ないヒマラヤ高山では図4.2.7のような「青いケシ」の鮮やかな花や形に進化させた。加えて、花粉の

図4.2.7　四姑娘山の青いケシ

成熟時には動物・昆虫の為に蜜を準備する「昆虫・動物との共生システム」をも創った。加えて、種子が成熟するに併せて、動物が好んで食べる果実を準備し、動物に離れた所に運んでもらう「種子の散布システム」を創った。このように、被子植物は確実に生殖（造る）、確実に花粉の媒介（協創）、確実に種子の散布（販売）の3重のシステムを創り、確実に種族の繁栄のしくみに進化させてきた。

＊植物の知性進化：「10」

「知性を生存する為に問題を解決する能力」と定義するなら、植物も動物同様に知性を進化させて来たと考える。移動しない生存戦略を選んだ植物は、草食動物などにどの部分を食べられたとしても生き延びることができ、他のモジュールと作用しあって再生までする「機能を分散させたモジュール構造」言い換えると「分割可能なパーツを組合せできる」の体に進化させた。知性の為の五感に相当するセンシング機能も植物は持ち合わせている。光の質・量・方向を識別する視覚機能、日照時間・気温を測る感覚、匂いによって周囲環境の情報得る臭覚機能、花粉媒介の昆虫に匂いで伝えることや食べられそうな危険を仲間植物に匂いで伝える「植物の言葉「匂い」」によるコミュニケーション機能をもつ。さらに、根は、硝酸塩、リン酸塩、カリウムなど食欲をそそる栄養素を探しあてる独自のセンサーを持つ味覚の機能を持っている。

これら植物進化のDNAは単細胞の集合から真核細胞生物・多細胞生物への進化段階での確立された「環境に順応して細胞が進化する機能（Progressive Cell)」により、生物を構成する細胞が「生存に重要な機能の細胞壁・葉・茎・根・花等器官に分化する機能」「生殖時などで各器官が連絡を密に制御し合う共生機能」を確立し、「太陽光・風雨などの自然環境と共存」し「繁殖等で細菌・動物の他生物と共生」する「しくみ」を確立した。

進化で創造されたイノベーション機能

（A）植物は太陽光を効率よく受ける為の上陸進出課題「地上での体の支え」、「地上での水を吸い上げて隅々に配給」の機能を「毛細管現象を利用した水分輸送と微繊維管束を束ねた構造支持の機能」を兼ね備えた二次細胞壁を創造し、さらに二次細胞壁の成長停止でプログラム細胞死させ、中身無しの空洞細胞となり、効率的な水分輸送と軽量性と断熱性を有する構造支持の機能を兼ね備えたイノベーション機能の創造が植物の創造した第一の機能と考える。…持続的進化機能5A

（B）過酷な乾燥環境から植物体を守るために、植物は防水性のクチクラ層（角皮）で葉表面を覆い乾燥を防ぎ、同時にガス交換（CO_2取込・酸素排出）を行うために一対の孔辺細胞からなる気孔を表皮に多数配置した。各気孔は変転する環境刺激「光・乾燥ストレス・二酸化炭素濃度など」に敏感に応答して開度調節する「イノベーション気孔システム」を発達させた。…持続的進化機能5A

（C）被子植物への進化段階で、精子移動に必要な水の道「花粉管」準備、発芽に必要な養分を受精時に「重複受精」で準備するしくみ等確実に子孫を残す「生殖システム」を創った。また、同じ植物に確実に花粉を媒介してもらう為、各植物が花の形・色・匂いなどを工夫した。昆虫の少ないヒマラヤ高山では「青いケシ」の鮮やかな花や形に進化させた。加えて、花粉の成熟時には動物・昆虫の為に蜜を準備する「昆虫・動物との共生システム」をも創った。加えて、種子が成熟するに併せて、動物が好んで食べる果実を準備し、動物に離れた所に運んでもらう「種子の散布システム」を創った。この他にも、冬の風や雪などのリスクを回避して種族を守るため、「例年の温度変化の学習」より予測して秋の終わりに落葉させる「冬眠システム」を創った。すなわち、被子植物は確実に生殖（造る）、確実に花粉の媒介（協創）、確実に種子の散布（展開）、確実にリスクを避ける（予防）のシステムを創り、被子植物の「確実に種族繁栄のイノベーション機能」を創造した。…破壊的進化機能３参照（被子植物の進化でシダ植物・裸子植物は片隅に追いやられた）。

（D）植物は種の存続のためには、最も重要な食料・エネルギーの確保、確実な繁殖（生殖）、捕食者からの回避など生存する為の問題を解決する力が必要である。植物は光合成に必要な「光の質・量・方向」のセンシング視覚機能、花粉媒介の昆虫や仲間植物との匂いコミュニケーション・臭覚機能、根の栄養素の味覚機能などの五感センシング機能を創りだし、生存する為に必要な問題を解決する能力となる「五感センシング・知性システム」を創造した。移動しない生存戦略を選んだ植物は、草食動物などにどの部分を食べられても、他のモジュールと作用しあって再生する「分割可能なパーツを組合せて再生する」という「イノベーション知性機能」創造した。…持続的進化機能6参照（生存繁栄するための最高のイノベーション機能を創った）。

4.2.2 「動物への進化」分化細胞・血液・肺呼吸・手足…持続的進化7・8・9

進化の背景

多細胞生物への進化において、多細胞生物「動物」には役割分化した機能器官として、①消化器官の次に食物に関連する口・食道・排出器官や循環器官、②生殖器官や移動活動のための器官、③一体活動に細胞間連絡器官と各細胞への指令器官、④構成細胞の接着器官など多数の必要器官・臓器を創ることが必要であった。

＊主要器官（組織）の創造「11」…持続的進化7

多細胞生物は前記の必要機能を分担する器官細胞に分化する機能を持つ組織細胞、すなわち、多細胞生物を構成する（a）「分化細胞」と（b）「幹細胞」及び（c）「TA細胞」に分類される重要な機能を持つ細胞を創り出した。すなわち、受精卵から幹細胞（様々な細胞に分化）⇒TA細胞⇒分化細胞A、B、C…（特定器官用に分化）の順に分化して必要器官に成長するしくみを創った。

（a）分化細胞は図4.2.8のように受精卵から分裂成長する時に、ある細胞は

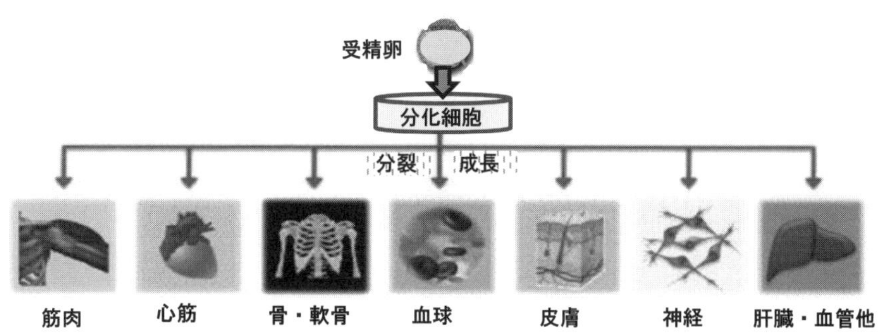

図4.2.8　受精卵から必要器官への分化

神経に、ある細胞は心筋に、ある細胞は血球に、ある細胞は骨に…と動物の必要器官に分化する機能を持つ細胞で、特徴づけが終わって神経や心筋になった細胞は「最終分化細胞」と呼ばれ異なる系列の細胞へ分化しない。

(b)「幹細胞」は自己複製能と分化能を同時に持つ細胞で、時には自分と同じ細胞を複製し、時には分化して別種の細胞を作り出す機能を持ち、半永久的に増殖機能を持つ。「幹細胞」は図4.2.9のようにES細胞（胚性幹細胞）や体性幹細胞やiPS細胞等に分けられる。

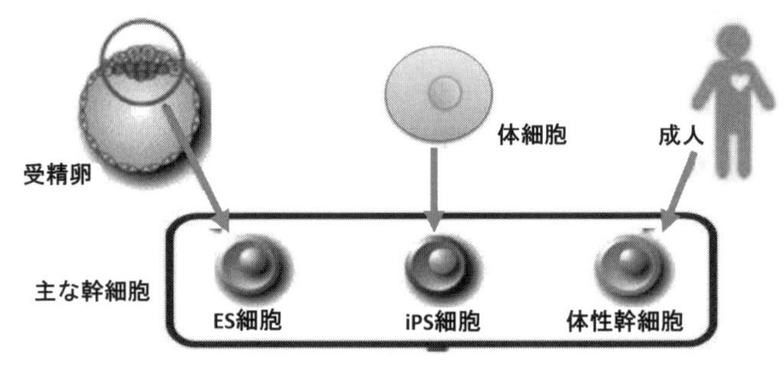

図4.2.9　主な幹細胞

(c)「TA細胞」(transient amplifying cell) は幹細胞と分化細胞の中間に一時的に存在して活発に増殖する細胞である。体の大部分を構成している分化細胞の多くは増殖するものではなく、幹細胞から作り出されたTA細胞が活発に増殖することによって体は維持されている。植物の茎や根の先端には幹細胞があり、自分自身を維持しながら茎・葉・根になる分化細胞を作り出していき、分化した細胞は分裂をせずそれぞれの役割に応じた働きをする。分化した細胞をもう一度幹細胞に戻すことが出来る。植物は容易に葉挿しや挿し木ができるように、動物よりも分化細胞が幹細胞化する高い能力を持っている。近年可能になった人工多能性幹細胞（iPS細胞）も分化した細胞をもう一度幹細胞に戻す良い例である。

＊血液「12」…持続的進化8

哺乳類動物の赤血球は全身に酸素を多く運ぶ為、誕生時に細胞核を脱核して産み出される。哺乳類だけの赤血球脱核の理由は、①細胞内に酸素と結合するヘモグロビンの容積が増やせる（酸素と結合して酸素ヘモグロビンで輸送)、②赤血球の特徴的な円盤状の形にすることで体積当りの表面積が大きくなり効率的なガス交換をできる、③円盤状になることによって、微細な毛細血管もスムーズに通過できるなど、哺乳類の運動能力を向上させている。

酸素と結合性の良いヘモグロビンにより、血液に溶ける酸素量を3ml⇒200ml/lに拡大させて全身への酸素輸送し、周囲の二酸化炭素濃度が増えるとヘモグロビンに溶解している酸素を乖離するヘモグロビンの特性が細胞の高速なガス交換を可能としている。このように酸素輸送に最適なタンパク質「ヘモグロビン」を創り出している。また、細胞から出た二酸化炭素は赤血球に入り、炭酸脱水酵素により水と反応し、炭酸H_2CO_3となり、さらに炭酸水素イオンHCO_3^-と水素イオンH^+に分解され、炭酸水素イオンのほとんどが血しょうに溶け（$NaHCO_3$）、肺に運ばれ、肺に行くとこの反応逆向きで進み二酸化炭素と水になり肺胞から排出される。

赤血球は全身の細胞に酸素を供給し、炭酸ガスを排出するための赤血球を1分間に巡回させて2兆個の赤血球が超高速のガス交換を果たしている。人間の赤血球寿命は120日程で体温・水分や高度順応の調整の機能を果たしている。このように生存に必要な酸素を全身に運ぶ為に酸素溶解性の優れたタンパク質「ヘモグロビン」を創り出し、1分間の超高速な全身細胞のガス交換をするイノベーション機能は現代科学をもってしても驚異的な機能と考えられる。

人類の血液は赤血球と少量の白血球と血小板が大半の血しょうの中に構成され、赤血球はエネルギーの基になる酸素を全身の細胞に供給するなどの機能、白血球が病原体を攻撃・撲滅するなどの機能、血小板は血管破損時血液の流出を止めるなどの機能を持っている。

その重要な赤血球は赤血球表面などから出ている糖鎖の構造の違う「A型、B型、AB型、O型」の4種類がある。オランウータンはA、B、AB、O型と人と同じであるが、人類に近いチンパンジーはA、O型のみ、ゴリラや日本ザルはB型のみと大きく異なっているが、病原体が血液型の糖鎖と付き易さが異なることより、進化の過程で病原体などにより絶滅したと考えられる。

このように群体する細胞生物から、進化機能を持つ「分化細胞」「幹細胞」「TA細胞」を組み合せて創った器官を結合して「多細胞生物の動物」に成長する。成長後も生物が生存する為、細胞が進化をける「生態系のしくみ」を確立させる為、5~10億年と云う長い歳月を要したものと考えられる。

＊肺機能の進化「13」…持続的進化8

淡水域追いやられた硬骨魚は乾期での深刻な水中の酸素不足に見舞われ、水中酸素不足＝酸欠状態が契機となり、人類に連なる祖先の魚類が消化器官の一

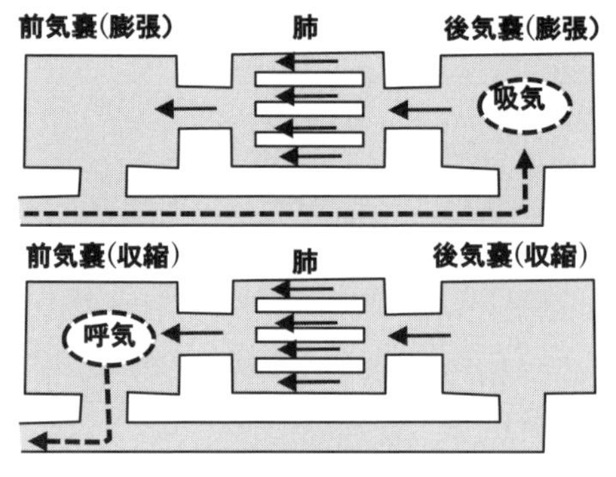

図4.2.10A　鳥類の気嚢システム

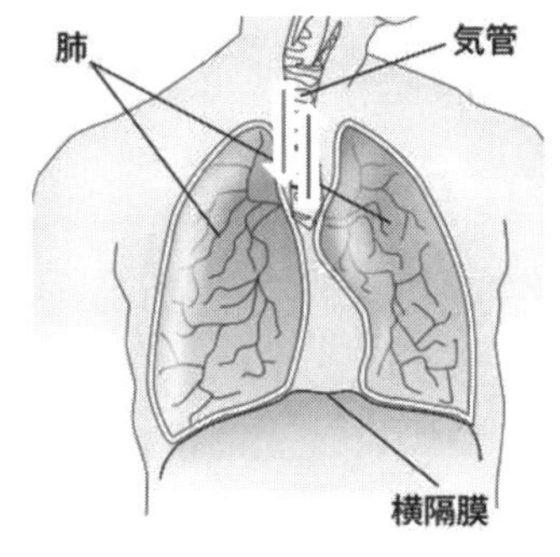

図4.2.10B　ヒトの呼吸システム

部をむりやり呼吸器官に改造した「消化管（腸）から飛び出した袋」に進化させた、これが肺の起源である。史上最大級の火山噴火により、大気中の二酸化炭素増加→温暖化→植物の壊滅的な打撃、＋メタンが酸素を消費した為、30%から12%程度の低酸素状態に地球は長期間（約1億年）低酸素状態という逆境に陥った。そこで、低酸素で活動できる肺呼吸「気嚢システム」に進化させたのが恐竜（及び子孫の鳥類）である。気嚢システムは図4.2.10Aのように、肺の前部と後部に気嚢という付属器官がつながっていて、吸気では新鮮な空気はまず後気嚢に取り込まれ、排気では後気嚢から新鮮な空気が肺に供給されると、肺のなかの空気が前気嚢に押し出される。こうした貫流式の換気法だと、肺には常に新鮮な空気が留まり、効率的な呼吸が可能になっている。新しい呼吸システムに進化させた恐竜は種を増やし、酸素の増加と共に大型化し大繁栄をした。

一方、哺乳類は図4.2.10Bのように横隔膜により、肺が膨らんだり縮んだりして空気を肺で出入りさせ、先が行き止まりになった袋状の肺胞に空気を取り込んだあと、それを吐き出す、その際に肺を流れる血液は運んできた二酸化炭素を酸素とガス交換する機能を進化させた。肺胞では、膜と毛細血管の壁を通して、呼吸による二酸化炭素と酸素の交換（ガス交換）が行われている。息を吸えば、酸素は毛細血管を通じて体内に運ばれ、息を吐けば、二酸化炭素が出される。このガス交換は、濃度の高低によって物質が移動する「拡散」と呼ばれる現象を利用し、「酸素は濃度の高い肺胞⇒濃度の低い毛細血管へ移動、⇒二酸化炭素は濃度の高い毛細血管から濃度の低い肺胞に移動」させるガス交換システムを創り出した。

赤血球と肺機能との連携による超高速のガス交換は重要な創造で、知能（共認機能・観念機能）を著しく発達させた人類の脳の酸素消費量の20％を支えている。

主要器官の進化で創造されたイノベーション機能…持続的進化機能7A、8B～8C

（A）多細胞生物「動物」進化に際して、受精卵から分裂増殖し、親と同じ動物に必要「多数の器官・組織」に成長させるための（a）「分化細胞」、（b）「幹細胞」、（c）「TA細胞」を創り出し、それらを組み合せて創った「骨・筋肉・心筋・皮膚などの組織」を結合して「必要器官からなる動物に成長するイノベーションシステム」を創造した。

（B）哺乳類動物の赤血球は細胞の重要な遺伝子を格納してある核を誕生時に捨てまでして、全身に酸素を多く運ぶ「酸素と結合するヘモグロビン容積が増す、円盤状することで表面積が大きく・ガス交換効率を上げる、円盤状にすることで毛細血管も通過できる」機能を優先し、運動能力を向上させている。その為､赤血球は全身の細胞に酸素を供給し、炭酸ガスを排出するための赤血球を1分間に巡回させて2兆個の赤血球が超高速のガス交換を果たし、その他、体温・水分や高度順応の調整の機能を果たしている。このような1分間の超高速な全身細胞のガス交換をするイノベーション機能は現代科学をもってしても驚異的である。

（C）横隔膜により、空気を肺に出入りさせ、肺胞への空気出し入れで、肺を流れる血液は運んできた二酸化炭素を酸素とガス交換する。すなわち、肺胞では膜と毛細血管の壁を通して、呼吸による二酸化炭素と酸素のガス交換が行われている。息を吸えば、酸素は毛細血管を通じて体内に運ばれ、息を吐けば、二酸化炭素が出される。このガス交換は、濃度の高低によって物質が移動する「拡散」と呼ばれる現象を利用し、「酸素は濃度の高い肺胞⇒濃度の低い毛細血管へ移動、⇒二酸化炭素は濃度の高い毛細血管から濃度の低い肺胞に移動」させるガス交換システムを創り出した。

＊手足機能の進化「14」…持続的進化9

デボン紀（約4億1600万年前—3億5900万年前）には、水中に住む脊椎動物である魚の中から陸上へと進出するものが現れた。彼らは陸上生活に適応するにつれて、体のさまざまな器官、例えば頭蓋骨、感覚器官などの形を変え、四足動物へと進化した。その中でも陸上で繁栄するために欠かせなかったものが手足である。水の浮力がはたらかない陸上では、手足は体の全体重を支えられ､また歩行に適した形でなければならない。ウォルフの法則「機能の変化で、

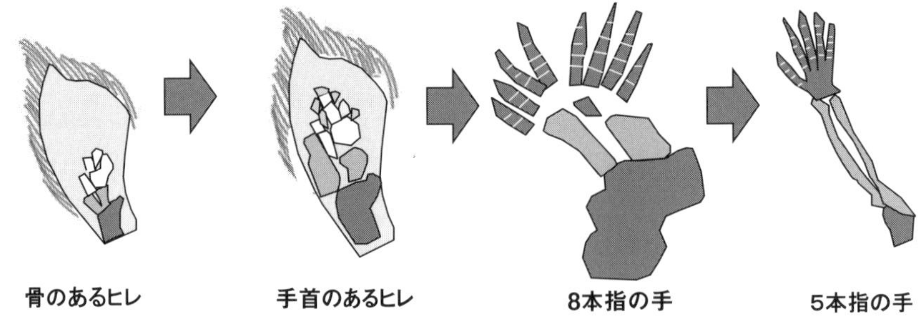

図4.2.11　ヒレから手への進化過程

構造も変わる」に従い、図4.2.11に示されるように、骨のあるヒレから手首のあるヒレに進化し、陸上に上がり歩き回ると、反復的に骨に力が加わるとやがて折れて、その折れた部分が関節になり8本指の手に進化した。さらに動物の生活環境に合わせ進化を続け、哺乳類の大半は5本指の手に進化した。

人類が発展した要因の一つに「手の親指の進化」がある、すなわち人間の親指は鞍関節の為、大きく回転できることで器用にモノを握ることが出来る。この器用に使える親指で石器を利用し、他者が食べない食料品（骨）を食べる工夫等が人類の特別な進化・発展を約束したと考える。さらに指の指紋が触覚センサーの機能を持つことで、微妙な調整が出来る親指で石器を色々工夫する知性の為の脳も進化した。

手足機能の進化で創造されたイノベーション機能…持続的進化機能9D、9E

(D) 生態系は上陸して過剰な重さを支え歩き回り、反復的にヒレ（骨）が折れることで関節に変えるなど、生活環境に適した「手足の形状・機能」に進化させる「変わり行く環境に適したモノ（機能・形状）に進化させるというイノベーション機能」を創造した

(E) 霊長類の二足歩行への進化に伴い、歩行に影響されず自由に使えるようになった手で物を触るようになり、親指の鞍関節を大きく回転できるように手の親指を進化させ、「手で物を掴むイノベーション機能」を創造した。

4.2.3 「五感機能（視覚・聴覚・嗅覚・味覚・触覚機能）の進化」…持続的進化10

動物は生きる為の食料・光エネルギーなどの情報や生命を脅かす危険をキャッチするために生存に不可欠なセンシング機能を進化させてきた。センシ

ング機能は視覚・聴覚・臭覚・味覚・触覚の五感センサー機能とそのセンシング情報から生存に必要な動作を判断・実行指令する知能機能とにより構成される。センシング機能の内、特に視覚と聴覚の進化は動物種の爆発的な発展と平和な動物世界を弱肉強食の世界へと変貌させた。さらに、弱肉強食で武器となる視覚機能の進化は40万年程度でほぼ完璧になったと考えられる。

視覚センシング情報が網膜から脳の視床（外側膝状体）を経由して、脳の視覚野に送られ、初めて視覚センシング情報が「見ている姿」を認識されるように、五感のセンシング情報を脳に送り、認識･判断するセンシングのしくみ（システム）を生態系は創造した。

(1) 視覚機能：「15」

視覚機能は五感センサー機能の内、弱肉強食の世界で最強のセンサー機能である。視覚機能は先カンブリア時代（6億年前~5.5億年前）に、植物が光合成をするために生み出した「光に反応するロドプシン遺伝子」が偶然海の中の動物、クラゲのような生物が体内に取り込み、「光を感知する光受容細胞を持つ生物」が誕生したのが進化の始まりである。

図4.2.12に示すように視覚機能は（a)~(f）の過程で進化した。

(a) 図（a）のように上皮細胞の上の光受容細胞が体表に露出して、周りの明るさを感知できるように進化したことが視覚進化の始まりで、上皮細胞には神経線維が繋がっている。

(b) 図（b）のように光受容細胞層（leyer）内にコの字型のくぼみを造り、光が差す方向を感知できるように進化させた、また、くぼみは光受容細胞の損傷から守る役割も兼ねた。

(c) 図（c）のように光の方向の細かい指向性感度をもち、入射した光が像を結ばせることで､光の感知だけから像（形）をセンシングするピンホール眼に進化した。

(d) 図（d）のように角膜を設け眼球を閉じられ、硝子体液で満たすことで光受容細胞層を守るように進化した。

(e) 図（e）のように鮮明な像を結ぶようにシンプルなレンズ（水晶体）を加え、モノ（形・姿）をセンシングする機能を実現出来る眼球に進化した。

(f) 図（f）のように可動型レンズ（水晶体）に進化させ、正確に形・姿をセンシング出来る「ほ乳類を含む多くの脊椎動物が持つ複雑な眼」に進化した。

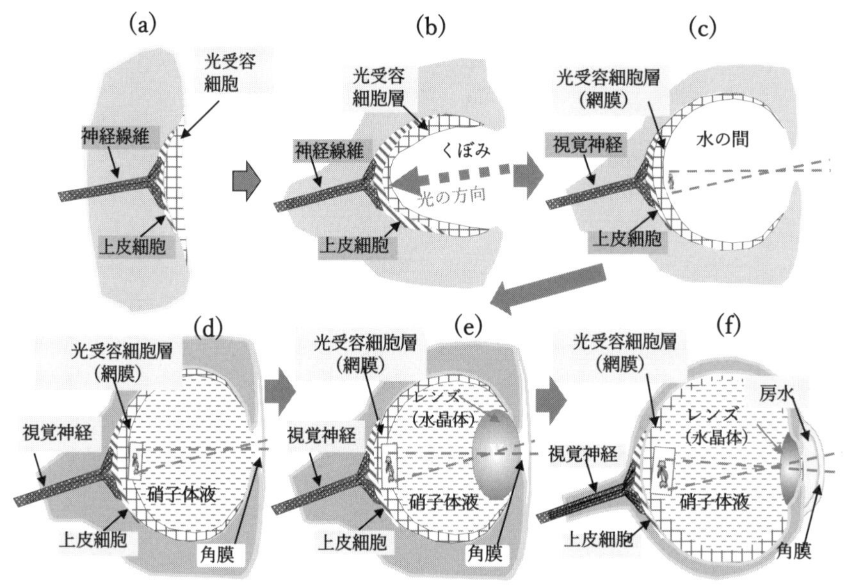

図4.2.12　視覚機能の進化過程

(g) 視覚機能はセンサー機能「複雑な眼」と必要情報のみのフィルタ機能「視床の外側膝状体」と視た姿・色の判断（記憶と照合）機能「脳の視覚野」によるシステムに進化した。

約5億年前、カンブリア爆発（生物の多様化）の時期までに他の動物群と分岐した脊椎動物の祖先は、明暗を感じる程度の眼点しか持っていなかったが、弱肉強食の世界で生き抜くために姿・形を識別できるように、暗所視の獲得、そして明所視の色覚獲得へと進化した。

脊椎動物の眼（網膜）には、桿体と錐体と呼ばれる2種類の視細胞があり、桿体は薄暗がりで働き（暗所視)、錐体は明るいところで働く（明所視）を司った。2種類の視細胞では機能する光受容タンパク質も異なっており、桿体ではロドプシン、錐体では錐体視物質が働いている。脊椎動物は、吸収する光の波長が異なるいくつかの錐体視物質（ヒトでは、赤色光・緑色光・青色光それぞれを受容する3種類）をもつ一方、ロドプシンは1種類しか持たないため、昼間（明所視）は色彩を見分けられが、夜（暗所視）になると色彩を識別できない。

網膜は、眼に写った「像＝光・色・形」を、脳の中枢に伝えるための電気信号に変える役割を果たして、眼に写った」像」は「角膜と水晶体」⇒「網膜（電気信号に変換)」⇒「視神経」⇒「脳」と伝達される。眼から次々と入ってくる多量の視覚情報の内、必要な信号だけを脳に伝える取捨選択は、眼から脳への中継役である「視床」内の「外側膝状体」の中継シナプスが担っている。

網膜からの視覚情報を中継する外側膝状体の中継シナプスでは、①シナプスから神経伝達物質であるグルタミン酸が放出されると、②周囲の他のシナプスに影響を与え、まわりのシナプスの反応性を低下させる。これによって、③立て続けに信号が送られてきても、その一部が強調され、その他は取り除く仕組みを創造した。

神経のつなぎ目の中継地点である「外側膝状体」では、お互いに神経伝達物質が干渉しあって、情報をフィルタリングしていく仕組みとなっており、溢れんばかりの視覚情報をフィルタリングする「立て続けに来る膨大な情報を取捨選択するイノベーション機能」を創造した。

視覚機能は上記「複雑な眼」のセンシングする機能の進化に併せて、次々と入ってくる多量の視覚情報から「視床の外側膝状体」で必要情報のみをフィルタリングする機能を進化させ、さらに、送られてくる「視た姿・色情報」を「脳の視覚野」で学んできた記憶情報と照合して判断する機能へと進化した。生態系は姿・色のセンシング⇒必要情報のフィルタリング⇒記憶と照合し判断するシステムのイノベーション機能である視覚機能に進化させた。

視覚機能の進化で創造されたイノベーション機能…持続的進化機能10A

(A) 生態系は眼球の視覚センシング機能「網膜センサー（照度・色彩）機能、自動焦点機能」と「視床の外側の膝状体での必要情報のみフィルタリングする機能」、及び脳内での姿形イメージ映像化・判断記憶機能からなる「全自動かつ昼夜対応で視覚センシング&姿形を判断する視覚イノベーション機能」を創造した

(2) 聴覚機能:「16」

1.5億年にもわたる恐竜の時代にも哺乳類の祖先は存在していた。大きさはネズミほどで夜行性であった。また、夜行性の哺乳類は真っ暗闇の世界で獲物を捕らえ、危険を察知するために聴覚を発達させ、さらに、暗闇での聴覚だけの狩りをするために脳を発達させ敏捷な運動機能も手に入れた。

聴覚のしくみは図4.2.13に示すように耳に入って来た音は空気の振動で、その振動が外耳道を通って中耳に伝えられ、中耳の鼓膜を振動させる。鼓膜の振動は、耳小骨（あぶみ骨・きぬた骨・槌骨）により増幅されて蝸牛の卵円窓に伝えられ、蝸牛内部にある有毛細胞が機械振動を検知する、そのセンサー「有

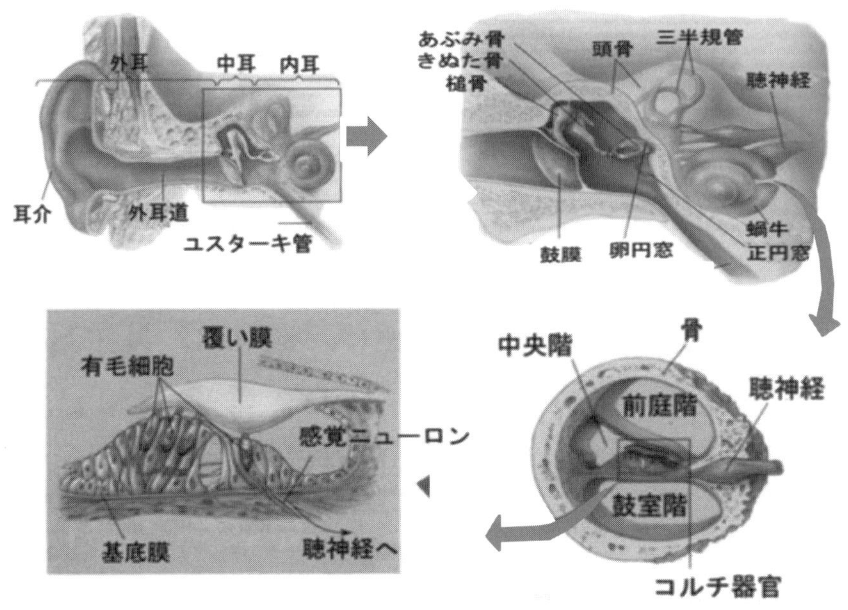

図4.2.13　ヒトの聴覚系

毛細胞」で電気信号に変換され、聴神経を経由して脳に伝えられ、脳が音と判断・感知する。

有毛細胞は内有毛細胞（人;1列の細胞群3,500個）と外有毛細胞（人:3列の細胞群20,000個）とにより構成され、聴神経を介して脳と接続されている。内有毛細胞は「音」振動を検知して、電気信号に変換し脳に送る、外有毛細胞は収縮運動を行って、微弱な音刺激の場合にはそれを増幅し、逆に過大に強い音の場合には抑制することで、入ってくる「聞きたい音」の時、脳と連携して振動させて、内有毛細胞の振動を増幅させ、「聞きたい音」を増幅する「音量調節の働き」を果たしている。

立食パーティ会場のようにやかましい環境の中で会話をハッキリと聞き取るために重要な働きとなる「溢れる雑多な音から必要な音を選択感知するイノベーション機能」を創造した。

聴覚機能は耳に入って来る「音の空気振動」をセンシングする有毛細胞を中心とした耳の進化に併せ、溢れる雑多な音から「脳で記憶と照合して、聴きたいと判断した音」を選択感知できるように「聞きたい音」を増幅する機能を「脳と有毛細胞の連携システム」で進化させた。

生態系は音（音色・大きさ）のセンシング⇒必要情報の脳との連携フィルタリング⇒記憶と照合し判断するシステムのイノベーション機能である聴覚機能に進化させた。

聴覚機能の進化で創造されたイノベーション機能…持続的進化機能10B

(B) 耳の聴覚センシング機能は、空気を伝わってくるメカニカルな疎密波を感知する内有毛細胞（IHC）と微弱な音刺激の場合に収縮運動を増幅し、過大な音の場合に抑制する働きをする外有毛細胞（OHC）の「2種類の感覚細胞の協調メカニズムにより小声でもはっきりと認識する聴覚イノベーション機能」を生態系は創造した。

(3) 嗅覚機能：「17」

生物は、外界の化学物質を感知する感覚をもち、原生動物の細菌等はブドウ糖やアミノ酸などの栄養分子の周りに集まることや、酸や塩など毒性物質から逃げる為に、生物は外界の化学物質の構造を認識する機能（感知する感覚）を進化させ、さらに、化学感覚は嗅覚と味覚とに分化した。

分化した嗅覚機能は、特定の化学物質の分子を受容体で受け取ることで生ずる感覚の1つであり、五感の1つに数えられている。嗅覚機能は7億年前、嗅覚受容体遺伝子1個のナメクジウオが祖先で、動物の上陸で嗅覚受容遺伝子が増大（犬；811、人；398まで退化）し、現在の動物の嗅覚機能に進化した。嗅覚機能のしくみは、空気中の化学物質が鼻腔の天蓋、鼻中隔と上鼻甲介の間にある粘膜（嗅上皮）の嗅細胞によって感知されるというものである。

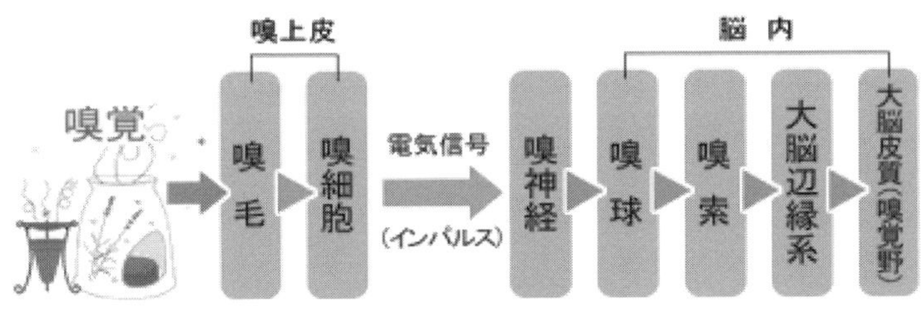

図4.2.14　ヒトの嗅覚系

この嗅細胞の細胞膜上には嗅覚受容体であるGタンパク共役受容体（GPCR）が存在し、これに分子が結合して感知される。受容体を活性化する分子が結合すると、嗅細胞のイオンチャネルが開き、脱分極して電気信号が発生する。この電気信号は嗅神経を伝わり、まず一次中枢である嗅球へと伝わる。さらにここから前梨状皮質、扁桃体、海馬、大脳皮質嗅覚野（眼窩前頭皮質）

などに伝わり、過去に学習した記憶と照合され、特定の匂いとして認識される。

嗅覚機能は図4.2.14に示すように鼻に入ってくる「匂い＝化学物質」をセンシングする嗅覚受容細胞を中心とした嗅覚センサー機能の進化に併せ、溢れる雑多な匂いから過去に学習した記憶と照合して「かぎわける匂い」として認識する「脳と嗅覚受容細胞との連携嗅覚システム」に進化させた。生態系は匂物質を嗅覚受容体センシング⇒電気信号に変換し脳に送る⇒脳で記憶と照合し判断するシステムのイノベーション機能である聴覚機能に進化させた。

臭覚機能の進化で創造されたイノベーション機能…持続的進化機能10C

（C） 鼻の臭覚センシング機能は、空気に漂う匂物質を臭毛（嗅覚受容体）で捉え、臭細胞で変換された電気信号を受け取った脳（扁桃体・海馬）で情動・記憶と照合して、一瞬に「特定の匂い」と判断する臭覚イノベーション機能を生態系は創造した。

(4) 味覚機能:「18」

上述の嗅覚機能で触れたように、ブドウ糖やアミノ酸などの栄養分子の周りに集まることや、酸や塩など毒性物質から逃げる為に、生物は外界の化学物質の構造を認識する化学感覚「嗅覚と味覚」を進化させた。味覚は、嗅覚の気体状の分子が鼻の奥の嗅細胞に接触して生ずる感覚と異なり、水に溶けている物質が舌表面の味蕾に接触することにより生ずる感覚である。味覚を感知する舌は最初に脊椎動物の魚にはなく、口の下にある骨や軟骨でできた盛り上がった「基舌骨（きぜっこつ）」と呼ばれる「動かすことの出来ない器官」を持っている。その為、勢いよく口内に入り込む水と一緒に餌も流し込んでいる。

味覚機能は図4.2.15に示すように、舌にある各舌乳頭（有郭乳頭・葉状乳頭・茸状乳頭）に1,100個～2,200個の味蕾で感知される、酸味・塩味・甘味・旨味・苦味用の味覚受容細胞で構成される。舌上皮細胞にある味蕾が味孔から入る栄

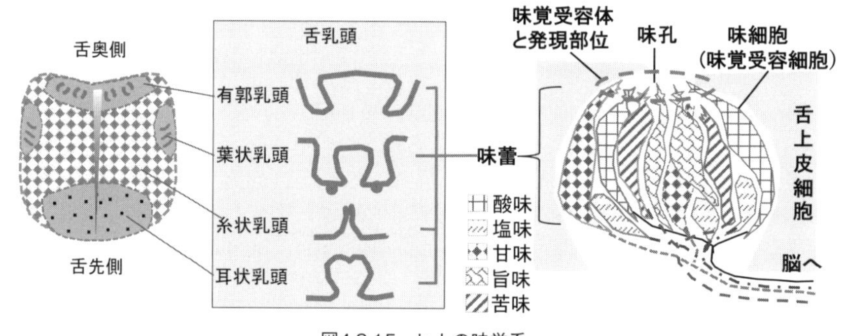

図4.2.15　ヒトの味覚系

養分子の味物質を感知し、味神経を介して脳（味覚野）に信号が送られ、味を認識する。

舌以外の口腔内にも味蕾が約2,300個存在している。この舌以外の味蕾は、口の奥からのどにかけての場所（喉頭蓋や軟口蓋、咽頭、喉頭など）すなわち、食物を嚥下し、飲み込む部位にあたる部分に、ほとんどが存在しており、これらも舌の味蕾と同様に、味覚の受容に関与すると考えられている。ビールや湯豆腐の味わいで、「のどごし」の善し悪しも重要な味覚の要素として扱われる、この「のどごし」の感覚には、これらの喉の奥の味蕾が感じる味覚が関係していると考えられる。「のどごし」はまた、味の「コク」や「キレ」ともしばしば関連して語られることから、コクやキレの感覚にも、これらの舌以外にある味蕾が関与しているのではと考えられる。

味覚機能も視覚・聴覚・嗅覚機能と同じように、脳に送られた味信号を過去に学習した記憶と照合して、特定の味覚として認識する「味覚受容細胞のセンシング機能と脳の記憶・照合判断機能による味覚感知システム」を生態系は創造した。

味覚機能の進化で創造されたイノベーション機能…持続的進化機能10D

(D) 人の味覚センシング機能は、舌に多数ある味蕾の「酸味・塩味・甘味・旨味・苦味用の味覚受容細胞」で味物質を感知し、脳（味覚野）に信号を送り、過去に学習した記憶と照合して、特定の味覚として認識する味覚イノベーション機能を生態系は創造した。

(5) 触覚機能:「19」

触覚は、触る、触られるだけでなく、温かさ、冷たさ、痒み、痛さなどの感覚を一くくりにした体性感覚であるさまざまな刺激に応答するために、図4.2.16に示すように体性感覚の受容器は全身すべての部位に分布し、温刺激、冷刺激、触刺激、圧刺激など外からの刺激を受ける外受容器、内臓器官の機能や体の内部状態から情報を受ける内受容器、四肢や頭部の位置、姿勢、筋肉の動き情報を受け取る固有知覚からなる皮膚には、生命にとって重要な「危険を未然に防ぐ」痛覚はもちろん、触覚、圧覚、温覚、冷覚、かゆみ等、多種感覚を感知する専用のセンサーであり、この数百万あると言われるセンサーには外部環境から入ってくるあらゆる刺激を受け止める体性感覚の受容器がある。皮膚に加えられた機械的刺激—皮膚のゆがみや圧縮—を感知する受容器は、表皮と真皮の境目や毛根などに分布している。受容器が多い部分ほど感覚は敏感になり、その数がとくに多いのは、鼻先や唇の皮膚、指先などで、受容器が少なく鈍感なのが腕や脚である。

感覚	受容器	順応速度	全身の感覚点の数	皮膚1cm^{2}あたりの感覚点の数
触覚	メルケル盤	遅い	約50万個	約30個
	マイスナー小体	速い		
圧覚	パチニ小体	非常に速い	約50万個	約30個
痛覚	自由神経終末	順応しない	約200万個	約120個
温覚	ルフィーニ小体	遅い	約３万個	約２個
冷覚	クラウゼ小体	非常に遅い	約25万個	約15個

図4.2.16　ヒトの触覚系

皮膚下の受容器で受容した感覚情報は後根神経節から出る一次求心性線維を介して脊髄を経て大脳に伝えられる。体性感覚、視覚、聴覚、味覚の感覚受容は視床に入り、大脳皮質の感覚野の一つ、体性感覚野で情報が感知判断される。痛みの情報は視床下部にも送られ、発汗や動悸など自律神経系の反応を引き起こすと共に、痛み・恐怖・情動は扁桃体、記憶形成に関係する海馬などに送られて危険情報として記憶される。

触覚機能は痛覚、触覚、圧覚、温覚、冷覚、かゆみ等多種感覚用の数百万受容細胞でのセンシングと、視覚・聴覚・嗅覚・味覚機能と同じように脳に送られる「体性感覚信号」を過去に学習した記憶と照合して、特定の体性感覚として認識する「体性感覚受容細胞のセンシング機能と脳の記憶・照合判断機能との体性感覚感知システム」に生態系は進化させた。

触覚機能の進化で創造されたイノベーション機能…持続的進化機能 10E

(E) 人の触覚に代表されるセンシング機能には、触覚、痛覚、圧覚、温覚、冷覚、かゆみ等多種感覚を感知する体性感覚機能と四肢や頭部の位置、姿勢、筋肉の動き情報を受け取る固有知覚機能があり、生命にとって重要な「危険防止ほか生存に必要」体性感覚･固有知覚をセンシングし、過去に学習した記憶と照合して特定の体性感覚として判断して、危険回避など正規な動作指令をだす「体性感覚・固有知覚のイノベーション機能」を生態系は創造した。

以上のように、動物は食料・光エネルギーなどの食料情報や生命を脅かす危険情報など生存に不可欠なセンシング機能を進化させてきた。センシング機能は視覚・聴覚・臭覚・味覚・触覚の五感センサー機能とそのセンシング情報から生存に必要動作を判断・実行指令する知能機能とで連携する「五感センシング機能」を創造した。

5感進化で創造されたイノベーション機能…持続的進化機能10F、10G

(F) モノ（視覚、聴覚、聴覚、味覚、触感）のセンシング機能⇒生存に必要な情報だけを脳との連携でフィルタリング機能⇒検知情報を記憶と照合し判断する知能機能により、「生存に必要な五感センシング・知能判断のイノベーション機能」を創造した。

(G)「溢れんばかりの検出情報」を脳が瞬時判断できるように、必要情報だけを強調し、他は取り除いてフィルタリングする「最適な情報に選択するイノベーション機能」を創造した。

4.2.4 「知性から文化的知能機能までの進化」…破壊的進化4

＊動物最初の知性「20」

多細胞生物に進化し、さらに初期動物に進化した生物は生存するため、食物摂取、消化する器官「食物摂取・消化器官」から創り始めた。その食物摂取・消化器官を持った初期動物であるヒドラは「口と小腸だけの生物」であり、その小腸には口から取り込んだものが何であるかを検知するセンサーを持ち、その結果を腸全体の細胞に知らせる情報伝達物質（ホルモン）を分泌し、腸全体が反応して的確な消化・吸収を行う。すなわち、「モノを検知・判断」⇒「関係部署に伝達・指示」⇒「関係部署と連携して消化・吸収」⇒「生物の生存」するという生存するための課題を解決する能力を創造した。これが動物の最初に創り上げた「知性システム」と考える。

※知性：「知性とは生存する為に問題を解決する能力との定義される」

＊知性の進化「21」

カンブリア爆発で5万種以上の動物に発展し、地上に上陸する動物が現れ、そのうち恐竜が大繁栄した。一方、哺乳類は恐竜繁栄の中、隠れて夜間にしか活動出来ず、暗い夜間で小さな昆虫を捜し補食する苦難な環境に置かれた為、

図4.2.17　身体の小さな哺乳類「プルガトリウス」

夜間での捕食を強いられる複雑な音を聴き分ける必要があった。

恐竜などの天敵が近づきその姿が見えると、その視覚情報が脳に送られると同時に、地面が揺れることで触覚情報が脳に送られ、近づいてくる足音は聴覚情報として脳に送られた。このように視覚・触覚・聴覚を通じて得られたセンシング情報を大脳新皮質でまとめることにより、何がどこからどのような速度で現れるのかを総合的に判断して、天敵から逃避の判断をする「生存する為の知性」の必要性から脳が進化、すなわち激しく脳を使うことでさらに脳を進化させた。

大脳新皮質の進化は、哺乳類の脳の進化で極めて画期的で、苦難が「新しいしくみ」を創り、繰り返し実行（研究・実験・訓練）することで構造・形・能力を大きく進化させる流れとなった。言い換えると、常に高い目標に向かって創意工夫して進化させることが種（組織）の進化と繁栄をもたらすこととなった。

また、霊長類は直立二足歩行可能な進化をとげ、草原に進出した二足歩行するサルは自由となった手で物をいじることを覚え、物を掴めるように「手の親指を進化」（親指を回転できるように鞍関節に進化）させて、器用に物を握れるようになり、木や石などの簡単な道具を使うことに智慧を絞り、脳を発達させ、類人猿へと進化した。一方、直立歩行をすることなく森に留まった種族は脳が拡大することなく、現在のチンパンジーレベルの脳のままに留まっている。

地球環境の乾燥化によって食糧が減少し、食糧を確保するための苦難が人類の祖先「ホモ・ハビリス」に課せられ、地中から食糧を調達するために根や塊茎を掘る道具や、肉を骨から削ぎ落とすための鋭利に尖った石器や、骨や角を削って槍の先などをつくるための石器など、図4.2.18のような目的に応じて新しい石器を創り出すことが不可欠となった。また、7万年前にインドネシアトバ火山が10万年にいちどの大噴火を起こし、地球全上空が火山灰に覆われ、気温が12℃低下した際にユーラシア大陸を移動していたヒトが衣服を纏い寒さを防ぐしくみを創り出し、さらに服を縫い合わせる「縫い針」を骨の加工で創り出した、この発明をしたホモサピエンスがその後のヒト世界を制することになった。

これらの木材、石や骨を加工して道具を作り出すために、眼と手を正確に連動させる必要があり、加えて手先を器用に動かせることが必要で、運動技能の発達が求められた。道具を巧みに操っただけでなく、火を使うことも覚え、火の使用により原人の生活は大きく変化することになった。こうした道具作りに

図4.2.18　ホモサピエンスの狩猟用石器類

より、脳は増々大きくなっていった。

最近のサルに道具を使わせた理化学研究所の実験で、20日間で道具の使い方を習得させたサルに、脳の膨張を示す信号強度の17%上昇がMRI観測装置で検出されたとの報告があるように、道具を使うことで、急速に脳が発達することがわかる。

脳の容積は全身の2%程度であるのに対して、思考には全エネルギーの20%程度を消費するので、脳が発達するにつれて必要となるエネルギーも多くなっていった。多くのエネルギーを得るためには肉の摂取が効率的であり、肉を得るためには動物を効率的に狩る必要があり、動物を効率的に狩るための道具や武器を創造する創意工夫する能力（知性）を追求することで、脳はますます大きく進化をしていった。その結果、人類は生態系の頂点に君臨し、他の哺乳類や植物などの生物を端に追いやってしまったことから、人の知性の進化を破壊的進化と分類した。

＊文化的知能の進化「22」

直立二足歩行の草原生活が常習化することで、骨格が変化し、発声気管が従来よりも低い位置に下がり、発声が容易になり、言葉の発達が促され、脳内に言語を司る部位である「ブローカー野」が備わりはじめた。ホモサピエンスは100人程度の大集団で生活することで集団脳を獲得、それにより言語・石器他道具など、獲得した知性を集団にコミュニケーションする機能、すなわち、人類は初めて「言語で伝えるという文化的知能」を創造した。「集団脳（人間の進歩の力）と技術革新：集団が大きいほど技術革新が加速との集団脳研究の発表」。この「言語で伝える文化的知能」によって世代を重ねて石器他道具の知識や技術を進化させることが可能となった。言語を使うようになった人類の頭蓋骨は現代人程度まで進化して、この言語能力を進化させたホモサピエンスは石器の作成技術などの継承を可能にして、大きく繁栄することが出来た。一方、少人数集団生活で集団脳の進化なく、コミュニケーション力・言語能力を進化させなかったホモ・ネアンデルターレンシスがその世代に創った高い技術力を後世に残すこと出来ず、数十万年に渡って同じ石器を使用しており、ホモサピエンスに大きく遅れて滅亡した。このことからも言語能力(言語で伝えるコミュニケーション力・文化的知能)が、人類の先祖達が創造した「生存のための便利な器具・技術」の伝承文化を創り、文化的知能を進化させ人類の発展を飛躍的に早めたと云える。

コミュニケーション機能の発達と供に、先に述べた「視覚・聴覚・嗅覚・味覚・触覚の五感機能」は「生存に不可欠な知性」だけの目的進化から、脳と連携して「観て・聴いて・嗅いで・味わって・触れて」の情感を楽しむことを目的とする文化的知能が発達して、人類特有の文化的進化を始めたと考える。そして、発声により集団の人達とコミュニケーションできる言語を創ったことにより、人類は獲得した石器他道具などの知性を伝えるだけでなく、集団の人達と一緒に楽しむ「楽器、音楽、踊り」等の人類最初の娯楽の道具を創造し、芸術文化知能の進化へと走り出した。

さらに、人類は集団の人達に「獲得した石器他道具などの知性」を言語音声で伝えるだけでなく、図4.2.19のような記録に残して伝える「文字」を創造した。

図4.2.19　象形文字の記録

この「文字」の創造は各時代に人々が創り出した優秀な生存・娯楽用道具や

技術などを伝承し、記録として蓄積されることにより、四大文明（メソポタミア文明・エジプト文明・インダス文明・黄河文明）等が発達し、それぞれの文化的知能が全世界に伝承伝播して、人々の暮らしや文化を発展させていった。この、人々が創造した技術を後世に伝承していく機能が、科学・産業を発展させることになり、交通機関の発展、そして情報伝達の発展に伴い、創造された技術・知能は瞬く間に世界中に伝わることで「技術・知能」の進展は増々早くなっている。このことより、「言語」と「文字」の創造が人類の文化的知能の進化の源と云え、コミュニケーション情報伝達の速度アップが人類の科学・産業・医療の発展を加速させていると考える。究極のコミュニケーション「44億人集団脳インターネット」がどのような発展を遂げるか期待される。一方で、SNSなどによる情報のグローバルな拡散が有害な情報の拡散を招いて文化的知能の進化を破壊するのではと心配でもある。

＊脳の進化「23」

4.1.4節で触れたように、多細胞に進化過程で最初に進化した臓器「小腸」だけの初期多細胞生物ヒドラ（口と小腸だけの生物）は、取り込んだものが何であるかを検知して、情報伝達物質を分泌して、的確に消化・吸収するという生存する為の知性を創造した。この第一の脳機能を持つと云われる「知性機能の小腸」から動物の脊髄・小脳へと進化したと云われる。脳は情報処理を司る神経細胞（ニューロン）とグリア細胞（神経細胞に栄養補給する星状グリア細胞と傷ついた神経細胞を修復するミクログリアより構成）とにより成っている。ミクログリアの検査・検診・修復機能の詳細は不明であるが、1時間に1回程度にミクログリアが突起を伸ばして神経細胞のシノプスが正常に機能しているかを検査・検診し修復する働きがある。

・生存を司る機能「脳幹・中脳・小脳」

このように、魚類から昆虫までの脳は生存のために必要な機能を司る「脳幹（呼吸･循環を司る橋･延髄･脊髄から構成）」「中脳（視覚、聴覚信号の授受部）」「小脳（平衡・運動を円滑化）」が最初に発達し各種族の持つ機能に進化した。例えば、ヒトの延髄は血圧・脈拍・呼吸などを調節しており、眠っているときも呼吸できるのは延髄が働いているからである。また、ヒトの小脳には、成長過程での訓練で一連の動作を繰り返すことで、その動作のプログラムが小脳に「手足の動作の一連の動きがプログラムとして保存」される。すなわち、食事をしたり、歩いたり、すべての動作には手足のたくさんの筋肉をうまくなめらかにする必要があり、それら目的の動作に関わるたくさんの筋肉の力の入れ具合をプログラムとして小脳に収納して、大脳で考えないでも小脳が円滑化に動作するように進化した。

・大脳辺縁系

次に、ほ乳類であるウサギ、ネコでも発達が見られる「大脳辺縁系（大脳旧皮質ともいい、扁桃体、海馬、視床下部から構成）に相当する領域」（図4.2.20の点線の中芯部）は食欲・情動・性欲など、本能に基づく行動を司る大脳の一部として進化した。

前述のように、人類は動物を効率的に狩るための道具や武器の創造といった創意工夫する能力（知性）を追求することで、ヒトの脳は他の動物にはない大脳新皮質が発達していった。海馬には「視覚・臭覚・味覚・聴覚・体性感覚」の情報が集められ、大脳皮質への記憶の書き込みを助けるだけでなく、数か月以内の記憶の読み出しにも海馬が必要とされる。また、海馬は情報を一時記憶して､留め置いた情報に「重みづけ」をして大脳皮質に送る重要な役割も持つ。海馬に入った情報は、すべてが長期記憶に移行するわけではなく、海馬が重要性を判断し、特に重要と判断した情報は大きく、それ以外は小さく、バイアスをかけた状態で大脳新皮質に送る。快感を伴う記憶は、海馬に「重要」と判断され、強い信号として送られるため、長期記憶として残りやすくなる。大脳新皮質（大脳）は長期記憶にある知識を動員して情報の照合で長期保存の要否の判断を行い、その結果を体系化して長期保存する。この大脳新皮質は動物共通の本能「生命の維持（摂食・飲水）、情動（おそれ・幸福）、性行動」を司る大脳辺縁系をカバーするように発達してきた。

・大脳

大脳新皮質（大脳）は　図4.2.20に示すように前頭葉、側頭葉、頭頂葉、後頭葉に分かれており、前頭葉では運動を司る「一次運動野」において行動を決定し､計画を立てる。頭頂葉では感覚を感じ取る「体性感覚野」が存在する。側頭葉は音を感じ取る「聴覚野」が存在する。後頭葉は「視覚野」が存在し、視覚に関する情報を処理する。連合野は大脳の75%を占め、前頭連合野、頭頂連合野、側頭連合野に分かれている。前頭連合野では思考や判断など高度な知的活動の中枢が存在し､「知識、判断、行動、人格」の人間らしさを創る。頭頂連合野は今どこにいるのか？どこに向かっているのか？といった空間知覚や身体意識を認識する機能を持つ。また、側頭連合野では視覚刺激に基づく記憶の機能を持ちそれぞれの機能が統合され､人独特の認知行動が生み出される。知恵とは①推論、②言語、③感覚統合の総和と考えられ、推論は前頭連合野で

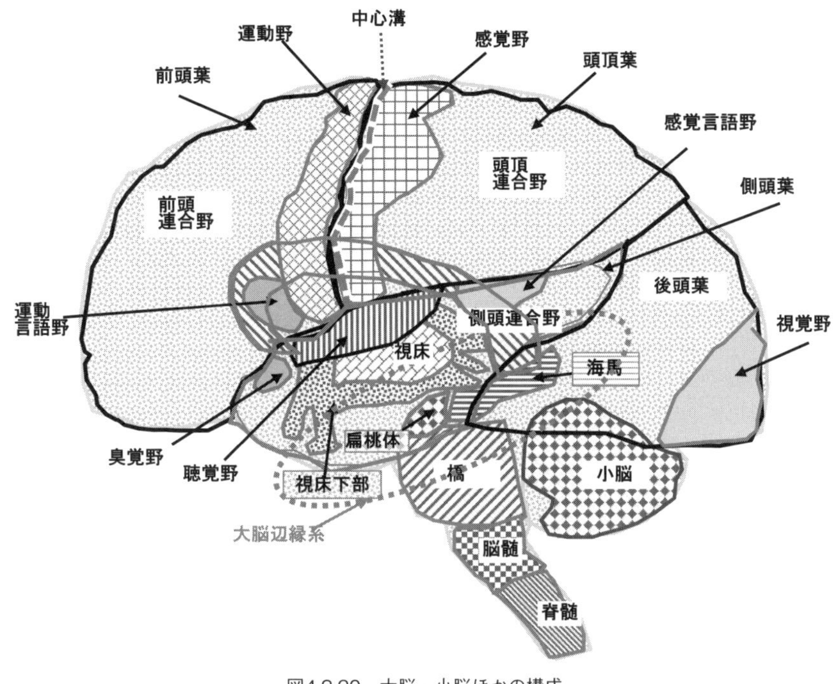

図4.2.20　大脳・小脳ほかの構成

司られ、言語は言語野で、感覚統合は側頭野ないし後頭野で司られる。「知恵が発達する」とは連合野間の神経回路が成立することによって生じる。

・ニューロンと神経回路

大脳はニューロンと神経回路（ネットワーク）で構成され、ニューロンは図4.2.21のように神経細胞で樹状突起のある細胞体と長く伸びる軸索（神経線維）で構成される大きな細胞であり、軸索の末梢にはシナプスがあり、シナプスから神経伝達物質が発せられ、樹状突起側の伝達物質受容体で情報を受け取ることで、隣り合ったニューロンと繋がり情報を伝達する。

この大脳の神経細胞は生まれた時から数は増えないが、神経細胞は生まれた後に一個の細胞から多くの突起や神経線維を増やして、お互いに繋がって、新しい神経回路を構成していく。新しいことを経験するとシナプス接続が起こり、新しい神経回路が形成され記憶される、繰り返し学習するとそのシナプス接続部が大きくなり（情報が通り易くなり）記憶を再生しやすくなる。神経回路でニューロン間の樹状突起を介し接続することで、「側頭葉が音を言葉として理解する、頭頂葉が手足の触覚情報や後頭葉の光情報を統合して処理して物を認

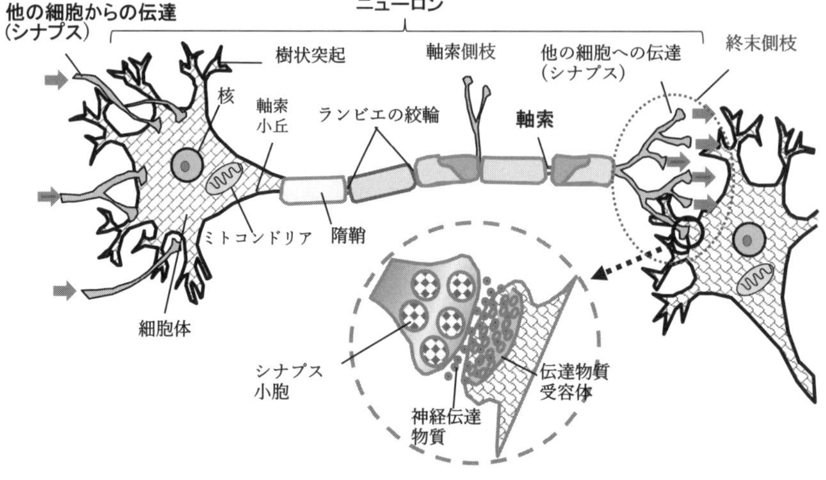

図4.2.21　ニューロンと神経回路

識する」ような、人独特の高次機能を実現している。そしてこの回路が形成されることによって人独特の高次機能に発達していく。神経細胞は高齢になると減っていくが、生き残った神経細胞から神経線維が伸びて、神経回路は老齢に入っても発達し続ける。

・脳の情報処理

眼からの情報が視床を通って脳に伝わると、大脳の各連合部の機能が統合され、①大脳の天辺にある感覚野にいく、②大脳各部でその情報がどんなものであるのか分析される、③感覚言語野でそれが何であるのかを判断し、④運動言語野でそれを口に出して喋ることを司る、⑤処理をされた情報は運動野に伝えられ、⑥運動神経を介して実際に身体を動かす命令が筋肉に伝えられるように、①～⑥にように脳の各所が働き目的の実現に向けて機能する。

例えば、眼（トンボを見る）視覚情報が脳につたわると⇒脳では、①視覚野で「視る・形・色の分析」⇒②側頭連合野で「トンボと認識」⇒③頭頂連合野で「位置を把握」⇒④前頭連合野で「捕まえようと判断」⇒⑤運動野に伝えられ「運動プログラムが進み」⇒⑥脊髄へ「運動神経を介し」運動指令が伝えられ⇒「手を動かす」筋肉行動が実行される。

すなわち、視覚・聴覚・触覚・味覚機能などの「体性感覚信号」は感覚神経を通り、脳の入り口「視床」を経由して、大脳皮質の各中枢の感覚野に伝えられ、「視覚野」で視覚情報を形･色等分析、「聴覚野」で音を分析、「体性感覚野」

で感覚を分析などした情報を統合して、「何をどうするか」を認識・判断して、運動野・運動神経を介して手足他の筋肉行動が指令される。

このような脳の情報処理はディジタル情報「1」「0」で一つずつ順番に計算するコンピュータと違って、神経回路がディジタル情報とアナログ情報を織り交ぜながら分散して同時並行的に処理する。コンピュータの高速なディジタル処理速度と正確さは劣るが、不完全な情報をもとに答えを出したり、「創造」や「ひらめき」を生み出したりすることが出来る。この脳の「創造」や「ひらめき」を生み出す機能がどのようなしくみで創り出すのかを究明することが永遠の研究課題であると考える。

・記憶

人の記憶は、人が感じる「視覚・臭覚・聴覚・触覚」の情報が図4.2.22のように、大脳辺縁系にある臭内皮質を経由して海馬に送られ、海馬で一時記憶して整理・統合して、覚える情報と判断されたモノは大脳皮質にある視覚野・臭覚野・聴覚野・感覚野に送られ、情報を処理して長期記憶として格納される。ウェイターが注文を記録するまで短期記憶される情報は処理が終わると捨てら

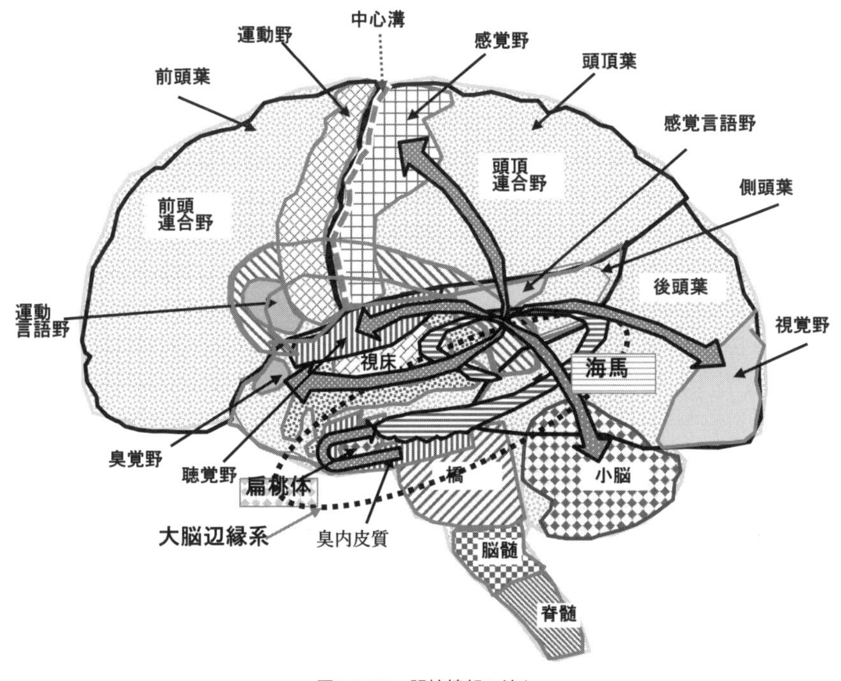

図4.2.22　記憶情報の流れ

れ、体の動かし方など、言葉に出来ない記憶は小脳に保存されると考えられる。

格納と云ってもコンピュータのメモリに相当するところはなく、海馬から送れられてくる信号により大脳皮質の神経細胞が刺激され、その刺激が強いほど、多くのシナプスが組み合わされて、特定の信号が通り易い回路に成長する。その新しい神経回路が形成され長時間持続することで記憶が保たれる。また、その情報が繰り返しくるとそのシナプス接続部が大きくなり（情報が通りやすくなり）記憶を再生しやすくなる。すなわち、学習することで忘れ難い記憶となると云われている。また、偏桃体を刺激する「好きなことや嬉しいこと」は海馬から強い信号が大脳皮質に送られるため記憶が残りやすいなどの脳の動きが解明され始めている。

しかし、記憶においても上記のような状態で、新しい思考や心との関係など殆どの部分が未解明であり、医療の観点、教育の観点やAI技術の観点など広い分野の研究において、脳のしくみの解明とその展開に期待したい。

非力な身体ハンディで創造したイノベーション知性機能…破壊的進化機能4A ～ 4F

（A）非力な身体で二足歩行での草原生活を選択した人類先祖は恐竜繁栄の中で恐竜が近づくと、その様を脳に送られた「視覚情報、地面が揺れることでの触覚情報、近づいてくる足音の聴覚情報を大脳新皮質でまとめることにより、敵がどこからどのような速度で現れるのかを総合的に考え判断して、敵から逃避の行動をする「生存する為のセンシング情報を組合せて思考判断する知性システム」を創造して、繰り返し激しく脳を使うことで脳を大きく進化させた。

（B）生存する為のセンシング情報を組合せて思考判断する知性を向上した人類先祖は集団の人達とコミュニケーションする言語を考案した。さらに、創り出した優秀な生存・娯楽用道具や技術などを記述伝承する文字を考案した。言語と文字を考案した人類先祖は言語と文字を使い「創造した道具・技術及び音楽など」を蓄積でき、何千年も残る記録伝承イノベーション機能を創り上げ、文化的知能の飛躍的発展させ、四大文明を始めとした文明が各地に誕生した。

（C）視覚・聴覚・触覚・味覚機能などの「体性感覚信号」は感覚神経を通り、脳の入り口「視床」を経由して、大脳皮質の各中枢の感覚野に伝えられ、「視覚野」で視覚情報の形・色等を分析、「聴覚野」で音の分析や「体性感覚野」で感覚分析を記憶にある知識情報と照合して判断し、前頭・頭頂・側頭の連合野で情報を統合して、「何をどうするか」を認識・判断して、運動野・運動神経を介して手足他の筋肉行動が指令する「感覚センシング情報をもとに過去の記憶と照合して「何をどうするか」を思考判断して処理する知能システム」を創り出した。

(D) 樹状突起のある神経細胞と長く伸びる神経線維で構成されるニューロンと神経回路で構成される大脳は、神経線維の末梢にあるシナプスから神経伝達物質を発し、隣り合ったニューロンと繋がりを増やす「神経回路増強のしくみ」で「新たな記憶」「新たな智慧」「新たな思考」を創り出す機能を生態系は創造した。

(E) 神経回路がディジタル情報とアナログ情報を織り交ぜながら分散して同時並行的に処理して、不完全な情報をもとに答えを出したり、「創造」や「ひらめき」を生み出す機能を創り出した。この「創造」や「ひらめき」を生み出すイノベーション機能のしくみの究明が期待される。

(F) 脳は情報処理を司る神経細胞を守る「神経細胞に栄養補給する星状グリア細胞」と「傷ついた神経細胞を修復するミクログリア細胞」を備えるシステムを創り、ミクログリアの検査・検診・修復機能（1時間に1回程度にミクログリアが突起を伸ばして神経細胞のシナプスが正常に機能しているかを検査・検診し修復する）を創り出し、1時間単位毎に神経細胞当り1万個に上るシナプス全数を検診し修理するイノベーション機能における、その検診・修復の詳細しくみが解明されることが期待される。

以上のように、人類先祖は巨大な恐竜世界での隠れた夜間での五感を屈指した狩り、地球環境の乾燥化による食糧の減少で「根」他の地中からの食糧確保、非力な身体、二足歩行での猛獣に怯える草原での生活など、数々の繰り返される苦難を「五感と脳との連携による知性」「二足歩行で自由になった手を器用に使った道具を創造する知性」で克服して来た。すなわち、人類先祖は繰り返し見舞われる苦難で「新しいしくみ」を創る知性を発達させ来たと云える。

生きるための課題を次々と知性を駆使した道具やしくみの創造で解決して来た人類は、集団生活を始め、生きるための食料確保や猛獣に対する回避の生活に余裕が出て来て、音楽、踊り、言語による集団でのコミュニケーションなど、楽しむことに目覚めたと考える。

この目覚め、特に言語の創造が文化的知能の進化の始まりと考える。すなわち、言語によるコミュニケーション機能が「創造した道具・技術及び音楽など」を広く伝承し、集団の文化的知能を大きく発展させたと考える。さらに、人類は文字を創り出してその考案した道具・文化・科学・医学・産業生産品を記録により蓄積発展させて、文明を創り上げる文化的知能を発達させと考える。また、上記脳のしくみを始めとした生態系が創り出して来たイノベーション機能の詳細な原理・しくみの解明、研究が進められることを期待する。

4.3節　まとめ

38億年前に誕生した原始生命から多細胞生物への進化過程で創造されたイノベーション機能は、注目されずに、まだ解明されてないのまで含めると、数限りなく無数にあるが、本章では上記細胞レベルの6分類の進化と動植物への進化について、機能が創りだされる背景やイノベーション機能の特徴などを述べて来た。

生態系の細胞はDNAを持つ共通祖(LUCA)より進化が開始された。その後、原核生物、光合成生成細菌、真核細胞生物、多細胞生物、有性生殖の多細胞生物へと細胞生物は進化して来た。しかし、「自己複製機能」と「代謝機能などの生命維持の複雑な機能」を、どのように創り出したか、最初から複雑なDNAを持つ細胞がどう創り出さられたか…などは生命の神秘とされたままである。

「生命という機能」を持つRNAとタンパク質からなる原始生命体が誕生し、その生命体がDNAを持つ共通祖先（LUCA）に進化した。惑星についているウイルスが地球に落ちて、それが地球生物として誕生した「宇宙飛来説」、4種のグルニン・アラニン・アスパラギン・バリンのアミノ酸が合成され、波打ち際でアミノ酸がつながり、タンパク質が合成、細胞膜、RNAを獲得した「RNAワールド仮設」、「熱水の働きでアミノ酸が重合され、アミノ酸と海水が混じり、アミノ酸が繋がる熱水噴出孔で生命が誕生したとする説」…など諸説が議論されている。生態系が創り出した『神秘に満ちた機能「生命」』は多くの科学者が研究に挑んでおり、ノーベル賞受賞者のシュレディンガーが「生命とは何か」という著書を1948年に執筆しており、ノーベル賞受賞者のポール・ナースがシュレディンガーへのオマージュとして同名の著書『生命とは何か』を2021年に出した。書の中で、生命の軸となる考え方を、①生物の原子「細胞」、②子孫に引き継ぐ遺伝子、③自然淘汰による進化、④化学工場の生命、⑤情報で成り立つ生命と分類した上で、やはり、生命の基本機能は上記①の「細胞」の持つ複製機能と代謝機能と考える。

生態系が38億年かけた進化の過程で創造して来た「驚異的なイノベーション機能」の一部を選び考察して来たが、特に次の、①単細胞から多細胞への進化、②受精卵から分裂成長する分化細胞、③赤血球の超高速ガス交換、④脳機能と連携する「五感センシングシステム」、⑤繰り返し激しく脳を使うことで進化させた知能システムの進化機能に注目せざるを得ない。今後、38億年に創造して来た「イノベーション機能」がさらに現代社会に展開されることが望まれる。

①単細胞から多細胞への進化過程において、群体した細胞の機能として、㋑消化器官の次に食物に関連する口・食道・排出器官や循環器官、㋺群体細胞での生殖機能と仕事機能、㋩一体活動に細胞間連絡と各細胞への指示機能、㊁構成する細胞を接着する機能などに分担させる進化をしてきた「集合細胞に生存に必要な機能を分担させた多細胞生物のしくみ」はどのように実現して来たか現代科学を持ってしても神秘的と考えられている。

②受精卵から分裂成長過程において、骨・筋肉・心筋・皮膚などの特定組織に成長する、あるいは、根・茎・葉・花などの特定組織に成長する「幹細胞⇒TA細胞⇒分化細胞」を創り出し、それらを組み合わせて、結合して必要器官⇒本体に成長する「生命の成長イノベーション機能」を創り出したことは「生態系の神秘的創造」と言わざるを得ない。

③赤血球では病原体が血液型の糖鎖と付きやすさが異なることより、種族の絶滅を避けるためにABOの４種血液型を創り出し、細胞の重要な遺伝子を格納してある核を誕生時に捨てまでして、全身に酸素を多く運ぶ機能を優先し、運動能力を向上させている。その赤血球は全身の細胞に酸素を供給し、炭酸ガスを排出するための赤血球を１分間で全身に巡回させて、超高速な全身細胞のガス交換するイノベーション機能を創造した。超高速なガス交換をするイノベーション機能は医療分野だけでなく、いろんな分野での応用展開が考えられる。

④視覚・聴覚・臭覚・味覚・触覚の五感センサーとそのセンシング情報から生存に必要な動作を判断・実行指令する脳機能と連携する「五感センシングシステム」「視覚、聴覚、聴覚、味覚、触感のセンシング機能⇒生存に必要な情報だけを脳との連携でのフィルタリングする機能⇒検知情報を記憶と照合し判断する知能機能という連携システム」の創造。特に立て続け検知する溢れ出る視覚情報から、必要情報は強調され、その他は取り除く仕組みとする「必要情

報のみフィルタリングする機能」や、溢れる雑多な音から「脳で記憶と照合して、聴きたいと判断した音を選択感知するフィルタリング機能」は現代科学を持ってしても展開が難しい機能と考える。

⑤人類先祖は恐竜繁栄の中で恐竜が近づくと、その様を脳に送られた「視覚情報、地面が揺れることでの触覚情報、近づいてくる足音の聴覚情報を大脳新皮質でまとめることにより、敵がどこからどのような速度で現れるのかを総合的に考え判断して、敵から逃避の行動をする「生存する為のセンシング情報を組み合わせて思考判断する知性システム」を創造し、その後も狩猟用道具や食料加工用道具の創造、あるいは仲間とのコミュニケーション能力の工夫など、繰り返し激しく脳を使うことで脳を大きく進化させ、生態系の頂点に君臨する「知能システムというイノベーション機能」を確立し、四大文明を始めとした文明を各地に誕生させて来た

以上のように驚異的イノベーション機能を創造してきて、生態系の頂点に君臨した人類は、他の哺乳類や植物などの生物を端に追いやって、天敵なしの状態となって、温暖化による気象異常や森林伐採による砂漠化など地球環境を破壊する行き過ぎが起こっている。

過去の生態系の歴史「シアノバクテリアの大繁殖による全球凍結⇒生物の大半絶滅」に学び、哺乳類・人類が500万年をかけて発達させてきた「知性・知能システム」を使って、行き過ぎを修正していかなければならないと考える。

第5章

先人達・生態系に学ぶ イノベーション機能の考察

先人達及び生態系は2、3、4章で述べてきたように、人々・生物の生活を救い・助け・発展させるため、新しい発想・しくみを考え出し、イノベーション機能を創り出し蓄積して来た。

先人達の創り出したあるイノベーション機能は、従来の市場を性能・機能の面で連続的に進化させ続けることにより、従来市場の発展を持続させる持続的イノベーション機能である。別のイノベーション機能は従来の市場と不連続性能で、突然変異的に発生し、従来市場を破壊しながら新しい市場を創造していく破壊的イノベーション機能である。

生態系は46億年前の地球誕生、原始海誕生、40億年前の原始生命体の誕生を経て、生物は、原核生物、光合成生成細菌、真核細胞生物、多細胞生物、有性生殖の多細胞生物へと進化して来た。その生物の根源である細胞の一つ一つが生命そのものとして「細胞」機能の進化を続けて、38億年をかけて人類他の哺乳動物や被子植物に進化してきた。

進化過程で生物は環境に順応し連続的な進化を続ける為に、持続的イノベーション機能を次々と創造して来た。また、度々発生する突然変異によって、従来生物環境を破壊する、例えば「酸素生成機能」のような破壊的イノベーション機能が創造され、その酸素生成機能は地球全体を凍結と大半の生物が滅亡するという「破壊的イノベーション機能」であった。全球凍結させる破壊的機能である酸素生成機能は、一方で生物の運動能力の20倍化や生物を大型化するなど生物の進化発展の最重要なイノベーション機能でもあった。

同じように人類が創造する新しい機能（進化）も大半は市場を発展させるが、それまでと全く異なるイノベーション機能「日本の小型オートバイ機能や小形乗用車機能など」の出現で、米国で君臨していた「大型オートバイと大型自動車メーカ」の従来の大型車市場を破壊し、新しい小形車市場を創り出した。

先人達は人々を苦難から解放し、生活を豊かにするためのイノベーション機能を創り出し、第1～第3の産業革命を引き起こして、人々の生活、文化を大発展させてきた。また、生態系は40億年前に誕生した原始生命、そして共通祖先（LUCA）を経て､原核生物､多細胞生物への進化過程で数多くのイノベーション機能が創り出されてきた。

本章では、これらの機能が環境に順応し連続的な進化を続ける為に創造されてきた「持続的イノベーション機能」、および突然変異的に不連続的（劇的）進化した「破壊的イノベーション機能」がどのような環境背景で創られ、生活環境へ及ぼした影響などを学ぶことから、人々に役立ち・影響を及ぼす「モノづくりのイノベーション機能創造」観点で整理考察していく。

5.1節　先人達に学ぶイノベーション機能の創造

(1) 基本原理・理論で創り出されるイノベーション機能と性能向上機能の創造

{蒸気機関（1769）・内燃機関（1876）・発電/電動機（1870）}

産業革命を起因した「基本原理・理論で創り出されたイノベーション基本機能」には3章で述べたように、蒸気機関動力機能（1700年初め）、レシプロエンジン動力機能（1800年初め）、発電機・電動機駆動機能（1800年前半）の三大動力駆動機能がある。これらの原理・理論から導かれた基本機能は「人類が創り出した「火」」のように百年以上に渡って、その機能は新技術で性能進化を進められ、人々の主軸機能として褪せることなく使われ続けている。

蒸気機関動力機能の原理は紀元前1世紀頃に「蒸気の圧力や気圧水圧を利用した「ヘロンの噴水」」で発想されたが、人々の関心は食料の獲得が中心で興味を持たれず忘れられ、産業が芽生え始めの二千年後に蒸気機関動力が再発明され、そのイノベーション機能はイギリスの植民地拡大で原料・市場で潤い、産業の芽生え環境と相まって、炭坑用水くみ他の産業用動力に、そして蒸気機関車用動力他に次々と活用され、イギリスに産業革命を起こすに到った。その後タービン方式へと性能を進化させ、電力発電機との連携により、300年後も現在エネルギー源の主軸機能の一座を守り続けている。

レシプロエンジン動力機能をめぐっては内燃機関（1807年）の発明やガスエンジン（1801年）の特許をフィリップ・ルボンが取ったが、当時は蒸気機関動力を適用した乗合自動車に押されてそれらの発明は忘れられていった。そのガスエンジンをルノワールが60年後に改良し、電気式の点火装置を備えた単気筒2ストロークガスエンジンを最初の内燃機関として開発し、エンジン動力の基本機能を創り出した。その後、4ストロークエンジン、ガソリンエンジン化の性能向上を図り、ニコラウス・オットー他が1876年現在に繋がる4ストロークエンジン機能を完成させた。さらに、カール・ベンツが4ストロークガソリンエンジンを搭載した自動車の製作と自動車特許「1～4人を運搬する荷車」の取得で一気に自動車が普及していき、ガソリンエンジン動力機能は自動車の主軸機能として10億台以上に使われると共に、新技術を適用して性能進化している。

ボルタの電池、電気と磁気の関係理論、アラゴの円板、右ねじの法則、電磁誘導の法則、キルヒホッフの法則、マクスウェルの電磁方程式、フレミングの法則など電気基本理論・法則の大半が1800年代に発見・創られた。これらの理論を組み合わせ、「固定子と電機子と整流子」の基本要素を備えた直流電動機が1830年前後に製作され商業化を始めたが、電源とした電池が高価な為、商業的には失敗した。電源の問題、原因による電動機利用展開断念の最初の歴史であり、電動機は忘れられた。40年後グラムが発電機を開発し、万博に発電機を出品した。発電機の偶然の誤接続で別の休止中の発電機が回り出して電動機になることを発見、一方で発電した電力でもう一方を電動機として駆動できることを偶然発見した。これにより「直流発電機で発電した電気エネルギーを送電し、直流電動機を駆動させる「電気動力システム機能」」が発見された。その後テスラが火花の出ないモータの発明のことばかりを考え抜いた結果、夕日の感動と共に回転磁界を着想し、「多相交流」「回転磁界」「交流送電」理論に展開し、交流発電機・電動機が開発された。この「得られる原動力を発電機で電気に変換し、それを電線で距離輸送し、好きな場所の電動機で機械動力に利用できるイノベーション機能」の創造が、第一次産業革命での蒸気機関から

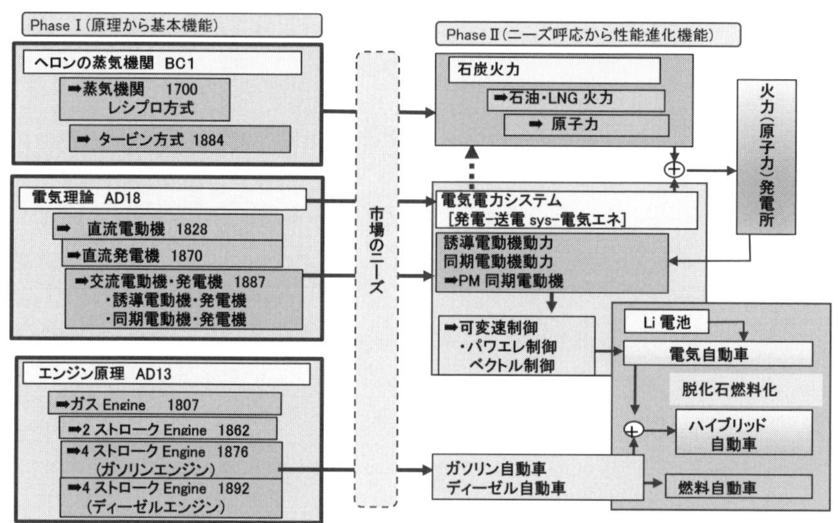

図5.1.1 基本原理・理論で創り出された機能 {蒸気機関・内燃機関・発電/電動機}

得ていた動力を電力で供給する主軸動力機能となり、第二次産業革命の世界への転換の起爆剤となった。

以上のようにノベーション機能は図5.1.1に示す、基本機能を創造するPhase Ⅰと市場ニーズに呼応して性能を進化させるPhase Ⅱとの連携により創り出されて以来、二百年近くの間使われ続けている。Phase Ⅰで基本原理・理論で創り出されるイノベーション機能は発明された地域だけの情報であったことと、それを利用する時代環境が整わず何十年以上も使われず忘れられている期間があり、利用環境変化を捉えた「その性能向上したモノやそれと連携機能のモノ」の創造で一気に市場に受け入れられるところとなった。諦めずに利用環境を監視し続けることと、考えた機能の性能向上を進める必要がある。利用者層の増加・利用分野の拡大により性能向上の要望に応えて、利用し易いしくみ(レシプロ→タービン方式)や応用機能(電動機の可変速機能)などPhase Ⅱの進化が新技術利用で進められ、さらに適用範囲が拡大している。

生態系の新しい機能が周りの環境に従い生物を進化させたように、蒸気機関、エンジン、電動機の3大動力機能は周りの使用ニーズ・技術・経済環境が整わずに適用拡大が数十年遅れ、「動力機能の生態系進化」ができなかった。すなわち、使用ニーズ・技術・経済環境などの新機能・新技術の生態系進化は不可欠である。

新しい原理・理論を見つけて新しいイノベーション機能を創り出すことが大切であるが、科学の発達した現在では新原理・新理論を発見することは難しい。しかし、生態系が何億年をかけて創った仕組みは原理・理論に近いモノもので、産業に展開されていないモノがまだたくさんあると考えられる。そのため、生態系の仕組みを含めた原理・理論の展開に目を光らせるとともに、今後の人々の願望予測に沿って、その新技術で新しい機能を創り出すため、人々の困っている・願望しているコトが何かの問題意識を考えていることが重要である。

(2) 不連続進化の新部品で創り出されるイノベーション機能

{(11) トランジスタ (1948) →エレクトロニクス ('55)・Pエレクトロニクス ('57)・μエレクトロニクス ('71)}

20世紀の大発明、トランジスタで始まった半導体素子開発がエレクトロニクス分野を革新した。すなわち、点接触型ゲルマニウム・トランジスタの発明に始まり、ショックレーの接合型トランジスタの完成、その後も技術革新が行われシリコン・トランジスタ、更にICの開発へと進んだ。このようにトランジスタ、それに続くICに関する技術開発は米国の独壇場であったが、米国では真空管の代用品としか扱われず、用途は軍需用に限られていた。そんな中、日本の若い企業が、広く誰もが買える大衆製品への展開を狙って、携帯トランジスタラジオを始めに開発し、製品の寸法・消費電力を1/10以下とした携帯型イノベーション機能、及びエレクトロニクス家電機能の創造、携帯電話、ディジタルカメラなどの幅広い分野の機能の創造を図5.1.2のように展開した。

さらに、トランジスタに始まった半導体技術は2倍/1.5年の集積率（ムーアの法則）で進歩するIC/LSI技術により素子の機能も進化の一途を辿った。そしてチューリングにより創造された世紀のイノベーション「コンピュータのしくみ」をLSIに展開し、ハードとソフトで機能分担するイノベーション部品機能「μプロセッサ（MPU）機能」を創造し、μエレクトロニクス分野を創り出した。このMPUの発明は不連続革新を起こし、アナログ文化からディジタル文化へと徐々に移行が始まり、'80年代にPCの普及が始まり、2000年に入るとインターネットとディジタル結合したIT文化へと革新されると共に、設備・機器のディジタル制御で性能向上を達成している。

トランジスタ技術はもう一方で電力エネルギーを制御する為の電力半導体へと展開され、'57年のサイリスタ素子、84年のIGBT素子に代表される電力半導体素子が開発され、パワーエレクトロニクス分野を創り出した。このパワー

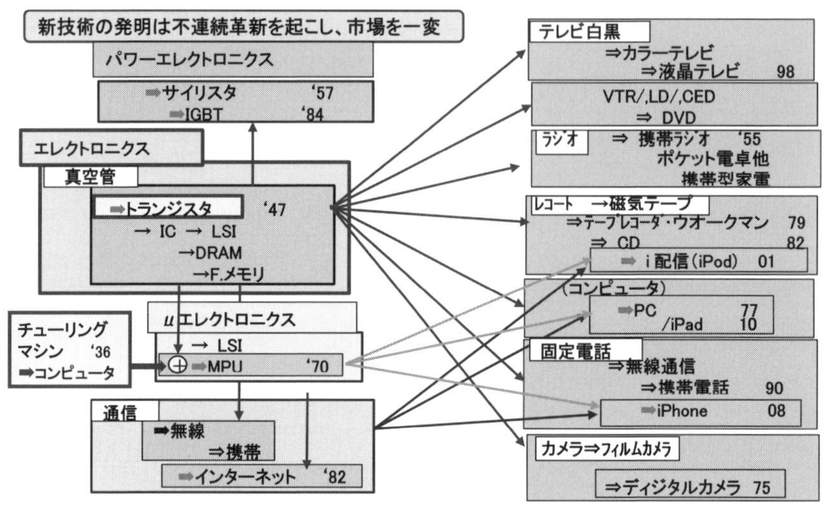

図5.1.2　新しい部品トランジスタの発明で創造・展開されるイノベーション機能

エレクトロニクス技術は、新たに電動機可変速制御機能を創り出し、産業設備・公共施設・交通移動機関他の動力駆動機能に成長している。

したがって、新しい部品の発明とその新技術に目を光らせると共に、それらが人々の願望するモノになるような展開を考えることが重要である。その技術分野と離れている分野への展開を、電力エネルギー関連分野の例のように考えることで、パワーエレクトロニクス分野への展開やμエレクトロニクス分野・通信分野展開での数々のイノベーション機能を創り出してきた。このように生活環境や人々の好みの変化を先取りした機能が今後も次々と創り出せると考える。

(3) 別目的の挑戦で創り出されるイノベーション機能

{(12) コンピュータ (1949)・(15) インターネット (1969)}

●コンピュータ

別目的の挑戦で創り出されるイノベーション機能の第一はコンピュータ機能で、数学の未解決問題への挑戦の副産物だった。数学者ヒルベルトの数学問題の解決に挑戦したチューリングは未解決問題を解くために、無制限のテープと有限状態オートマトンから成る計算モデル「チューリングマシン」を考案し、機械的なプロセスで解くことが出来ない問題があることを証明した。これが、チューリングコンピュータの仕組みの核「処理の手順（プログラム）を入れ替えることで様々な処理を行える」というイノベーション機能の創造につながった。

実態のコンピュータ機能は、第二次大戦での軍事目的に開発された電子計算機が巨大な上、新しい計算をする度に構成を組み直す不便さから、チューリングと交流のあったノイマンがプログラムを内蔵させておくコンピュータ機能を1945年に提唱した。それで、チューリングマシン創造の10年以上後の1949年に今日のノイマン型コンピュータが実用化された。

戦後の復興経済を牽引する第三次産業革命はコンピュータ登場による革命と云われ、20世紀の革命的イノベーション機能の創造であり、人々の生活に密接な気象、医療分野、産業業界、公共設備ほか、全ての分野の技術進化、操作自動化の中心機能となった。また、このイノベーション機能は1971年のマイクロプロセッサ機能の創造に影響を与えたのを始め、今日のディジタル情報技術と今後発展が期待されるAI技術の礎となっている。不連続な機能革新である「チューリングマシンのイノベーション機能」はそれを利用する時代環境が整わず十年以上も展開されなかったが、利用環境が来ると展開が爆発する。

●インターネット

別目的の挑戦で創り出されるイノベーション機能の第二はインターネット機能で、米国の四つの大学研究拠点（UCLA、UCSB、SRI、ユタ大学）の研究連絡用に1969年に開発され、80年代の終わりから90年前後、研究者間の情報交換だけは速くしようと最初から電子メールの使用を前提にしていたパケット通信ネットワーク「ARPANET」から進化した。

米国科学技術財団がARPANETとほかの学術ネットワークを相互接続するためのCSNETを開始し、TCP/IPで80年代に世界中の180以上の大学を接続した。世界中の180以上の大学で利用されるようになると、各所で、スイスのティム・バーナーズ・リー氏が「WWW」を、学生たちが画像も表示可能なプログラム「モザイク」を開発した。そのモザイクをWindows95で「インターネット・エクスプローラー」として展開したことにより、インターネットが一般市民に爆発的に拡がった。不連続な機能革新である「インターネット機能」は研究者たちだけの間で長らく利用され、その利用を支援するソフトやパソコン環境と市民の必要性を感じる時代背景が整わず30年近くも一般市民に展開されなかったが、利用環境が一定基準に到達すると共に展開は爆発していった。

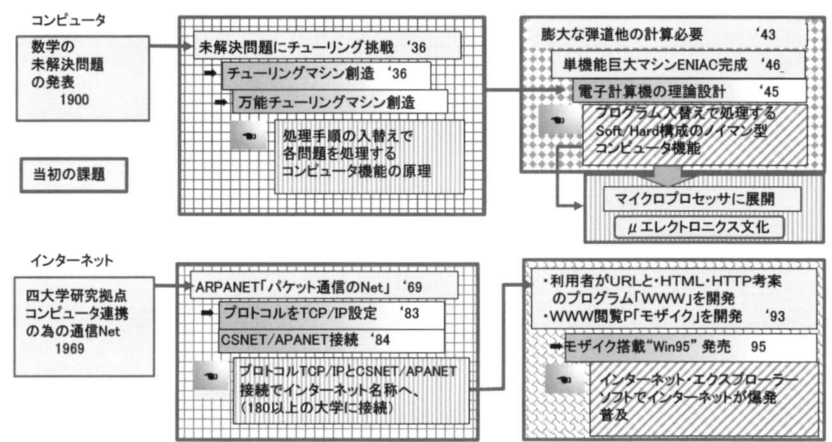

図5.1.3　別目的の挑戦で創り出された機能 {コンピュータ・インターネット}

このように、一部の専門家用の目的への挑戦で創り出されるイノベーション機能は不連続な機能革新的で、一般市民には長い期間受け入れられないモノが多いが、それを支援する周辺のソフト・開発者とそれを必要とする時代背景が整ったことで第三次産業革命や情報革命の中心機能として展開された。IT技術の中心機能であるコンピュータ機能とインターネット機能とが図5.1.3のように、偶然にも研究目的の副産物として創り出され、元祖発想者以外の多くの利用者達により改善され、人々が使いやすい機能に完成させていった。このように一般市場に展開された事例以外にも、学問や研究などの特定部門で発想された機能が市場には沢山存在するかも知れないと目を光らせ、それらが人々の願望するモノへと展開し得るかを考えることが必要と考える。

(4) 理想の発想への挑戦で創り出されたイノベーション機能

{(14) スーパーカブ (1958)・(1) トリニトロンカラー (1967)・(4) パソコン「Macintosh」(1984)}

●50ccオートバイ「スーパーカブ」

1956年当時の日本は戦後の復興最中で道路のほとんどは舗装されない砂利道・泥道の状況で、自動車も国産車トヨペット・クラウンとダットサン・セダンが前年発売された時代だった。オートバイ事情はスクーターが高額な為、自転車用補助動力のバイクモーターの需要が増えていたが、1馬力のエンジンでは自転車同様にペダルを漕いでスタート、速度が乗ったらクラッチを繋いで押し掛け的にエンジン始動、あとはスロットルで回転数を調整して最高速度は35km/hで走るのがやっとであり、さらに日本の砂利道・泥道では自由に走れなかった。本田社長は「砂利道・泥道でも乗り易く、人々が下駄を履くように気楽に乗れる」という理想のオートバイを創り出そうと発想した。

1956年の暮、本田と藤沢はオートバイ先進国ドイツの実情を視て回った。しかし、ドイツの舗装整備された道路と全く違う「砂利道、ぬかるみの悪路だらけの日本」の実情に合わせたオートバイが、日本の人々には良いはずと考えて、開発を開始した。1957年末に空冷4ストローク49ccエンジンから4.5psを発揮するスーパーカブを開発し、当時の砂利道・泥道でも乗りやすく、誰でも扱えるような物で、特に女の人が乗りたくなるようなバイクで、そば屋さんの出前持ちが片手で運転できるバイクを完成し発売した。発売当初から爆発的な人気と売れ行きを示し、月産1万5千台を超え、2017年累計販売台数は1億台を突破した。スーパーカブは発売から60年以上経った今も基本的デザインは変わらないまま世界の160カ国以上で販売され続けている。

本田と藤沢の「人々を幸せにさせたいという理想のオートバイへの想い」と、手を傷だらけにしながら、先頭に立って製品開発を実行する「本田のモノづくりに対する理念と執念」が他に類を見出せないイノベーション機能を持つスーパーカブを創り出せたと考える。

●トリニトロンカラーブラウン管

1953年にRCAで製品化されたカラーテレビ受像機はシャドーマスク方式のブラウン管の「薄暗い・ぼやけ画像」という欠点があるにも関らず、家庭内娯楽器具として全世界で展開されていた。「輝度・コントラストへの不満」を解決し「すっきりした画像」の理想のブラウン管の開発を世界中が挑戦しており、そんな中で、輝度・コントラストを高くできるクロマトロン方式が発表された。Sonyはクロマトロン方式を選び改良を重ねたが、生産性悪く会社の経営が危うくなる状態のなか、「何とか現状を打破し、挽回する手はないか」と挑戦を続けるなか、吉田は「1本の電子銃で、電子ビームを3本走らせることができるかどうか、実験してみよう」と発想し、試験で好結果を出した。シャドーマスクよりもさらに良い画質特性を持つ方式の「アパチャーグリル」に着目し、アパチャーグリルの弱点「金属縦格子の振動」を「細いピアノ線を水平方向に張って振動を止める」というアイディアで解決した。これら苦労に苦労を重ねた改良を加え、クロマトロンの欠点を解決し「高輝度・高コントラスト、かつ解像度」の「すっきりした画像」の理想の新しいトロニトロン「トリニティ

第1章 第2章 第3章 第4章 第5章 第6章

(神と子と聖霊の三位一体)とエレクトロン(電子管)の合成語」を'67年に完成した。理想の画質の追求で創り出されたトリニトロンカラーは画質の良さ、画面のフラット性で他のカラーテレビを圧倒的に引き離し、液晶TVが普及するまで世界に君臨するまでに成長した。

●パソコン「Apple GUI採用のMacintosh」

ダグラス・エンゲルバートは1961年にコンピュータのあり方を大きく変えたマウス「ディスプレイ上のカーソルを自在に操るポインティングデバイス」を考案し、さらに、ウィンドウという区画を画面上に設けることで、コンピュータの「マウスと組み合わせた直感的な操作」を可能にした。アラン・ケイは1970年にエンゲルバートを支援していたボブ・ティラーが所長に就任した「ゼロックス・パロアルト研究所」に参画した。アラン・ケイは自ら提唱する理想の「パーソナルコンピュータ」を、当時の技術としては具現化されていた暫定的ハードウェアである「Alto」と、エンドユーザーが自在にプログラミング可能で、それを全方面からサポートする機能を有するオブジェクト指向プログラミング言語「Smalltalk」を開発し、Daybookのコンセプトをデスクトップパソコンという形で実現した「Alto」を1973年作り上げた。しかし、素晴らしい発明を経営層は十分に理解できず、本業より大きなビジネスには成長しないと判断し、Altoをビジネスにしなかった。現実に絶望したアラン・ケイは研究所を去ったが、アラン・ケイたちの熱い思いで開発された「Alto」や「Smalltalk」に触れた人達が沢山おり、その中に若き日のスティーブ・ジョブズがいた。スティーブ・ジョブズは2回にわたってAltoを見学した後、アップル社はその仕組みを採用したMacintoshシステムの開発に繋げた。パーソナルコンピュータApple Ⅰ、Apple Ⅱを発売していたアップル社のスティーブ・ジョブズ はアラン・ケイたちの熱い思いで開発された「Alto」や「Smalltalk」のコンセプトを採用して、マウスでアイコンをクリックするだけで操作できる「初めてGUIを採用したパーソナルコンピュータ」を完成させた。コンピュータは難しいものという常識を覆して、アラン・ケイが描いた「誰にでも簡単に使えるパーソナルコンピュータ」という理想を「Alto」の製作から11年後の1984年に実現した。アラン・ケイの蒔いた理想の種「誰にでも簡単に使えるパーソナルコンピュータ」は、その後の伝道師たちの手によって開花され、今日のWindowsやMac OS、そのほか多くのGUI情報端末の世界を創り出した。

以上の3例のように、図5.1.4で示す理想の発想で創り出されるイノベーショ

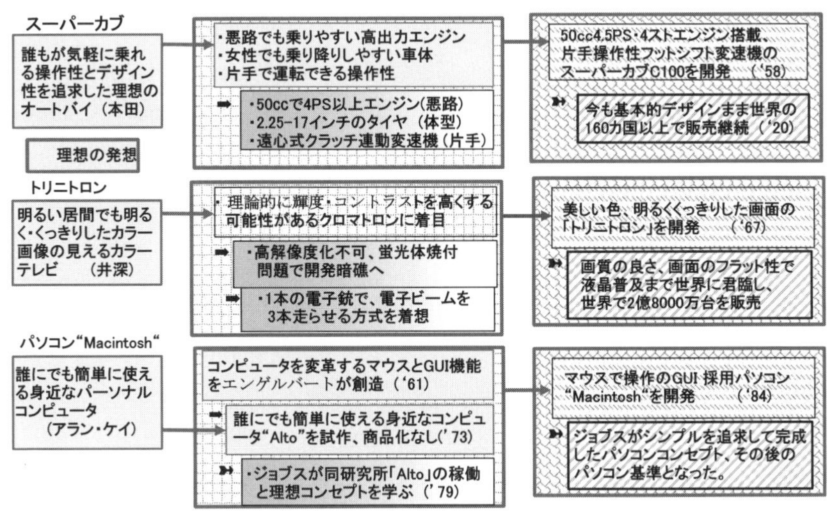

図5.1.4　理想の発想で創り出された機能｛スーパーカブ・トリニトロンカラー・パソコン｝

ン機能は、幾多の苦難を乗り越えて完成まで長い期間を費やし、挑戦達が理想の発想をめざしてイノベーション機能を実現している。やはり理想の機能は完成すると一般市民を爆発的に魅了するモノに成長するイノベーション機能となるので、理想の発想・機能に目を光らせるともに、それが人々の持ち望んでいるものと信じて、挑戦を諦めずに完成させることを考えるのが重要である。

(5) 技術の変曲点で創り出されたイノベーション機能

｛(2) マイロプロセッサ（1971）・(5) フラッシュメモリ（1980)｝

●マイロプロセッサ

1969年当時、半導体はICからLSI技術へと進み、そのLSI を使った小形の電卓を日本のシャープが開発し、他のメーカも追従計画を立てていた。‘69年、ビジコン社はプログラム制御の電卓を計画し、インテル社にそのチップセットの開発を依頼していた。ビジコンの当初案ではマクロ命令による制御で、10個前後のチップが必要というものだった。'69年設立のインテル社には複雑な論理回路を設計できる技術者の陣容や、LSI10種の開発力が乏しく、要求論理ブロック図を長い期間理解してもらえないで苦労していた。そんな中、コンピュータ研究所出身のテッド・ホフが「4ビットのCPU」というアイディア「ワード長が4ビットであることを除けば、汎用のコンピュータで採用されている構成である、すなわち、世界初のマイクロコンピュータ・チップ・セット

MCS-4の原型」を提案した。この提案は複数桁の演算処理は1桁（4ビット）の演算の反復で置き換えればよく、また外部機器の制御も、ソフトウェアによる制御に置き換えればよい、というビジコン社の目指していた機能であった。このアイディアにもとづき、ビジコン社嶋正利とインテル社フェデリコ・ファジンが中心となって、1971年世界初のマイクロプロセッサ4004を完成した。CPUに電卓に使用したマクロ命令と比較して、より低いマイクロな命令を採用したので、マイクロプロセッサと名付けられた。インテル社はその後8ビット、16ビット、32ビットへと高性能化を続け、生活・通信・情報・工業のあらゆる分野でMPUの無いエレクトロニクスの世界はあり得ないというまでにイノベーションを続けている。

専用LSIと汎用LSIというハードウェア次元における当時の対立から、「LSI」というハードウェアとそれに内蔵するソフトウェアの組み合わせ方式という発想技術の変化点で、ハードウェア「応用論理回路技術」の専門家「嶋」とソフトウェア「プログラム内蔵技術」のコンピュータ技術者「テッド・ホフ」の二人により、「ソフトウェア内蔵（プログラム内蔵）LSI」というハードウェアとソフトウェア融合部品「MPU」というイノベーション機能が創造された。すなわち、異分野技術の融合、さまざまな技術要素「アプリケーション、アルゴリズム、コンピュータ、プログラミング、論理・回路設計，半導体プロセスなど」が絡み合って新しい機能が創造された。新しい機能の創造には専門分野だけにとらわれるのではなく、さまざまな分野の知識を得ることが必要だと云える。

●フラッシュメモリ

’70年のDRAMの発明で大容量半導体メモリが実用化されたが、電源を切るとデータが消去されることから、磁気メモリのように記憶させ保存できる不揮発性半導体メモリの開発が各分野で熱望されていた。’71年に不揮発性のEPROMを開発したが、データの消去に紫外線照射を必要とすることと消去時間（20～30分）の問題で一部のプログラムメモリに使われただけだった。’80年、インテル社が電気的に書き込み、消去できる16kbit EEPROMを開発したが、コストが高価なため代替えにならなかった。

舛岡は半導体不揮発性メモリのコストが高いのは、1ビット当たり2個のトランジスタから構成され、DRAMと同じくランダムアクセス機能を持たせているからと解明し、多数のメモリビットを一括して消去することにすれば、1個のメモリトランジスタで電気的に書き込みも消去も実施できると着想した。

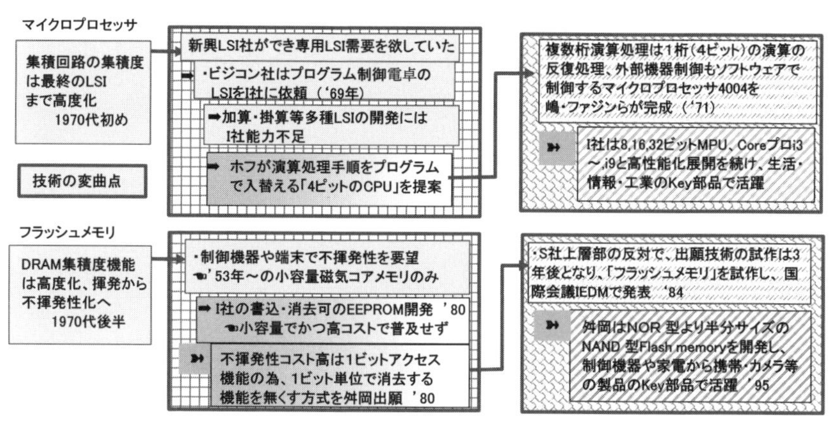

図5.1.5　技術の変曲点で創り出された機能｛マイクロプロセサ・フラッシュメモリ｝

この考えのもとに考案されたメモリ（3層多結晶シリコン消去ゲート型EEPROM）を‘80年11月に特許出願した。しかし、またしても東芝の経営陣のDRAM集中命令で製品化が遅れ、やっと84年に、国際電子デバイス学会で、電気的に一括消去できる不揮発性の256kbtメモリの動作確認成果を発表できた。そのメモリ名を「フラッシュメモリ」とし、この名称で国際的に普及させていくと共に、‘87年に従来の約半分のセルサイズのNAND型フラッシュメモリを開発した。今日のIT機器大半に適用されているが、最初の製品が立ち上がったのは、ディジタルカメラなどに使われ出した’95年と遅れた。

以上のマイクロプロセッサ機能とフラッシュメモリ機能は図5.1.5で示すように、「ハードウェア⇒ハードウエア・ソフトウエアの融合」「揮発性メモリ⇒不揮発性メモリ」の技術の変曲点で、業界の要望に応えて創り出され、2大イノベーション機能として今日のIT情報文化を発展させたと考える。すなわち、ある技術が頂点に達する「技術の変曲点」の時期には市場を変革する市場ニーズ機能が要望されていると考え、さまざまな分野の技術を総合して開発に取り込むコトが必要である。

(6) サービス機能の変曲点で創り出されたイノベーション機能

｛(3) 宅急便（1976）・(19) オンライン書店サービス（1995)｝

●宅急便

1970年代の運輸業界では「大口の荷物を一度に多く運ぶ方が合理的」が常識で、小口荷物の個人向け輸送は論外で、一般家庭向けの個人配達は郵便小包だけで、送り主が荷札付の梱包をし、郵便局へ持ち込みの上、到着日時が4～5日かかるため利用者は少数であった。そんな中、業績が危険水域に陥っていたヤマト運輸の小倉は、当時の運輸業界の常識に反し、小口の荷物をたくさん扱ったほうが利益につながると確信し「発想の転換」をした。そこで、「郵便小包」の主婦から嫌われている「制限6キロ、送る人が梱包・紐をかける、荷札を付けて郵便局へ持ち込む、到着日時は不明など」などの不便を解決すべく「今のクロネコヤマトの宅急便の接客の原点となる方針」である個人向け配送サービスを検討した。「小口個人宅配」の課題「いつ、どこの家庭から出荷されるかがわからず、どこに行くかの輸送ルートも決まっていないことで、採算が困難」を、小倉はハブ・アンド・スポークシステムを基礎とした全国規模の集配ネットワークの構築と合理化で解決しようと考えた。しかし、全国規模のネットワークの構築は膨大な時間とコストがかかった。そこでネットワークを補完する役割として、利用者に馴染みの地域商店に手数料付きで取次化をし荷受けを頼むシステムを着想した。この取次店の数が1980年代には爆発的に増加し、ネットワークを担うまでとなった。加えて、郵便小包とのサービスの差別化のために「翌日配達」を打ち出し、利用者に大きなインパクトを与え、それが口コミによる拡大に繋がっていった。

1976年に小倉は「ハブ・アンド・スポークシステム」という全国規模の集配ネットワークを築き上げ、「電話1本で集荷・1個でも家庭へ集荷・翌日配達」というイノベーション機能を創り宅配サービス「宅急便」を実現した。わずか11個の荷物から1976年にスタートしたサービスは、10年後には年間合計6億個に増加し、2021年度には48億個を超えている。

送り主（主婦）の視点から見たサービス「送る荷物だけ持ち込めば、梱包して、翌日に配達」という発想、「ハブ・アンド・スポークシステム」という全国規模の集配ネットワークを地域の商店を加えて築き上げたことが「宅急便のイノベーション機能」を創り出したと考える、

●オンライン書店サービス

ジェフ・ベゾスはウェブの利用率が年2300%成長という驚くべき統計を見て、その異常な成長の文脈を利用したビジネスプランを考えようと発想し、オンラインで販売できる20種類の商品カテゴリをリストアップし、最初に販売する最良の商品として、①本がある観点で信じられないほど特徴的なものであり、②本は他のモノに比べてはるかに種類が多く、新しいモノが発行されるので、本は最初に売るものとしてベストと考えた。「ジェフ・ベゾスのビジネス

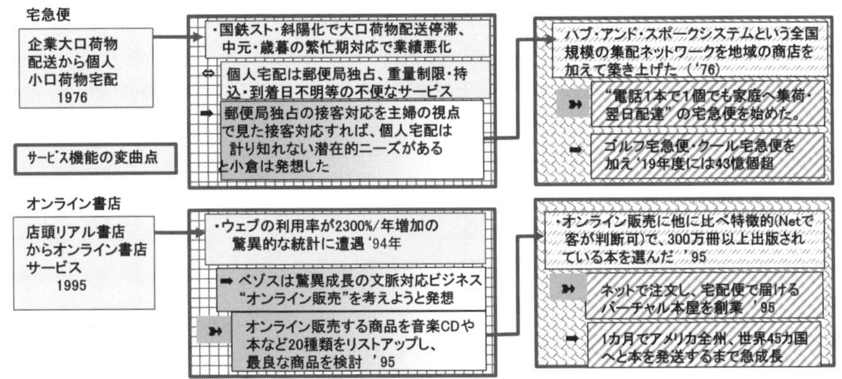

図5.1.6　サービス機能の変曲点で創り出された機能 {宅急便・オンライン書店サービス}

先見性と発想力」、と安定したサラリーマン生活を投げ打ち、未知の分野へ挑戦する「ジェフ・ベゾスのチャレンジ精神」が「インターネット利用のバーチャル本屋というイノベーション機能」を構築できた。また、「お客が何を求めているかを把握し、どうやれば提供出来るかを考え、お客に最高の満足体験を提供する」というAmazon社の次の行動方針が、本以外の物品へのインターネットでの提供である。

以上の宅急便サービスとオンライン書店サービスは図5.1.6のように、サービス機能の変曲点で電話・インターネットの通信を利用した個人に向けた新しいサービスビジネスを開拓した。全国規模の集配ネットワーク「ハブ・アンド・スポークシステム」、「電話1本で集荷・翌日配達のイノベーション機能」の宅配サービスは送り主視点で創り上げたサービスビジネスと考える。また、インターネットの異常な成長に目を付けて、「欲しい本をインターネットで発注し、宅急便で配送」のバーチャル本屋を「欲しいモノを早く届けて欲しい人々の視点」で考えて創り上げたサービスビジネスと考える。すなわち、市場で眠るサービスビジネスへの不満や願望を捉えて、これらを変革する市場ニーズ機能が要望されていると考え、古くから地域ネットワークおよび最新のインターネット他IT技術融合させ、お客目線でサービスを考えるコトが必要である。

(7) 遊びごころの発想で創り出されたイノベーション機能

{(17) ファミリーコンピュータ (1983)・(8) Iモード (1999)}

●ファミリーコンピュータ

カセット式の家庭用テレビゲーム機をつくれと社長から言われた上村は、米国で流行のキーボードを使うパソコン仕様のテレビゲーム機に対し、「娯楽イメージが湧かない」というゲーム屋の想いと「テレビにノイズが入った」という苦い経験からテレビ方式に否定的な考えだった。アーケードゲームに負けないで家庭でも「娯楽のイメージで、遊ぶ子供を楽しませる」とのゲーム機老舗の理念・想いで「ステック利用の家庭用テレビゲーム機能」を創り出した。そして、ソフトメーカにカセットを開発させる戦略で人気のカセットを次々と展開して、子供を飽きさせないテレビゲーム機能へと仕上げて、「ファミリーコンピュータ」を1983年に発売した。発売当初は伸び悩んだが、1984年に入ってから火がつき、国内だけで現在までに累計1000万台以上を出荷した。ファミコンはまさに家庭用ゲーム機の代名詞となった。

アーケードで楽しむゲーム文化から次々と楽しめるソフトを供給する戦略の家庭ゲームのイノベーションを起こしたのも「子供を自由に楽しませるゲームを創りたい」というゲーム機老舗の想いの強さと考える。

●携帯電話「iモード」

ユーザー間でのメールのやりとりだけでなく、さまざまな情報をメールに載せた配信サービスを提供できないかと考えた榎の着想と、異分野の開発スタッフの集結および外部コンサルによるPDA搭載ブラウザの利用提案を重要視し、携帯電話に搭載したことが『インターネットコンテンツまで手軽に閲覧できる「iモード機能」』を実現できたと考える。また、「パソコンは使えない」という人でも、ゲームや着信メロディ機能、ニュース配信やオンラインバンキング機能などを携帯電話によって享受できるようにした。2000年に登場したカメラ搭載携帯電話による「写メール」文化の普及で、「iモード機能」が「話す携帯電話」を「使う携帯電話」に進化させたと考える。この『イノベーション機能「iモード」』がスマートホンに進化しなかったのは、「iモード」の普及が爆発的となったため、「iモード」の進化権限が開発スタッフから経営陣に移った?からではないかと考える。

ファミリーコンピュータと携帯電話「iモード」は図5.1.7のように子供時代の遊びごころの感覚より発想されたと考えられ、ファミリーコンピュータはゲーム機老舗の「子供の遊びごころへの想い」がゲームセンターから家庭内の個人で楽しめるゲーム文化へと変革した。また、携帯電話「iモード」は榎の着想と異分野の開発スタッフの発想で、ゲームや着信メロ、ニュースなどのさまざまな情報を遊びごころ感覚で享受できるようにした。いずれも子供の遊びごころ，および大人になっても残る遊びごころを捉えたものであり、使う人達

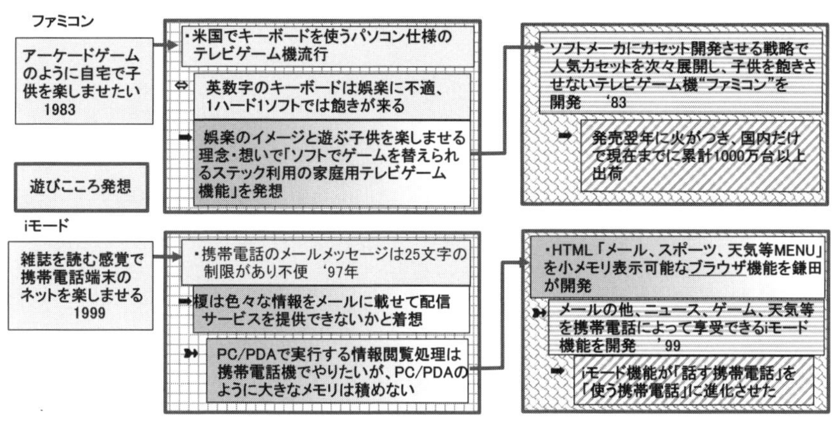

図5.1.7　遊びごころの発想で創り出された機能 {ファミリーコンピュータ・Iモード}

の子供の時から持つこころを考えることが必要と考える。

(8) 良い音楽を楽しみたいとの願望で創り出されたイノベーション機能

{(15) ウオークマン (1979)・(6) CDシステム (1982)・(20) iPod (2001)}

人々が不都合を感じるコト・困っているコトから解放されると、小鳥のさえずりを真似したことが起源の一つとされる音楽が生まれ、「楽しむ」コトへと進化したように、良い音楽を楽しみたいという願望が強まった。

●ウオークマン

「再生だけの軽いステレオテープを作ってくれ」とアイディアを出した70歳を過ぎた井深、「これはいけるぞ」と商品化に熱中した60歳に近い盛田の、二人の経営者は絶えず好奇心に満ちあふれ、若者の生活にもアンテナを張り、新しい商品提案の感性と、何よりも熱意を持ち続けていた。加えて専門家の音楽力を持つ大賀のSonyトップ3のモノ創りへの想いが、若者を魅了する「ステレオ音楽を何時でも・どこでも・歩きながらでも聴ける機能」の創造と音楽文化のイノベーションを実現した。

人々の良い音楽を聴きたいとの古くから願望に応えたい「ものづくりへの熱意に溢れた老技術者達」が創り出したが、モノ創りの発想の若さは年齢でなく、「人々を幸せにさせたいとの想いと発想の若さが持つ夢」の強さと考える。

●CDシステム

中島はその試作で初めてディジタル化された音を聞いた時の感激を忘れられず、それを実現するという情熱を持ち、音の追求が彼の生涯の夢だった。そのディジタル録音に魅了された音楽家のカラヤンからもお墨付きをもらった。そして大賀はフィリップスの見せた小さい銀色に輝くディスク（CD）に将来性を感じ取り、「レコードに代わるものはこれだ」と感じて、「フィリップスの光学方式のビデオディスク技術とソニーのディジタルオーディオ信号処理技術」の共同開発を決断して、1982年にコンパクトディスク・ディジタルオーディオシステム（CDシステム）」を完成した。

アナログの連続信号である音楽であるが、録音再生の段階での録音ノイズやレコードの摩擦・摩耗ノイズを理論的に除去し易いディジタルオーディオ信号処理技術を確信し、種々の課題を克服して、生涯の夢の音を追求した執念が新しいイノベーション機能を創造したと考える。

●iPod・iTunes Music

1998年頃から韓国・ドイツ米国からmp3プレーヤーが登場してきたが、「10曲しか取り込めない」「大きい上に、転送時間を酷く長く要する」「曲名の入力や曲選びに液晶ボタンの連射必要」などの不便さから使える代物でなかった。ジョブスはSonyに「21世紀のWalkman」を一緒に創ろうと持ちかけたが、録音メディアの要らなくなるmp3プレーヤーはやらないとするSonyと交渉決裂した。

ワールド幕張に来日したジョブスは、超小型1.8インチHDDの発見で、温めていた「1000曲の音楽をポケットに持ち運べる端末」を発想した。併せて、薄型化に最適なポリマー電池を見つけてポリマー電池の採用で胸ポケットに入るサイズの端末が可能となり、音楽産業に革命を起こせると考え、プロダクト・プランニングに入った。さらに、1000曲から聴きたい音楽をどう選ぶかの課題を、「くるくる回すだけでよい」というスクロールホイールでのアイディアで解決した。これは、ジョブスが常にイノベーションを起こす新しいモノ創りのアイデアを温めていたので、新しい部品の出現を活用した「iPod・iTunes Music」を創り出せたと考える。

以上のウオークマンとCDシステムとiPodは図5.1.8のように、人類の文化の始まり以来の「良い音楽を良い音で楽しみたい」という老若の強い願望に対し、ウオークマンは「ステレオ音楽を何時でも・どこでも・歩きながらでも聴ける」とイノベーション機能を創造した。CDシステムは録音ノイズや摩擦・摩耗の再生ノイズをディジタルオーディオ信号処理で皆無にして良い音楽を実現し、iPod・iTunes Musicは大量の音楽曲を簡単に胸ポケット収納端末に保存、容易に聞きたい曲を選んで楽しめる機能を実現した。

図5.1.8　良い音楽を楽しみたい願望で創り出された機能｛ウオークマン・CDシステム・iPod｝

T型フォードが登場するまでは、自動車が欲しいか消費者に尋ねても「いや、もっと速い馬がほしい」としか言わなかったというヘンリー・フォードの話と同じように、消費者が気づきもしなかった何かを実現するイノベーション機能の創造には革命的な発想とモノづくりが必要と考える。

(9) 環境の変曲点で創り出されたイノベーション機能

｛(7) サイクロン掃除機（1986）・(19) ハイブリッド自動車（1997）｝

●サイクロン掃除機

1980年に開発された紙パック式真空掃除機は靴を脱いで、和室に布団を引く生活や団地で普及し始めた絨毯生活など、綿ほこり中心の日本住宅環境に最適で、かつゴミを綺麗に処理できることにより瞬く間に日本で普及し、日本家電が世界に普及していった。しかし、靴を脱がないでそのまま土足で部屋に出入りする欧米の生活環境では、靴についた「土の粉状ほこり」が部屋に溜まるため、瞬く間に紙パックが目詰まりで吸引力が落ちてしまう問題で部屋を掃除する人達を悩ませていた。その不自由を実体験したダイソンは近所の製材所のサイクロン式集塵機に着目、集塵機のおがくずを吸引し続ける方式原理を調べて、数百分の1の大きさの掃除機に応用し、「微小な粉塵を大量に吸っても目詰まりしにくいサイクロン吸引機能」を創造した。ダイソンの実体験・着想と納得するまで5127回もの試作を行い、人々が困っている・不自由を感じるコトを自分が満足するまで徹底的に試作する「ダイソンのモノづくりへの執念」

がイノベーション機能を創り出したと考える。

日本での絨毯が普及する団地の広がった生活環境で最適な紙パック式の機能も、土足文化環境では問題が生じ、欧米の生活環境に適したサイクロン式機能が創り出されたように、環境に応じた機能の改訂を考えねばならない良い事例である。

●ハイブリッド自動車

人間の経済活動によって温室効果ガスが増加し、急激に気温が上昇する恐れがあると指摘され、88年には「気候変動に関する政府間パネル」(IPCC) が設置されるほど、車の環境破壊が問題となり、誕生から110年を経て脱化石燃料エンジン化が求められ、電気自動車化が第一の候補として検討が開始された。しかし、電気自動車 (EV) はエンジン車より先に現れ、1910年頃普及しはじめたが、バッテリーの問題に対し、低価格のＴ型エンジン車の前に敗れ去った。さらに、1960年代にも国家プロジェクトとして行われた「自動車電動機駆動プロジェクト」はパワートランジスタ⇒IGBT素子開発の突端となったが、バッテリーの課題が難しく、またしても未完成で終了すると云う「電気自動車化2連敗」の歴史がある。トヨタのG21プロジェクトはこれらの教訓を参考にハイブリッド車とすることに決めて、「モータ」「インバーター」「バッテリー」及び「ハイブリッド制御システム」の独自開発及び自社の強み「エンジン」「ハイブリッド化用プラネタリーギア」で駆動部を最適協調させるトヨタ・ハイブリッド・システム機能を創り出した。発売は社長指示で '97年12月に京都で開催される第3回気候変動枠組み条約締約国会議 (COP3) に合わせた時期にハイブリッド車「プリウス」が発売された。

ハイブリッド車は2連敗したバッテリー問題「一充電での短い走行距離」が改善されるまでの回避も含めて決断した「ハイブリッド化」は20年以上も早期に環境対策に貢献したと考える。

以上のようのサイクロン掃除機とハイブリッド自動車は図5.1.9のように、生活環境や地球環境の変曲点で新しいイノベーション機能が創る出された事例である。サイクロン掃除機は日本の生活環境に対応して開発された紙パック式掃除機が土足のまま部屋に出入りする欧米の生活環境では粉状の土ほこりで目詰まりするため、欧米生活環境に対応したサイクロン式掃除機が創り出された。ハイブリッド自動車は待つことのできない地球環境の破壊対応の為、過去の失敗事例を反省した電気自動車「ハイブリッド機能」を創り出した。

すなわち、生態系が環境の変化に対応して新しい機能を創り出して進化して

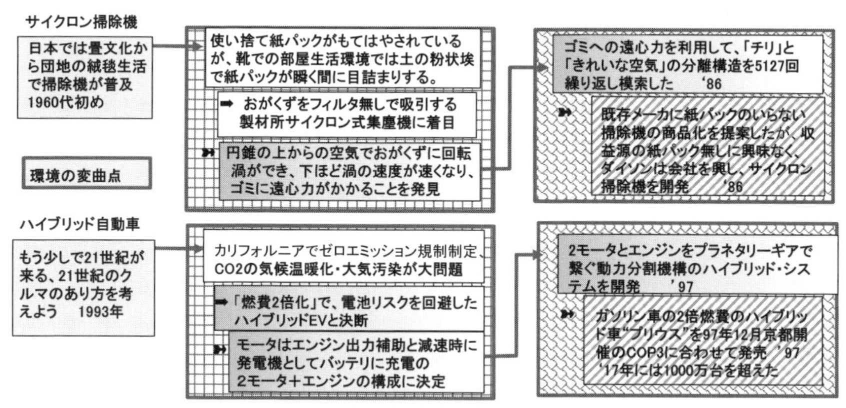

図5.1.9　環境の変曲点で創り出された機能 {サイクロン掃除機・ハイブリッド自動車}

きたように、環境の変曲点では、環境に対応が不可欠なので、新しいイノベーション機能が創り出されるチャンスであると考える。

(10) 生態系の仕組みで創り出されたイノベーション機能

{(9) IPS細胞 (2006)}

山中は米国研究所で、『肝臓でたんぱく「APOBEC1」を多く作れたら健康になれる』という仮説をマウス利用の検証実験をした結果、仮設に反APOBEC1遺伝子が、がん遺伝子という発見に偶然遭遇した。また、ショウジョウバエの触角のところにたった一つの遺伝子「アンテナペディア遺伝子」を働かせると、本来触覚が生えるはずの部分に足が発生すると云う事実や哺乳類の皮膚細胞が一つの遺伝子によって骨格筋細胞に変わるという生態系の「遺伝子の異常な動き」の仕組みに着目し、非常に大事な遺伝子を見つければ、1個あるいは数個の遺伝子が細胞の運命を変えられると図5.1.10のように考えた。

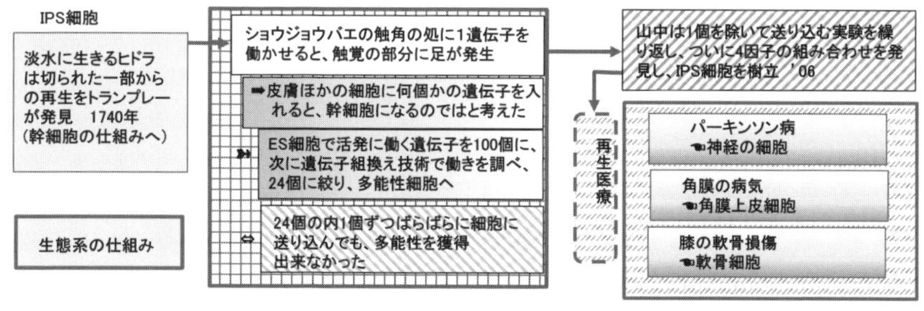

図5.1.10　生態系の仕組みで創り出された機能 {IPS細胞}

それで、山中はES細胞以外の体細胞（皮膚細胞）に何個か遺伝子をいれると、ES細胞のような「多能性幹細胞」が創れるのではないかと、2万の遺伝子から選別した実験を繰り返し、人口多能性幹細胞（IPS細胞）を創り出し、iPS細胞による網膜再生医療実用化を始め、IPS細胞を使った各種病気の再生医療の研究が各所で進んでいる。これは治療薬の早期開発に展開されて、医療の現場に革命を起こしたものと考えられる。

現在救うことのできない患者を早く治したいとの強い想いと、医療に最も近い細胞が進化の為に創り出した仕組みの智慧を利用することで、新しい機能「iPS細胞」を創り出したと考える。ここでも生態系の創り出したイノベーション機能の智慧を検討することが有効と考える。

(11)　夢の端末への挑戦で創り出されたイノベーション機能

{(10)「iPhone」(2007)}

GUIの父「ダグ・エンゲルバート」に指導され、マウスでディスプレイ上を操作し『誰にでも簡単に使えるパーソナルコンピュータ（PC）「Alto」』を最初に試作したアラン・ケイはPCの未来像として「だれもが携帯できる情報端末」を発想していた。その考えに触れていたジョブスは‘84年の取材に対し、あたかも箱のなかに小さな人間が入っているかのように、あなたが望むことを察してくれる『携行可能の「代理人」として機能するコンピュータの出現』を予想していた。

マイクロソフトの構想「タブレット端末とスタイラスでノートパソコンを変革する」を聞いたジョブスは、「我々は10個ものスタイラスを持って生まれたじゃないか！」と指でタッチ操作すべきと考え、新しい入力システムを作ろうと考えている中、使いやすいUIを求めて様々な試行錯誤の末、マルチタッチ技術に遭遇する。ジョブスの「画面への入力にはスタイラスではなく指を使うタッチスクリーン技術」の利用を着想し、「利用可能な世界中の発明・新技術」への探求心、加えて、Top自ら現場で妥協しないで「想いのモノ」を徹底追及する「モノづくりの心」によりiPhoneイノベーション機能が創られたと考える。

ジョブズが開発着手の20年前に述べた「夢」であるiPhoneの本質は、電話機ではなく、『電話もできる「あなたが望むことを察してくれる」小型の汎用コンピュータ』で、「MPUがコアでOSが載り、様々なアプリが走る」であったが、2001年当時の技術ロードマップでは、iPhoneのようなポケットサイズ

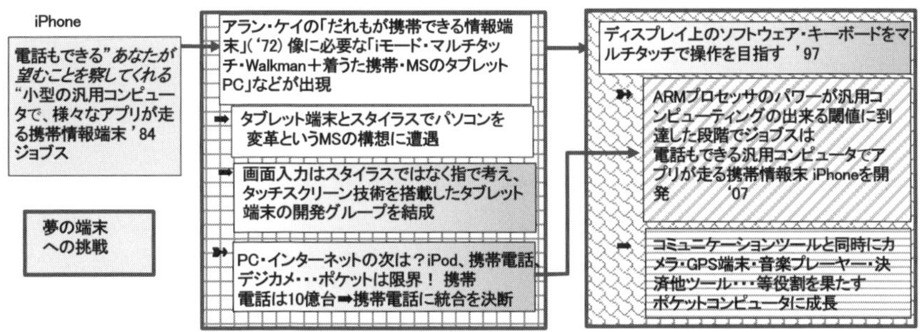

図5.1.11　夢の端末への挑戦で創り出された機能 {iPhone}

の汎用コンピュータは実現不可能だったが、用途を絞ってパーツの性能を引き出し、携行可能の「代理人」コンピュータが実現できた。

1970年に初めてのPCを試作し、図5.1.11のように「だれもが携帯できる情報端末」というアラン・ケイの夢、そして、‘84年に語った『あたかも箱のなかに小さな人間が入っているかのように、あなたが望むことを察してくれる携行可能の「代理人」として機能するコンピュータ』というジョブスの夢を、技術の進化をみて開発し、性能未達なモノでも用途に絞って性能を引き出す挑戦と「想いのモノを追及するモノづくりの心」で、初めの発想より35年後に実現したと考える。すなわち、その時代で実現でなかった夢や発想は科学の進歩により、10年後あるいは数十年後に実現可能となることがあるので、欲しいと思われる実現してない着想に、創り出された新技術の導入で挑戦することが大切と考える。

まとめ

先人達が産業を発展させる中で創り出したイノベーション機能の内、24項目の事例について、基本原理・理論や不連続進化の新部品などの観点・要因でそれらのイノベーション機能がいかに創り出されたかを考察し、新しいイノベーション機能を創り出すには何が必要かを述べた。

基本原理・理論から産まれた「動力のノベーション基本機能」は人々の要望と市場環境に添って改良が続けられて、新しい機能をも生み出して300年もの長い期間、動力機能のTopランナーとして走り続けているので、新技術による新機能の創造が重要である。

20世紀の大発明のトランジスタは不連続進化の発想・部品が起爆剤となって新しい分野「エレクトロニクス、μ・パワーエレクトロニクス」で従来分野製品を破壊して､人々を豊かな生活環境を創り出している。不連続進化の発想･素材をいち早く見つけ出し人々の願望に添った新機能の創造が重要である。

コンピュータ機能の原点となったチューリングマシンとインターネット機能に成長したARPANETは数学研究の加速という課題への挑戦から原点となる発想・理論が生まれた。多数の利用者たちによる使い易さの改善「GUI・WWW｣、新技術「半導体・TCP/IP」による性能向上により、IT技術の中心イノベーション機能へと成長させることができる。

「砂利道・泥道でも乗り易く、人々が下駄を履くように気楽に乗れる」という本田の理想、「輝度・コントラストへの不満」を解決し「すっきりした画像」という井深の理想､「Smalltalkを GUIベースOSでパーソナルコンピュータ動作させるアラン・ケイの理想などの発想に挑戦してきた。理想の実現には幾多の苦難を乗り越えて完成までに長い期間が必要であるが、創り出されたイノベーション機能は生活を豊かに・便利にして長い間人々を魅了する。

半導体の発明以来、集積度はICからLSIへと進んだが、多様化する人々の要望する機能に対応するにはハード回路が膨大となるため、市場は技術の変曲点に差し掛かっていた。そんな時代背景の中、たまたまプログラム制御電卓用LSIを開発することになった元コンピュータ技術者が、コンピュータのしくみ「ハード回路+プログラム処理」を発想し、μプロセッサ機能が創造された。また、揮発メモリDRAMは微細化技術で大容量化が進み、大容量化に従いDRAM量産も頭打ちになりつつあり、新しい量産LSIの模索と制御技術者の間で熱望されていたコンパクト不揮発メモリのニーズの芽生えを感じていた技術者がフラッシュメモリを開発した。ある技術が頂点に達したとき市場を変革する市場ニーズ機能が要望されてくる、すなわち市場が「技術の変曲点」を要望している、それを感じ取った技術者が新しいイノベーション機能を創り出したと考える。

「電話1本で集荷・翌日配達のイノベーション機能」という送り主視点での宅配サービス、及び､「欲しい本をインターネットで発注し、宅急便で配送」のバーチャル本屋サービスは「欲しいモノを早く届けて欲しいという視点」という人々の要望を捉えて、サービス市場をイノベーションした。人々に眠っているサービス・ビジネスへの不満や願望を捉えて、古くからの地域ネットワークおよび最新のインターネット他IT技術を融合させて、サービス市場をイノベーションしたと考える。

ファミリーコンピュータと携帯電話「iモード」は子供時代の遊びごころの

感覚より発想されたと考える。ファミコンは老舗の「子供の遊びごころへの想い」がゲームセンターから家庭内の個人で楽しめるゲーム文化へと変革させたものである。携帯電話「iモード」は榎の着想と異分野開発スタッフの発想で、ゲームや着メロ、ニュースなどのさまざまな情報を遊びごころ感覚で携帯電話機によって享受できるようにした。いずれも子供の遊びごころ，および大人になっても残る遊びごころを捉えるという、使う人達の子供の時から持つこころを考えることが必要と考える。

ウォークマンとCDシステムとiPodは人類の文化の始まり以来の「良い音楽を良い音で楽しみたい」という老若の強い願望を、ウォークマンは「ステレオ音楽を何時でも・どこでも・歩きながらでも聴ける」という機能を創造した。CDシステムは録音ノイズや摩擦・摩耗の再生ノイズをディジタルオーディオ信号処理で皆無にして良い音楽の再生を実現し、iPod・iTunes Musicは大量の音楽曲を胸ポケット収納端末で聞きたい曲を選んで楽しめる機能を実現した。人類の最初の娯楽である良い音楽をより良い音質で楽しみたいという願望はこれからも続く改革の課題であり、新しい技術でのイノベーション機能の創造が期待できると考える。

サイクロン掃除機とハイブリッド自動車は生活環境や地球環境の変曲点で新しいイノベーション機能が創り出された。サイクロン掃除機は生活環境に対応した掃除機が創り出され、ハイブリッド自動車は待つことのできない地球環境維持の為、過去の失敗を繰り返さない「ハイブリッド機能」を創り出した。すなわち、生態系が環境の変化に対応して新しい機能を創り出して進化してきたように、環境への対応が不可欠なので、環境の変曲点では新しいイノベーション機能が創り出されるチャンスと考えて検討することが大切である。

触覚が生えるはずの部分に足が発生する遺伝子実験の成果や哺乳類の皮膚細胞が一つの遺伝子によって骨格筋細胞に変わると生態系の仕組みの発見により、大事な遺伝子を見つければ、その遺伝子から「多能性幹細胞」が創れるのではないかと考えた。現在救うことのできない患者を早く治したいとの強い想いと、医療に最も近い細胞が進化の為に創り出した仕組みの智慧を利用することで、新しい機能「iPS細胞」を創り出したと考える。すなわち、生態系の創り出したイノベーション機能の智慧を検討することが益々重要になる。

アラン・ケイの夢「だれもが携帯できる情報端末」、ジョブスの夢『あたかも箱のなかに小さな人間が入っているかのように、あなたが望むことを察してくれる携行可能の「代理人」として機能するコンピュータ』という端末への挑戦の時代が来たのは、「MPU・タッチスクリーン」などの技術が進化してきた35年後のジョブスが癌に侵されてからだった。ジョブスは性能未達なモノでも用途に絞って性能を引き出す挑戦と「想いのモノを追及するモノづくりの心」で夢の端末「iPhone」を実現した。すなわち、その時代で実現でなかった夢や発想は生態系が新機能を長年かけて実現したように、新機能の生態系的進化や科学の進歩により、10年後あるいは数十年後に実現可能となることがあるので、欲しいと思われる実現してない着想に、創り出された新技術の導入を以って挑戦することが大切である。

IT技術の発達した現在においても、人々を魅了している「動力機能」「スーパーヒットした製品（モノ）」のイノベーション機能の創造は、人のアナログ的発想の機能創造が中心であり、過去の発案や機能の整理にディジタル技術利用が効果的であると考える。

5.2節　生態系に学ぶイノベーション機能の創造

生命の誕生は、近年の分子生物学で、無機物からの合成説に基づく「酸素の無い環境での実験」により有機物合成に成功していることより、ドロドロの高温・数十気圧の地球環境にある無機物の合成で有機物が創られ、それら高分子有機物の組合せで生命体が誕生したと考えられている。

生態系は無機物（H_20、CO_2、CO，N_2）と高温・無酸素環境条件で有機物および高分子有機物を合成する「有機物合成イノベーション機能」及び高分子有機物（タンパク質、糖類、核酸）の組合せと高温・無酸素の環境条件での生命を誕生させる「生命というイノベーション機能」という永遠の神秘機能を創造して来た。

生命体の誕生後、現存生物に繋がるDNA・細胞質・膜を持った原核生物に約2億年の期間をかけて細胞生物は進化し、厳しい地球環境であるメタンで生存・増殖する機能を創り出した古細菌や真正細菌に進化した。さらに、光合成細菌が太陽光エネルギーを利用して、地球環境と生物環境を激変させる酸素生成機能を創り出した。その後も真核細胞生物での「共生する機能」、多細胞生物での「必要機能を専用細胞群に分担機能させて、各器官をネットワークで連携するしくみ」、有性生殖生物での生物の多様性を一気に拡大する「減数分裂の卵子と精子との受精しくみ」などを創造して来た。その進化過程で生命そのものである「一つ一つの細胞自身」も遺伝子複製機能や生存に必要なエネルギーの生成機能など、想像を絶するほどの数多くのイノベーション機能を創り出してきた。

有性生殖の多細胞生物へ進化した機能により、生物の多様性を大きく拡大させ、現代のヒト他の哺乳動物や被子植物の種族を爆発的に発展させた、その進化過程で、動植物は環境に順応し連続的な進化を続ける為に、利用できる化学反応を含めた手法を駆使して、持続的イノベーション機能を次々と創り出してきた。また、度々発生するコピーミスで生じた突然変異を種族繁栄のために有効に活用して、従来生物を追いやる破壊的イノベーション機能も創り出して来た。

本節ではこのように生態系が38億年かけて、自身の生存や種の発展の為に創り出してきた数々のイノベーション機能の現代社会への展開の具体例について考察する。

5.2.1 「細胞生物」の創造したイノベーション機能の展開の考察

(1) 原核生物への進化で創造されたイノベーション機能・・持続的進化1

(1A) 進化過程で創造されたイノベーション機能

無機物「H_20、CO_2、CO, N_2」と高温・無酸素環境条件での有機物および高分子有機物を合成する「有機物合成イノベーション機能」

現代社会での展開考察

＊近年の分子生物学での生命誕生論に基づく「酸素の無い環境での実験」により「無機物からの有機物合成」に成功している。増え続ける人口増大に対し、温暖化での気象異常による農作物不作で食料危機が予測されている。そこで、生態系が創り出した（1A）「有機物の合成機能」と後述（6D）の「アミノ酸の組合せでタンパク質を合成するセントラルドグマのイノベーション機能」とにより、「農作物の数十倍濃縮といわれるタンパク質の増産」展開が考えられる。

(1B) 進化過程で創造されたイノベーション機能

＊高分子有機物「タンパク質、糖類、核酸」の組合せと環境条件での生命体誕生進化による「生命というイノベーション機能」

現代社会での展開考察

＊高分子有機物から「生命というイノベーション機能」を創造するのに必要な「高分子有機物の組合せと環境条件」の理論的解明が出来ていないので現在

の展開はできないが、この機能の理論的な解明がなされ、再生医療や治療の分野に展開されることを期待したい。

(2)「光合成生成細菌への進化で創造されたイノベーション機能・・・破壊的進化1

(2A) 進化過程で創造されたイノベーション機能

「太陽光」をエネルギー利用し「水と炭酸ガス」を食料に「酸素を排出するというイノベーション機能」・・・猛毒酸素環境に激変させた為、それまでの細菌世界を破壊した。地球環境の酸素ガス化が生物の運動能力を20倍に進化させるイノベーション機能が『生態系の現在の動植物の細胞の基幹となる大型生物「真核生物」』へ大発展するきっかけを作った。

現代社会での展開考察

1) 生態系の創造したイノベーション機能「明反応」のしくみを人工光合成として発展させ、植物の葉緑体を触媒とした明反応「光合成」のしくみを応用して、触媒の効率0.2 ~ 0.3%程度に対し、光触媒を用いた人工光合成を本多・藤嶋博士が1969年に発見した。

①1969年紫外光（全体の3%）吸収の酸化チタン触媒法「本多・藤嶋効果」を発見（効率0.1%）

②2000年代に可視光吸収の「Cu（In_{1-x}、Ga_x）Se_2をベース他の光触媒」を開発し、'15年04月にNEDOとARPChemは効率2%達成、18年8月変換効率12.5%を達成している（図4.1.3）。

植物の「光合成（効率0.2～0.3%程度）」を人工的に再現➻➻人工光合成
- 紫外光(全体の3%)吸収の酸化チタン触媒法「本多・藤嶋効果」の発見(1969年)（効率0.1%）
- 可視光吸収の「Cu（In_{1-x}、Ga_x）Se_2をベース他の光触媒」を開発（2000年代）
- NEDOとARPChemは '15年04月効率2%達成➻18年8月変換効率12.5%を達成⇔急激に進化中

2) 図5.2のように光触媒を使った明反応による「水を分解しH_2とO_2を生成」に加え、合成触媒を使った暗反応での「H_2とCO_2より原材料オレヒンを合成」する人口光合成が開発され､特に生成される「H_2」は環境に優しい新エネルギーとして大きな発展が期待される。

このように、破壊的進化機能はそれまでの世界を破壊し、創られた当初はぶち壊し機能と非難されるが、従来を変革する世界をつくり、そのイノベーション機能が生物（人々も含む）に好まれ、生物を大きく発展させてきた。この考えは現代にも通じていると考える。

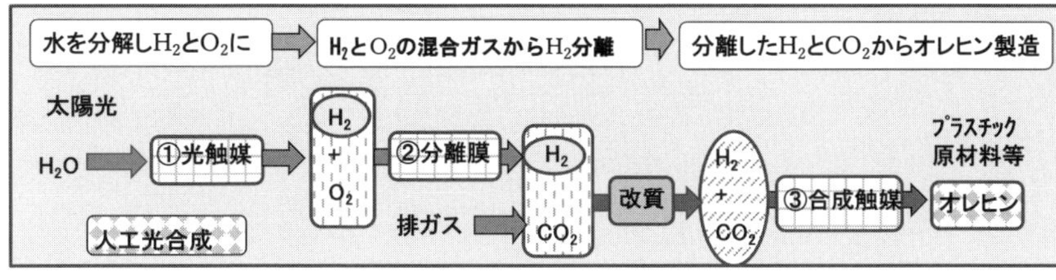

図5.2. H_2とCO_2より原材料オレヒン合成の人口光合成

(3) 真核生物への進化で創造されたイノベーション機能・・・持続的進化2

(3A) 進化過程で創造されたイノベーション機能

「集合による力の結集」「補完する仲間との共生」と云う「集合と共生のしくみのイノベーション機能」を創造した。

現代社会での展開考察

①生態系が創り出した「集合による力の結集・仲間との共生のしくみ」イノベーション機能を、モノ創りで「他部門の智慧を結集して、人々を幸せにする製品を開発するしくみ」に展開して、μプロセッサ、ドコモimode、iPhoneのように世界でスーパーヒットするイノベーション機能を創造している。また、モノづくりは品質向上とコストダウンとの目的の共生無くしては成り立たない。

②経済活動において、集合による力の結集、補完する仲間・競争者との共生は研究開発分野における共同研究（補間研究者達による研究）など多くに活かされている。

生態系が創り出した「仲間との共生と融合」のしくみは、現代社会のあらゆる分野（モノ創り、経営、集団生活・スポーツ…）で不可欠なバイブルとして遺伝継承されていると考える。

(3B) 進化過程で創造されたイノベーション機能

細胞の中に他の生物を取り込み自分の細胞器官とする「エンドサイトーシス機能」、及び仲間の細胞にホルモンを放出する「エキソサイトーシス機能」など細胞同志で融合するイノベーション機能を創造した。

現代社会での展開考察

③モノ創りの分野において、他の生物（物質）を取り込み、自身と融合するエンドサイトーシス機能は錆びない硬い金属「ステンレス合金」に代表される合金技術や人工光合成を成功させた光触媒「酸化チタンやCu（In_{1-x}、Ga_x）

Se_2」の半導体技術など材料分野で多数実用に展開されている。

④設備システム分野において、仲間の細胞にホルモンを放出して連絡する「エキソサイトーシス機能」はモノ（設備など）を構成するモジュールが周囲状態の変化を察知して他のモジュールに信号を送り、モノが周囲状態の変化に応じた処理（設備故障などに対応する処理）を自動的に行うシステムへの展開などが考えられる。

⑤経済活動においては、生物（物質）を取り込み自身と融合するエンドサイトーシス機能は特徴ある部門を自社に取り込み融合させる「M＆A」機能ほか多数に展開されている。

(4) 多細胞生物への進化で創造されたイノベーション機能・・・持続的進化3

(4A) 進化過程で創造されたイノベーション機能

多細胞生物に進化し、初期の小腸（原型）だけの動物でも生存するための課題を解決する能力「モノを検知・判断」⇒「関係部署に伝達・指示」⇒「目的の仕事を関係部署と連携」するという「必要な機能を各細胞と分担実行するイノベーション機能」の知性システムを創造した。

現代社会での展開考察

①生態系の創り上げた「生存目的のために必要な機能を各細胞と分担実行するイノベーションのしくみ」を参考にしたように展開した「開発プロジェクト」「新しい発想でのモノ創りでの発想リーダの基に、発想のモノ創り実現のために必要な種々の専門技術を持つ技術者を集め、サブリーダーに進行判断・指示をさせる」ことで目的の製品開発を成功させている。

②経済活動においては、設計・製造のモノづくり部門、製品を商売する営業部門、業績を管理する財務部門、会社経営をする経営部門の各部門に専門家を集めて運用させる企業経営に生態系の創り出した「関係部署と連携のしくみ機能」が展開されている。

③生態系が実行している「モノ（部品・半製品モジュールなど）の状態を検知・判断⇒判断結果に応じ関係部署に伝達・指示⇒目的の仕事を関係部署と機能分担・連携を実行する知性システム」をIOTのモノづくり現場に展開することで、不良を無くすモノづくりを実現できる。また、開発プロジェクトに忠実に展開することで、後戻りのない製品開発ができるなどいろんな展開が考えられる。

(4B) 進化過程で創造されたイノベーション機能

「モノを検知・判断」して「関係部署に伝達・指示」する「検知・伝達・連携ネットワークシステム化イノベーション機能」を創造した。

現代社会での展開考察

④モノづくりの分野において、オートメーションシステムでの重要ポイントである「前工程への検知・判断、次工程・中央への伝達、工程間の連携動作指示」などの機器・設備間での検知・伝達・連携ネットワークシステムに展開されている。今後、生態系の持つ「神経ネットワーク機能」と「情報伝達物質による臓器間ネットワーク機能」を合わせた機能、すなわち、造るモノを検知・判断して関係部署に伝達・指示する「小脳機能」「最適な加工法指示」のシステムに展開出来ると考える。

⑤経済活動においては、企業の本社及び分散職場間の情報ネットワークに生態系の伝達・連携のしくみに展開されている。今後、企業・市場の状況を検知し最適な方向づけをする「小脳機能」にまで進化させる展開が考えられる。

(4C) 進化過程で創造されたイノベーション機能

生態系は生存に必須機能、増殖・行動に必須機能、集合体連携に必須機能、集合体保持に必須機能などの集合体としての必要不可欠機能を分担させる専用細胞群（器官）を必要機能実現に適した手段で創り出し、各器官を神経や情報伝達物質のネットワークで連携するイノベーションシステム（しくみ）を完成まで数億年以上の期間をかけて創造した。

現代社会での展開考察

⑥モノ創りの分野において、生態系の創造した「必要機能を分担させる専用器官を必要機能実現に適した手段で創り出し、各器官をネットワークで連携するようにした多細胞生物への進化のしくみ」は新しい製品のモノ創りに必要な課題を整理して各課題を解決する部隊を決めて、部隊間を連携させてモノ創りする「開発プロジェクトの組織と実行システム」に展開することにより短期間の開発ができると考える。

(5)「有性生殖の多細胞生物への進化で創造されたイノベーション機能・・・破壊的進化2

(5A) 進化過程で創造されたイノベーション機能

有性生殖のしくみで「遺伝子エラーでの突然変異の機会を利用して、環境変化に素早く対応して進化する機能」を創造し、有性生殖の仕組みの染色体の組合せで多様な生物に次々と進化させ、従来の生物世界を破壊し、カンブリア爆発と云われる「短期間で数万種もの新生物爆発」で新しい生物世界に変貌した。

現代社会での展開考察

①モノ創りの分野において

イ）発明や発見で新技術・新素子が産まれる。この「新しいモノの先見性」に目を付けて、市場環境を一変させるモノ創りに「生態系が創造した新しいモノの出現を機会に素早く対応して進化させる機能」を利用して、Sonyのトランジスタラジオのようなヒット製品を市場に展開した。

ロ）地球環境や市場の「変化の新しい芽」を掴まえ、変化に適応するモノ創りを素早く先取りして展開することで、インターネットのような市場を制するヒット製品を展開している。

＊いずれも突然出現した「新しいモノの先見性」「変化の新しい芽」に如何に早く着目し活用していくかが「生態系で勝ち抜く原則」のように市場での成功の秘訣である。

時々、発明・発見で新技術・新素子が産まれる、この「新しいモノの先見性」に目を付けて、市場環境を一変させる「トランジスタラジオのようなモノ創り」に展開したり、地球環境や市場の「変化の新しい芽」を掴まえ、変化に適応するモノ創りに素早く先取りして展開することで、インターネットのような市場を制するモノ創りに展開している。

②経済活動において

市場・環境の「動向の変化（例：デジタル写真）」にいち早く気づき、他社に先行した施策をする企業は繁栄し、「環境変化に素早く対応して進化する機能」に反して、従来の環境・施策に噛り付く企業（例：フィルム写真のコダック）は瞬く間に衰退・絶滅していく。

(6) 生命の素「細胞」の進化で創造されたイノベーション機能…持続的進化4

(6A) 進化過程で創造されたイノベーション機能

DNAのA・T・G・C四文字で書いた情報の直列配列で、60億文もの膨大な生存・遺伝・生命情報を正確に保存・伝達する「4桁ディジタル情報システムのイノベーション機能」を創造した。

現代社会での展開考察

①モノ創りの分野において、人類は20世紀になって「0・1」2桁ディジタル情報システムを創り出し、ディジタル情報技術を屈指したIT社会に発展している。生態系が創り出した「4桁ディジタル情報システム」の4桁A・T・G・

Cのヌクレナド塩基の「用途対応の組合せを選択する20種のアミノ酸とその20種の組合せによる2段階による10万種のタンパク質の選択」の「2段階選択するしくみ」は、例えば、2～多段階パスワード設定方式などに展開できる有効なしくみと考える。

(6B) 進化過程で創造されたイノベーション機能

分子構造の直接的な帰結「一対の塩基の間の分子間引力「AとT、GとC」」を利用して二本鎖を母・父遺伝子の一本鎖にほどき、各々を上流より「自分自身を極めて正確に複製するイノベーション機能」を創造して、DNA分子が持っている60億文情報の複製を実現し、20億年以上に渡って遺伝子の中核的な生命情報を保存・伝達している。

現代社会での展開考察

②モノ創りの分野において、二本鎖DNAの持つ60億文の情報を、まず遺伝として受け継ぎ、別の一本鎖に分け、分離DNAの30億文の情報A・T・G・Cのヌクレナド塩基一文字毎に、塩基対の分子間引力を利用して、DNAポリメラーゼで転写して複製する機能、及び複製前後の準備・確認をする正確性追求機能など、利用できる手法を総動員、特に塩基対「AとT、GとC」の分子間引力を利用する化学原理（引き合う原理は陽子電子もある）の確実複製のしくみは、今後各分野に展開できる。引き合う物理現象は事例の化学原理のほかに、陽子と電子との物理原理など多数あるので、それらを利用して、エラーのない製品生産や複製の展開が考えられる。

(6C) 進化過程で創造されたイノベーション機能

細胞は自分の為に必要な情報を2万2千個の全遺伝子情報から特定部分だけを選択「オン」させて、目的の器官に成長できる幹細胞や生存のために必要なタンパク質をつくるイノベーシ機能を創造している。

現代社会での展開考察

最初にこの2万2千個の遺伝情報の一つ一つは生物が生きるために不可欠な情報として創り出されたはずである。例えば癌遺伝子とも呼ばれるSrcは一方で細胞の増殖と受精に不可欠な働きをする遺伝子のように、その目的や作用の研究を深めることで、我々が必要とする医療や産業に展開できるイノベーション機能を発見できると考える。

③モノ創りの分野において、2万個を超える遺伝子情報から特定部分の数千個を選び「オン」させて、自分の為に必要な幹細胞・心筋・皮膚などの情報を作り出し、目的の器官などに成長させる「生態系が創り出したしくみ」は

IOTモノづくりのしくみへの展開のほかに、機能を組合せて創り出される新製品の開発に展開できると考える。すなわち、人々を魅了する新製品は人々の欲する機能の数々を持つと共に、時代を先取りするイノベーション機能を有している。そこで、その分野で必要とされてきた数々の機能情報、時代を先取りする数々の機能情報、及び他分野で先行する新機能情報などの機能情報から特定機能をAI利用の選択組合せでモノ創りへの展開が考えられる。

(6D) 進化過程で創造されたイノベーション機能

生存・成長・活動に必要なタンパク質をDNAの塩基配列情報を使って合成する、すなわちDNAの塩基配列情報をmRNAに転写して、そのmRNAの塩基配列情報の内の「3個1組の塩基情報（コドン）」で次々と指定してアミノ酸を合成し、合成した多数のアミノ酸より細胞が必要とするタンパク質を合成するセントラルドグマのイノベーション機能（代謝同化機能）を創り出した。

現代社会での展開考察

④モノ創りの分野において、DNAのGTACT・・塩基情報を組合せて、20種類のアミノ酸の中から目的のタンパク質に必要なアミノ酸を次々と運んで、10万種のタンパク質を合成する機能は今後タンパク質応用分野に展開できると考える。すなわち、(1A) で述べたように、増え続ける人口に対し、温暖化での気象異常による農作物不作で食料危機が予測されているなか、生態系が創り出した (1A)「有機物の合成機能」と (6D) の「アミノ酸の組合せでタンパク質を合成するセントラルドグマのイノベーション機能」とにより、「農作物の数十倍濃縮といわれるタンパク質の増産」展開が考えられる。

(6E) 進化過程で創造されたイノベーション機能

細胞呼吸は細胞質内の解糖系及び、ミトコンドリアでのクエン酸回路と電子伝達系で化学反応処理される、生物が摂取したブドウ糖（グルコース）の分解毎に、ブドウ糖を分解「有機物が酸素と水と結合し、二酸化炭素と水を生成すると共にエネルギーをATPに蓄積」する「ミトコンドリアの代謝でエネルギーを製造・蓄積するイノベーシ機能（代謝異化機能）」を創り出した。

現代社会での展開考察

⑤モノ創りの分野において、光エネルギーで二酸化炭素と水より有機物「糖」を合成する光合成代謝の逆の反応、すなわち、「生命の生存・活動に必要なエネルギーをブドウ糖の分解（有機物が酸素と水と結合し、二酸化炭素と水の生成とエネルギーをATPに蓄積）である代謝のしくみ」という生態系の創り出したイノベーション機能は生命の活動に最重要なしくみと考える。この「生命

の活動に最重要なしくみ、特にブドウ糖を化学反応でクエン酸ほかに次々と変える水素イオン生成のしくみ、及びその水素イオンの移動・電子分離での放出エネルギーを蓄積した分子ATPの生成のプロトンポンプ・ATP合成酵素のしくみ」は今後のSDGs社会における新しいリサイクルエネルギー展開に利用できると考える。

(6F) 進化過程で創造されたイノベーション機能

作り出したエネルギーをATPに蓄積「ADP⊕Pi→ATP」して置き、生命として生存・活動動作に必要なエネルギーをその都度、そのATPをADPとリン酸に加水分解することで、エネルギーを蓄積したATPからエネルギー放電「ATP⊖Pi→ADP」し細胞に供給する、また、ブドウ糖分解でのエネルギーのATP蓄積「ADP⊕Pi→ATP」を繰り返すミトコンドリアによる「分子の電子/陽子の分離移相を利用した電子伝達系によるエネルギーの充放電のしくみ」を創り出した。

現代社会での展開考察

⑥モノ創りの分野において、供給と需要の一致が必要なエネルギーをATPに蓄積（充電）し、ATPからリン酸（Pi）を分離しADP+放出エネルギーを利用（放電）するという「化学反応での分子の電子/陽子の分離移相を利用した電子伝達系によるエネルギーの充放電のしくみ」という生態系の創り出したイノベーション機能は、今後化学反応と電子/陽子の分離移相とを利用する新しいエネルギー充放電分野での展開に利用できると考える。

5.2.2 「動植物」の創造したイノベーション機能の展開の考察 「陸上植物への進化」・・・持続的進化5・6、破壊的進化3

(7) 細胞壁の進化で創造されたイノベーション機能・・・持続的進化5A

(7A) 進化過程で創造されたイノベーション機能

植物は太陽光を効率よく受ける為の上陸進出課題「地上での体の支え」、「地上での水を吸い上げて隅々に配給」の機能を「毛細管現象を利用した水分輸送と微繊維管束を束ねた構造支持の機能」を兼備えた二次細胞壁を創造し、さらに二次細胞壁の成長停止でプログラム細胞死させ、細胞が中身無しの空洞細胞となり、効率的な水分輸送と軽量性と断熱性などの多機能を有する細胞壁のしくみのイノベーション機能の創造が植物の創造した第一の機能と考える。

現代社会での展開考察

①モノ創りの分野において、細胞壁の①セルロース微繊維は鉄筋に相当、②

セルロース 微繊維をからげるヘミセルロースは鉄筋を結ぶ針金に相当、マトリックス（セルロース・ヘミセルロース他）を接着するペクチンはセメントに相当させた「鉄筋コンクリート構造」は、植物の創造した「細胞壁の体形維持機能」を再現展開したような人類の発明と考える。植物はセルロースとリグニン等で造る2次細胞壁では体形を維持する機能のほかに、毛細管現象を利用した通水の機能を持ち合わせる「微繊維管構造のしくみ」を創り出した。この多目的な微繊維管構造のしくみは、耐震機能、保温機能や防音機能などの多機能を備えた住宅壁への展開などが考えられる。また、光合成の為のガス交換することの重要機能、部屋の環境状況をセンシングして、人に快適「酸素濃度・温度・湿度などが自動調整可能」な空調システムに展開を期待できる。

(8) 気孔の進化で創造されたイノベーション機能・・・持続的進化5B

(8A) 進化過程で創造されたイノベーション機能

過酷な乾燥環境から植物体を守るために､植物は防水性のクチクラ層（角皮）で葉表面を覆い乾燥を防ぎ，同時にガス交換（CO_2取込・酸素排出）を行うために一対の孔辺細胞からなる気孔を表皮に多数配置した。各気孔は変転する環境刺激「光・乾燥ストレス・二酸化炭素濃度など」に敏感に応答して開度調節する「イノベーション気孔システム」を発達させた。

現代社会での展開考察

②モノ創りの分野において、新幹線の換気システム等ではCO_2濃度などを最大乗客数でも安全となる換気をして室内温度を自動制御していて、植物が創造した「環境（光・乾燥・CO_2濃度）変化をセンシングして開度調節するイノベーション気孔システム」の機能に近い展開であるが、今後ガス濃度や光照度などの自動制御までの展開が考えられる。

(9) 被子植物の進化で創造されたイノベーション機能・・・破壊的進化3

(9A) 進化過程で創造されたイノベーション機能

被子植物への進化段階で、精子移動に必要な水の道「花粉管」準備、発芽に必要な養分を受精時に「重複受精」で準備するしくみ等､確実に子孫を残す「生殖システム」を創った。また、同じ植物に確実に花粉を媒介してもらう為、各植物が花の形・色・匂いなどを工夫すると共に、花粉の成熟時には動物・昆虫の為に蜜を準備する「昆虫・動物との共生システム」を創った。加えて、種子が成熟するに併せて、動物が好んで食べる果実を準備し、動物に離れた所に運んでもらう「種子の散布システム」を創った。この他にも、冬の風や雪などのリスクを回避して種族を守るため、「例年の温度変化の学習」より予測して秋の終わりに落葉させる「冬眠システム」を創った。すなわち、被子植物は確実に生殖（造る）、確実に花粉の媒介（協創）、確実に種子の散布（展開）、確実にリスクを避ける（予防）のシステムを創り、被子植物の「確実な種族繁栄のイノベーション機能」を創造した。・・・破壊的進化3☜被子植物の進化でシダ植物・裸子植物は片隅に追いやられた。

現代社会での展開考察

③モノ創りの分野において、ⓐ植物が確実に子孫を残すため、必要な水の道「花粉管」を準備、発芽に必要な胚乳を受精時に「重複受精」で準備したしくみ、ⓑ昆虫・動物と共生するために必要な「花・蜜および果実」を準備したしくみ、ⓒ動物が好んで食べる果実を準備し、動物に離れた所に運んでもらう「種子の散布システム」、ⓓ気温の変化より冬の風や雪などのリスクを回避するしくみなど、各々は他分野に展開できる。例えばⓑのしくみは製品開発における設計活動に展開すると確実に動作する設計、新製品に必要な部品などを生産する協創企業との共生に展開することにより、確実に動作する信頼性ある製品開発が可能と考える。また、ⓓ気温の変化からのリスク回避の詳細なしくみは企業の経営へ展開できる。また、植物が必要な精子の道「花粉管」、発芽に必要な胚乳のための「重複受精」、共生に必要な「花・蜜および果実」など必須な課題を創意工夫して創り上げる知性は、人々に喜びを与えるモノ創りにもっとも大切で学ぶべきことであると考える。

(10) 植物の五感と知性機能の進化で創造されたイノベーション機能・・・持続的進化6

(10A) 進化過程で創造されたイノベーション機能

植物は種の存続のためには、最も重要な食料・エネルギーの確保、確実な繁殖（生殖）、捕食者からの回避など、生存する為の問題を解決する力が必要である。植物は光合成に必要な「光の質・量・方向」のセンシング視覚機能、花粉媒介の昆虫や仲間植物との匂いコミュニケーション・臭覚機能、根の栄養素の味覚機能などの五感センシング機能を創りだし、生存する為に必要な問題を解決する能力となる「ⓐ五感センシング・知性システム」を創造した。

移動しない生存戦略を選んだ植物は、草食動物などにどの部分を食べられても、他のモジュールと作用しあって再生する「ⓑ分割可能なパーツを組合せて

再生する」という「イノベーション知性機能」創造した。・・・持続的進化6
☜生存繁栄するために最高のイノベーション機能を創った。

現代社会での展開考察

④モノ創りの分野において、植物が生存する為に必要な問題を解決するために創造したⓐ「5感センシング・知性システム」は、企業の製造現場で、間違った生産に対する各種センサーを備えたモノづくりシステムに展開できる。昆虫・動物に食べられた葉や茎は、分化細胞Oが造られ葉に再生、分化細胞Mが造られ茎に再生、あるいは、切った枝の挿し木で分化細胞Nが造られ根が再生する「植物の分化細胞に戻り再生するしくみ」、すなわち、この「壊れた部分」を「分割可能なパーツを組合せて再生するイノベーション知性機能」は製品の故障部分を自動検知し、予備のパーツを組み合わせて再生する製品開発への展開が考えられ、究極の「自己修復する製品創り」が出来ると考える。

「動物への進化」分化細胞・血液・肺呼吸・・・持続的進化7・8、手足・・・持続的進化9

(11) 分化・幹・TA細胞の進化で創造されたイノベーション機能・・・持続的進化7

(11A) 進化過程で創造されたイノベーション機能

＊多細胞生物「動物」への進化に際して、受精卵から分裂増殖し、親と同じ動物に必要な「多数の器官・組織」に成長させるための (a)「分化細胞」、(b)「幹細胞」、(c)「TA細胞」を創り出し、それらを組合せて、創った「心筋・骨・筋肉・皮膚などの組織」を結合して「必要器官からなる動物に成長するイノベーションシステム」を創造した。

現代社会での展開考察

①幹細胞・分化細胞・TA細胞から設定目的の心筋や筋肉などの組織に成長させる生態系の創り出した「しくみ」は、人から摂ったES細胞や人工多能性幹細胞 (iPS細胞) から心筋や網膜を再生させる技術として近年になって医療分野で実用研究されているが、生態系の創り出した「しくみ」の一部の研究に限られている。今後、再生医療での展開拡大が限りなく大きくなると考える。

②生物に必須となる「心筋・骨・筋肉・皮膚などの組織」や「胃・腸・心臓・肺などの器官」や「根・茎・葉・花などの組織」の特定組織「心筋」になる分化細胞「A」は、受精卵 (種子) から分裂スタート時に目標が決定されて、特定組織「心筋」になるまで細胞分裂で成長を続ける。また、受精卵から次の分

裂では定組織「骨」になる分化細胞「B」に決定されて、目標の特定組織「骨」に細胞分裂で成長していくしくみ・機能はモノづくりへの展開が考えられる。モノづくりは多数の部品、部材を組合せた多数のハードモジュールから成り、それらを結合し、人々が欲しい「魂」となる機能を入れることで、生物と同じような成長構成で完成している。したがって、生態系の特定組織に成長させる分化細胞のしくみをIOT化モノづくりに展開することで、ムダの無い・リードタイム短期化のモノづくりが実現できると考える。

(12) 血液の進化で創造されたイノベーション機能・・・持続的進化8A

(12A) 進化過程で創造されたイノベーション機能

哺乳類動物の赤血球は細胞の重要な遺伝子を格納してある核を誕生時に捨ててまでして、全身に酸素を多く運ぶ「酸素と結合するヘモグロビンを、容積が増す「円盤状」にすることで表面積を大きくし、ガス交換効率を上げている。円盤状にすることで毛細血管も通過できる機能を優先し、運動能力を向上させている。赤血球のヘモグロビンの持つ「酸素との良い結合特性」により酸素を血液で細胞に輸送し、「二酸化炭素濃度上昇時の溶解酸素乖離特性」でヘモグロビンから細胞に酸素を排出する一方で、血液（赤血球/血しょう）に二酸化炭素を溶解する高速なガス交換機能を実現した。その為、赤血球は全身の細胞に酸素を供給し、炭酸ガスを排出するための赤血球を1分間で巡回させて2兆個の赤血球による超高速のガス交換を果たし、その他、体温・水分や高度順応の調整の機能を果たしている。このように生存に必要な酸素を全身に運ぶ為に酸素溶解性の優れたタンパク質「ヘモグロビン」を創り出し、1分間の超高速による全身細胞のガス交換をするイノベーション機能は現代科学をもっても驚異的な機能と言える。

現代社会での展開考察

「酸素との結合特性の良い血液による全身体への酸素輸送」と「二酸化炭素濃度上昇時の溶解酸素乖離特性による酸素の細胞への放出」の機能を持つ「赤血球（ヘモグロビン)」を創り出し、全身の細胞に酸素を供給すると共に、細胞で排出された二酸化炭素を酵素に使い血液に溶解させて肺に戻し、1分間の超高速なガス交換を行うしくみは人口血液など医療分野への展開が進められているが、目的地（全身の細胞）に運ぶ供給物質（酸素）と良い溶解性、目的地にあふれる排出物質（二酸化炭素）という条件で供給物質（酸素）を乖離する性質を持つ物質（ヘモグロビン）を創り出して、目的（ガス交換）を実現する

「目標実現のアプローチ方法」は各分野での新製品開発や新しいモノづくりに展開できると考える。

(13) 肺呼吸の進化で創造されたイノベーション機能・・・持続的進化8B

(13A) 進化過程で創造されたイノベーション機能 (13A)

横隔膜により、空気が肺を出入りさせ、肺胞への空気の出し入れで、肺を流れる血液は運んできた二酸化炭素を酸素とガス交換する。すなわち、肺胞では膜と毛細血管の壁を通して、呼吸による二酸化炭素と酸素の交換（ガス交換）が行われている。息を吸えば、酸素は毛細血管を通じて体内に運ばれ、息を吐けば、二酸化炭素が出される。このガス交換は、濃度の高低によって物質が移動する「拡散」と呼ばれる現象を利用し、「酸素は濃度の高い肺胞⇒濃度の低い毛細血管へ移動､二酸化炭素は濃度の高い毛細血管⇒濃度の低い肺胞に移動」させるガス交換システムを創り出した。

現代社会での展開考察

＊肺呼吸ガス交換で利用している『濃度の高低によって物質が移動する「拡散」の現象』を展開している分野は食料品（塩漬け保存・塩抜き）への展開を始め、化学分野で広く利用されている。

(14) 手足機能の進化で創造されたイノベーション機能・・・持続的進化9

(14A) 進化過程で創造されたイノベーション機能 (14A)

生態系は上陸して過剰な重さを支え歩き回り、反復的にヒレ（骨）を折れさせることで関節に変えるなど、生活環境に適した「手足の形状・機能」に進化させる「変わり行く環境に適したモノ（機能・形状）に進化させるというイノベーション機能」を創造した

生態系は繁栄するために酸素の満ちた地上への上陸を選び、浮力の無い地上では自分の重さで骨折しながらも食料を得るために歩き回る苦労を重ね、「繁栄の為、酸素の満ちた地上での生活」が出来るように進化し、霊長類や有蹄類など種族の生活環境に適した指の数に進化させていった。

現代社会での展開考察

①モノ創りの分野において

イ）大戦以降半世紀の生活環境においても、発明や新技術の創造もあり、大きく変化して来た。その変遷に適した「モノ」の創造は、まさに生態系の創造した「変わり行く環境に適したモノ（機能･形状）に進化させるというイノベー

ション機能」を利用したもので、Amazonオンライン販売・iPodなどのヒット製品を市場へ展開したものと考える。変わり行く環境に対応できない音楽テープ・CDなどの製品は衰退していく。

ロ）生態系が浮力の無い地上への環境の激変で骨折しながらの移動という苦労を重ねたように、人々の生活も市場環境が時々激変して、その環境激変では従来の製品群を逸脱したモノが要求され、要望の新製品創造には犠牲を伴うことを覚悟して「変わり行く環境に適したモノに進化させるという」生態系の創造原理にあったモノ創りを展開することで、市場を制するサイクロン掃除機・ハイブリッド自動車などのヒット製品を展開している。

②経済活動において、発電分野でのタービン、ボイラー機械、発電機など発電主機企業や鉄鋼分野での圧延機械・高炉など鉄鋼主機企業などが、生産製品の品質を左右するモノづくり施策の現場から、刺身のツマと揶揄されながらも苦労を重ね、それが「制御部隊」が生産する「電力」「鋼鈑」の品質高機能化志向の環境変化により主流の世界に変貌した事例は「変わり行く環境に対応したもの」と考える。

（14B）進化過程で創造されたイノベーション機能

横隔膜を有する霊長類の二足歩行への進化に伴い、歩行に影響されず自由に使えるようになった手で物を触るようになり、さらに親指の鞍関節を大きく回転できるように手の親指を進化させ、「手で物を掴むイノベーション機能」を創造した。この器用に使える親指進化で石器を利用し、他者が食べない食料品（骨）を食べる工夫等は人類の知性の発達の大きな要因機能と云える。

現代社会での展開考察

①モノづくりの分野において、生態系が人差し指から小指までの他の四指と異なり、親指の鞍関節を大きく回転できるように手の親指を進化させて創り出した「手で物を掴む機能」は、ロボットのモノを掴む・操作する指機能に展開されている。

人差し指他の四指の屈曲伸展と異なり、親指を鞍関節で大きく回転できるように変革することで新しい機能（物を掴む）を創り出す「従来のしくみの変革」はモノづくりにおける生産改革のしくみの改善に展開できる。

「5感機能（視覚・聴覚・嗅覚・味覚・触覚機能）の進化」・・・持続的進化10

（15）視覚の進化で創造されたイノベーション機能

（15A）視覚の進化過程で創造されたイノベーション機能

生態系は、眼球の視覚センシング機能「網膜センサー（照度・色彩・像形）機能、自動焦点機能」と「視床の外側の膝状体での必要情報のみフィルタリングする機能」、及び脳内での姿形イメージ映像化・判断記憶機能からなる「全自動かつ昼夜対応で視覚センシングと姿形を判断する視覚イノベーション機能」を創造した

現代社会での展開考察

モノ創りの分野において、生態系の創造した「全自動視覚機能」はCMOS撮像素子での網膜の暗所視・明所視センシング機能を始めとした、オート露出制御、画像の明るさ自動補正機能、オートフォーカス機能等全自動機能を備えた「高性能ディジタル一眼レフカメラやビデオカメラ」に展開されているが、昼夜対応や必要画像強調などの点で人類の創った視覚機能には遠く及んでない。

生態系が創り出した「視覚機能」「視覚センシング機能」「必要情報のみフィルタリングする機能」「姿形イメージ映像化・判断記憶機能」は製造現場のセンシングとIOTシステムでの制御で構成される「IOT化モノづくりシステム」へ応用することで、新しいモノづくりが展開できると考える。

(16) 聴覚の進化で創造されたイノベーション機能

(16A) 進化過程で創造されたイノベーション機能

耳の聴覚センシング機能は、空気を伝わってくるメカニカルな疎密波を感知する内有毛細胞（IHC）と微弱な音刺激の場合に収縮運動を増幅し、過大な音の場合に抑制する働きをする外有毛細胞（OHC）の「2種類の感覚細胞の協調メカニズムにより小声でもはっきりと認識する聴覚イノベーション機能」を生態系は創造した。

現代社会での展開考察

モノ創りの分野において、小声でもはっきりと認識させる補聴器が創られ、「微弱な音を増幅する」機能に展開しているが、その人に不要な音も増幅して使い勝手が良くないこともある。生態系が創り出した「溢れる雑多な音から必要な音を選択感知する機能」を内蔵超小型マイコン機能と外有毛細胞（OHC）機能とにより展開することで、使用者専用の最適な補聴器の開発に展開できると考える。

(17) 嗅覚の進化で創造されたイノベーション機能

(17A) 進化過程で創造されたイノベーション機能

鼻の臭覚センシング機能は、空気中に漂う匂物質を臭毛（嗅覚受容体）で捉え、臭細胞で変換された電気信号を受け取った脳（扁桃体・海馬）で過去に学習した情動・記憶と照合して、一瞬に「特定の匂い」と判断する臭覚イノベーション機能を生態系は創造した。

現代社会での展開考察

臭覚は記憶に残りやすい感覚だが、数値化による記録が難しいので、嗅覚の記録媒体は作られておらず、「香・匂・臭いをセンシングし、短時間で要素探査するシステム」の展開は進んでないのが現状であるが、生態系は臭覚センサー「臭細胞」で電気信号に変換し、脳で学習した記憶と照合して「特定の匂い」と判断しているので、現在のIT・AI技術を活用して、「香・匂い・臭い要素探査の装置」が展開できると考える。

(18) 味覚機能の進化で創造されたイノベーション機能

(A) 進化過程で創造されたイノベーション機能（18A）

人の味覚センシング機能は、舌に多数ある味蕾の「酸味・塩味・甘味・旨味・苦味用の味覚受容細胞」で味物質を感知し、脳（味覚野）に電気信号を送り、過去に学習した記憶と照合して、特定の味覚として認識する味覚イノベーション機能を生態系は創造した。

現代社会での展開考察

モノ創りの分野において、生態系が創造した「酸味・塩味・甘味・旨味・苦味」センシング機能は、味蕾の持つ酸味・塩味・甘味・苦味の味覚受容細胞機能を専用センサーで展開されているが、「のどごし」「コク」「キレ」などの「あいまいな」旨味関係のセンシングは実用化されていない。人の「のどごし」「コク」「キレ」は喉の奥の味蕾で感じて、学習した記憶と照合して判断しているので、現在のIT・AI技術を活用して、「のどごし」「コク」「キレ」の探査が可能と考え、そのセンシング装置の開発により、人々が欲しがる「のどごし」「コク」「キレ」の優れている食材創りへの展開ができると考える。

(19) 触覚機能の進化で創造されたイノベーション機能

(19A) 進化過程で創造されたイノベーション機能

人の触覚に代表されるセンシング機能には、触覚、痛覚、圧覚、温覚、冷覚、かゆみ等多種感覚を感知する体性感覚機能と四肢や頭部の位置，姿勢，筋肉の動き情報を受け取る固有知覚機能がある。生命にとって重要な「危険防止ほか生存に必要」な体性感覚・固有知覚をセンシングし、過去に学習した記憶と照合して特定の体性感覚として判断して､危険回避など正規な動作指令をだす｢体性感覚・固有知覚のイノベーション機能」を生態系は創造した。

現代社会での展開考察

モノ創りの分野において、触覚・圧覚・温覚などの体制感覚センシング機能や四肢の位置・姿勢・筋肉などの固有知覚センシング機能は工業ロボットの世界で展開されており、今後人手不足や高齢化に対応し、体性感覚・固有知覚機能を高度化した介護用ロボットや対人対応ロボットへの展開が考える。

(20) 五感機能進化で創造された知能判断イノベーション機能

(20A) 進化過程で創造されたイノベーション機能

モノ（視覚、聴覚、聴覚、味覚、触覚）のセンシング機能⇒生存に必要情報だけを脳との連携でフィルタリングする機能⇒検知情報を記憶と照合し判断する知能機能により、「生存に必要な五感センシング・知能判断のイノベーション機能」を創造した。

現代社会での展開考察

①モノ創りの分野において、生態系の「状態をセンシングして設定情報と照合・判断するイノベーション機能」は生産に必要なモノの状態をセンシングして加工・ものづくりをするFAシステムの機能に展開されている。・生態系の創造した「五感センシング･生存への活用判断機能」を参考に「知」でセンサーを制御する「モノづくりの五感センシングによる生産システム」への展開が考えられる。

また、生態系が創造した「溢れんばかりの検出情報」を脳が瞬時に判断できるように、必要情報だけを強調し、他は取り除いてフィルタリングする「最適な情報を選択する機能」は､雑音の多い生産現場での機械や設備の「異常動作」や「異常音」検知システムへの展開や、雑多な作業動作画像より異常動作を検知して不良作業の検知システムへの展開などが考えられる。

②経済活動においては、設計・製造のモノづくり部門、製品を販売する営業部門、業績を管理する財務部門、会社経営をする経営部門の各部門に専門家を集めて運用させる企業経営に、生態系の創り出した「しくみ機能」が展開されている。

(20B) 進化過程で創造されたイノベーション機能

「溢れんばかりの検出情報」を脳が瞬時に判断できるように、必要情報だけを強調し、他は取り除いてフィルタリングする「最適な情報を選択するイノベーション機能」を創造した。

現代社会での展開考察

①立て続け検知される溢れ出るような視覚情報から、必要情報が強調され、その他は取り除くしくみ『必要情報のみフィルタリング機能や、溢れる雑多な音から「脳で記憶と照合して、聴きたいと判断した音」を選択感知する聴覚機能』は雑音の多い生産現場での機械や設備の「異常動作」や「異常音」検知システムへの応用など様々な展開が考えられる。

②経済活動においては、日々溢れ出る経済情報から「特定企業・用途に必要な情報」も抽出して報告する「AI情報抽出」が一部で展開されている。

③しかし、今後市場・人々が爆発的に必要とするイノベーション機能の予測への展開は、難しいと考える。それは過去の爆発的にヒットしたイノベーション機能が不連続で突然変異的に創造されてきているからと考える。

「脳（知能機能）の進化」・・・破壊的進化4（人間が他生物を破壊）

(21) 知性の進化の進化で創造されたイノベーション機能

(21A) 進化過程で創造されたイノベーション機能

非力な身体で二足歩行での草原生活を選択した人類先祖は、恐竜繁栄の中で恐竜が近づくと、その様を脳に送られた視覚情報、地面が揺れることによる触覚情報、近づいてくる足音の聴覚情報を大脳新皮質でまとめることにより、敵がどこからどのような速度で現れるのかを総合的に考え判断して、敵から逃避の行動をする「生存する為のセンシング情報を組合せて思考判断する知性システム」を創造して、繰り返し激しく脳を使うことで脳を大きく進化させた。

現代社会での展開考察

＊モノ創りの分野において、人類先祖が創造した「視覚・触覚・聴覚からのセンシング情報を組合せた思考判断をする知性システム」に近い機能が各種センサーとコントローラによるモノづくりのFAシステムなどに展開されているが、各種センサーからの情報を組合せて思考するまでの知性判断までに至ってない。今後、生産する製品づくりに不可欠な位置・強さ・音などの許容範囲以下になるように、それらのセンシング情報を組合せてAI思考して、調整制御するIOTシステムの展開が可能と考える。

(22) 文化的知能の進化で創造されたイノベーション機能

(22A) 進化過程で創造されたイノベーション機能

＊生存する為のセンシング情報を組合せて思考判断する知性を向上させた人類先祖は、集団の人達とコミュニケーションする言語を考案した。さらに、創り出した優秀な生存・娯楽用道具や技術などを記述伝承する文字を考案した。言語と文字を考案した人類先祖は言語と文字を使い「創造した道具・技術及び音楽など」を蓄積でき､何千年も残る記録伝承イノベーション機能を創り上げ、文化的知能は飛躍的に発展し、四大文明を始めとした文明が各地に誕生した。

現代社会での展開考察

＊モノ創りの分野において、人類先祖が創造した「言語と文字による何千年も残る記録伝承イノベーション機能」を継続して展開し続けて、現代の産業・文化・科学・医学などの文化的知能を発展させている。多人数プロジェクトを組織し、集団脳による新発想で多数の新製品を生み出してきたが、新型コロナ禍対策での対面コミュニケーションの減少による集団脳の低下が心配である。現代人は人々と速くコミュニケーションする通信（電話）・インターネットを創り出したが、記録伝承機能は依然として「数千年前に先祖が創り出した言語と文字」に頼っている。また、記録を残す磁気媒体・光媒体と次々に電子媒体を創り上げたが、数千年の間も残す媒体「紙の書」については、保存性という点で不安が残る。

(23) 大脳の進化で創造されたイノベーション機能

(23A) 視覚・聴覚・触覚・味覚機能などの「体性感覚信号」は感覚神経を通り、脳の入り口「視床」を経由して、大脳皮質の各中枢の感覚野に伝えられ、「視覚野」で視覚情報を形・色等分析、「聴覚野」で音を分析、「体性感覚野」で感覚分析を記憶にある知識情報と照合して判断し、前頭・頭頂・側頭の連合野で情報を統合して、「何をどうするか」を認識・判断して、運動野・運動神経を介して手足他の筋肉行動を指令する「感覚センシング情報をもとに過去の記憶と照合して「何をどうするか」を思考判断・処理して行動する知能システム」を創りだした。

現代社会での展開考察

モノ創りの分野において、生態系の創り出した「感覚センシング情報をもとに過去の記憶と照合して「何をどうするか」を思考判断して処理する知能システム」のしくみの詳細は研究段階であるが、過去のデータと照合して思考判断して処理する方法はAI技術に展開されているが、『新しい事象に対する「対処思考、新しい思考判断」を考える能力』などへの展開が考えられる

(23B) 樹状突起のある神経細胞と長く伸びる神経線維で構成のニューロンと神経回路で構成される大脳は、神経線維の末梢にあるシナプスから神経伝達物質を発し、隣り合ったニューロンと繋がりを増やす「神経回路増強のしくみ」で「新たな記憶」「新たな智慧」「新たな思考」を創り出す機能を生態系は創造した。

現代社会での展開考察

モノ創りの分野において、「新たな記憶」「新たな智慧」「新たな思考」を創り出す「神経回路増強のしくみ」の原理の研究はAI技術の進化の為に進められているが、まだ研究途上にある。また、神経線維の末梢にあるシナプスから神経伝達物質を発し、隣り合ったニューロンの伝達物質受容体と情報を伝達するしくみも研究途上にある。生態系のヒトとしての独特の高次機能「智恵の発達」を実現してきた、これらの「知能システム」の展開の研究を進めて、現代への展開が考えられる。

(23C) 神経回路がディジタル情報とアナログ情報を織り交ぜながら分散して同時並行的に処理して、不完全な情報をもとに答えを出したり、「創造」や「ひらめき」を生み出したり機能を創り出した、この「創造」や「ひらめき」を生み出すイノベーション機能のしくみが究明されることが期待される。

現代社会での展開考察

＊モノ創りの分野において、コンピュータの初期はアナログ処理も検討されたが、ディジタルコンピュータ処理の飛躍的進歩でアナログ情報もディジタル化されて利用される状況で、アナログコンピュータ処理や同時並行処理に関しては研究も進んでない。このアナログ処理と同時並行処理する神経回路のしくみが、「創造」や「ひらめき」を生み出しているのではと考える。脳の創り出した「創造やひらめきを生み出すしくみ」を解明することで、新しいAI機能への展開を期待したい。

(23D) 脳は情報処理を司る神経細胞を守る「神経細胞に栄養補給する星状グリア細胞」と「傷ついた神経細胞を修復するミクログリア細胞」を備えるシステムを創り、ミクログリアの検査・検診・修復機能「1時間に1回程度、ミクログリアが突起を伸ばして神経細胞のシナプスが正常に機能しているかを検査・検診し修復する」を創り出し、1時間単位毎に神経細胞当り1万個に上るシナプス全数を検診し修理している。イノベーション機能に関してはその検診・

修復の詳細なしくみが解明されることが期待されている。

現代社会での展開考察

＊モノ創りの分野において、脳の創り出した『1時間に1回程度、ミクログリアが突起を伸ばして膨大な数の「神経細胞のシナプス」が正常に機能しているかを検査・検診し修復する』しくみは、数千～数万に達する機器で構成される設備の異常診断への展開から初めて、自動修復へ進化されることを期待する。

まとめ

生態系の23項目の進化で創り出された36種のイノベーション機能における、現代社会での展開について述べてきた。一つ一つが生命そのものである「細胞」機能の進化、すなわち、現在の地球環境を創ったシアノバクテリアの光合成機能の創造、真核細胞への進化での共生と生存用のエネルギー製造機能を担う小器官、多細胞生物への進化での機能分担する多細胞システム、特に遺伝子の複製やタンパク質製造する塩基AUGC配列情報のDNAのしくみ等、生態系は、現代科学でも不明なところの残るイノベーション機能を創り出してきた。

また、有性生殖の多細胞生物への進化により生物の多様性が爆発的に拡大して、現代の哺乳動物や被子植物への進化過程で、環境に順応し連続的な進化を続ける為に、持続的イノベーション機能を次々と創り出してきた。また、度々発生する突然変異は、従来生物を追いやる破壊的イノベーション機能として機能するものであるが、生態系は有効に活用し、進化への道を切り開いた。生存の為に利用できる化学反応を含めた手法を駆使して創り出された、「持続的イノベーション機能」、および突然変異で不連続的（劇的）に進化した「破壊的イノベーション機能」がどのような環境背景で創られ、生物生活環境へどのように影響を及ぼしたかなどを述べてきた。そして、生態系の創造したイノベーション機能がいかに現代で展開されたかについて考察した。

展開用途別の分類整理

SDGs社会への展開、生命誕生前の（1A）の有機物合成や細胞が創り出した代謝機能である（6A, 6C, 6D）の4桁A･T･G･Cのヌクレナド塩基の「用途に対応した組合せを選択するアミノ酸とその20種の組合せによる10万種のタンパク質を合成する機能は、気象異常による農作物不作・人口増加による食糧危機への展開応用が考えられる。また（6E）（6F）の細胞のエネルギー製造・エネルギー充放電機能は新しいリサイクルエネルギー展開への応用が考えられる。さらに（2）の光合成機能は人口光合成への展開が始まり、その効率化が進み今後のエネルギー製造の中心に向かうなど、今後のSDGs社会への解決策を見いだす糸口と考えられる。また（16A）の外有毛細胞（OHC）の脳との協調メカニズムにより小声でもはっきりと認識させる聴覚増幅機能は補聴器への展開や（19A）の体性感覚・固有知覚機能の老人介護ロボット・対人対応ロボットへの応用など高齢化・人手不足が進む社会への展開が考えられる。

生態系創造の他に信号発信する（3B）の真核細胞「エキソサイトーシス機能」（4A）ヒドラの消化物分泌連絡（4B）における検知・伝達・判断の小脳機能は設備故障対応処理や不良を無くすIOTモノづくり現場、及び最適な加工法指示のモノづくり現場への展開が考えられる。

正確に複製するしくみを創った（6B）化学原理・陽子と電子の物理原理を利用して正確に複製するしくみは、間違いのない生産工場への展開、（6C）2万2千の情報から特定の部選択で幹細胞や生存のためのタンパク質を複製するしくみは、多品種生産工場のIOTものづくりしくみに展開、（11）生態系の特定組織に成長させる分化細胞のしくみはIOT化モノづくりへの展開などが考えられる。ムダの無い・リードタイム短期化のモノづくりや、（10）草食動物に食べられる部分を検知し、他のモジュールと作用し分割可能なパーツを組合せて再生するしくみや、製品の故障部分を自動検知し、予備のパーツを組み合わせて再生する製品開発へ展開出来たら、究極の「自己修復するモノ創り」が可能と考える。

センシングと知能連携判断機能を創り出した（15A）の「視覚センシング機能」「必要情報のみフィルタリングする機能」「記憶照合の判断機能」や（20A）の生存に必要な五感センシング・知能判断機能は、製造現場のセンシングと知能との連携制御で構成される「知的制御IOT化モノづくりシステム」へ応用、（21A）の五感センシング情報を組合せ、思考判断する知能システムはものづくりに不可欠な位置・強さ・音などの条件を許容範囲内になるように、それらのセンシング情報を組合せてAI思考して、調整制御するIOTシステムへの展開など、多様なセンシング情報より、思考判断するモノづくりの実現への挑戦が可能と考える。

生態系の創造した集合と共生・協創のしくみ（3A）の真核細胞の集合と共生のしくみ、（4A）の多細胞生物の必要な機能を各細胞と分担実行する協創のしくみ、（4C）必要機能実現の為に専用細胞群を神経ほかのネットワークに連携するしくみは他部門の智慧を結集、共同研究や専門家を集め、リーダーの検知・判断・指示する製品開発プロジェクト、部門間を連携させてのモノ創りの開発プロジェクトの組織と実行システムづくりに展開できる。また(9)の昆虫・動物と共生するために必要な「花・蜜および果実」を準備する協創のしくみは必要な部品などの協創企業との信頼性ある製品開発プロジェクトへ展開できると考える。

変化を利用し、環境変化に素早く対応して進化する機能　(5A) 有性生殖の突然変異で環境変化に素早く対応して進化する機能は、トランジスタの開発をいち早く展開したSonyのトランジスタラジオの発売の成功例と、市場変化に逆行してフィルムにかじりついたディジタルカメラ開発企業の衰退例を見ればその成否は明らかである。また、(14A) の手足の進化に見られる変わり行く環境に適したモノに進化させるという「生態系の創造原理」にあったモノ創りを展開することで、市場を制するサイクロン掃除機、ハイブリッド自動車などのヒット製品を産出した。「刺身のツマ」と揶揄されながら苦労を重ねた「制御部隊」が生産する「電力」「鋼鈑」の品質高機能化志向の追い風を受けながら、環境変化によりそれが主流の世界にパラダイムシフトした例など「環境変化に素早く対応する」ことが生命誕生の原則の展開と考える。

繁殖・生存に必須なモノを創造する機能　(6C) の2万の情報から特定部選択で幹細胞や機能を組合せてタンパク質をつくるしくみは、その分野で必要とされてきた数々の機能情報、時代を先取りする数々の機能情報、及び他分野で先行する新機能などの機能情報から、特定機能をAI利用の選択組合せでモノ創りへの展開ができたらと期待する。また、目的を可能にする物質を創った(12A)の1分間の超高速なガス交換を可能にする酸素溶解性の「ヘモグロビン」を創り出すアプローチにより、各分野での新しい機能を持つ製品開発のためのアプローチとして、新材料・部品を創り出す新しい手法が考えられる。

生態系の記憶との照合判断機能、(17A) の脳（扁桃体・海馬）で過去に学習した情動・記憶と照合して「特定の匂い」と判断する臭覚機能は、IT・AI技術を活用して、「香・匂い要素探査の装置」への展開、(18A)「のどごし」「コク」「キレ」の探査機能の開発により、人々が欲しがる「のどごし」「コク」「キレ」の優れている食材創りへの展開や、(20B) の「溢れんばかりの検出情報」を脳が瞬時に判断できるように、必要情報だけを強調し、他は取り除いてフィルタリングする「最適な情報に選択する聴覚機能」は雑音の多い生産現場での機械や設備の「異常動作」や「異常音」検知システムへの応用など、いろんな新しい検知システムへの展開が考えられる。

合金・住宅関連分野への展開機能、(3B) のエンドサイトーシス機能は、ステンレスなどの合金や光触媒などの新しい半導体の製造に古くから展開、(7A)の効率的な水分輸送と軽量性と断熱性などの多機能を有する細胞壁のしくみは、耐震機能、保温や防音の多機能を備えた住宅壁への展開、(8) の環境（光・乾燥・CO_2濃度）変化に対応する気孔システムは環境変化「光・乾燥ストレス・二酸化炭素濃度など」に応答する住宅換気への展開などが考えられる。

企業経営への展開では（3B）のエンドサイトーシス機能のM&A展開、(4A)の専門家を集めて実行するしくみ機能、及び（4B）のモノを検知・判断する小脳機能は、企業・市場の状況を検知し最適に方向づける「小脳機能」及び(20A）の生存に必要な五感センシング・知能判断機能はモノづくり部門、営業部門、財務部門、経営部門の各部門に専門家を集めて運用させる企業経営に展開される。さらに（9）の「重複受精」「花・蜜および果実」で事前準備するしくみ、気温の変化により冬の風や雪などを回避するしくみを「製品開発」「販売戦略」「リスク回避戦略」など企業の経営に展開することを推奨する。

未解明や研究段階の生態系が創造してきた機能、(1B）の生命誕生は解明が続けられ、(11）の「分化細胞」「幹細胞」「TA細胞」機能はES細胞・iPS細胞からの心筋や網膜の再生など一部の研究に限られている。今後、再生医療での展開拡大が期待される。(23）の大脳の進化で創造された機能『感覚センシング情報をもとに過去の記憶と照合して「何をどうするか」を思考判断して処理する知能システム』のしくみは研究段階であるが、過去のデータと照合して思考判断して処理する方法がAI技術方面で展開が進められている。今後、生態系の創りだした『新しい事象に対する「対処思考、新しい思考判断」を考える能力』の研究が進むことで、新しい展開が期待される。大脳皮質の「新たな記憶」「新たな智慧」「新たな思考」を創り出す「ニューロンと神経回路増強のしくみ」の原理の研究はAI技術の進化の為に進められているが、まだ研究途上にある。生態系のヒトとしての独特の高次機能「智恵の発達」を実現してきた、これらの「知能システム」の展開の研究を進めて、新しい展開を期待したい。(23C）ディジタルとアナログ混合の同時並行処理による『不完全な情報からの回答、「創造」や「ひらめき」を創り出す』しくみの研究を進めて、新しいAI情報処理に展開されることを期待したい。(23D）ミクログリアの「神経細胞のシナプスを検査・検診・修復機能」のしくみは、数千～数万に達する機器で構成される設備の異常診断への展開から始めて、自動修復技術への進化を期待したい。

(22A）言語と文字を使い「創造した道具・技術及び音楽など」を蓄積する

機能は、四大文明を始めとした文明を各地に生み出し、現代の産業・文化・科学・医学などの文化的知能を発展させている。現代人は人々と速くコミュニケーションする通信（電話）・インターネットを創り出したが、記録伝承機能は依然として「数千年前に先祖が創り出した言語と文字」に頼っている。また、記録を残す磁気媒体・光媒体と次々に電子媒体を創り上げたが、いまだ君臨している「紙の書」については数千年の間も残す媒体としての保存性という点で不安が残る。

以上取り上げた代表的な生態系の23項目の進化で創り出された機能だけでも多彩な用途への展開が考えられる。進化過程でウイルスの遺伝子を取り込んだ機能「精子と卵子の受精のしくみ、受精卵が母体で成長する胎盤のしくみ等…」や病原体を攻撃する免疫細胞や、その他免疫にしくみなど生態系が創り出した機能は限りなく利用できるモノが見いだせる。したがって、生態系が38億年間の進化で創り出した記述したものを含めた機能を研究することが、医療分野以外の分野においても、今後環境・市場変化対応で必要とされるイノベーション機能の創造に重要であると考える。

第6章

製品の生命（いのち）となる目標機能の創造

前章までで述べたように、モノ創りの基本となる機能は、図6のように、①人々の困難・苦しみを解決し、人々を幸せにする機能、②人々の夢ほか人々の渇望する機能、③環境・時代背景に応じて進化させる機能である。誕生以来、生態系が遭遇する「危機」「苦難」を乗り越え、種の繁栄の為、環境に順応して進化する「生態系が歩んできた「進化のしくみ」や先人達が創り出し蓄積してきた機能」を継承している。そして、モノ創りの源である「人々の苦労しているコト（機能）」「人々の欲しくなるコト（機能）」「日々変わる市場で求められる機能」を分析し、将来「人々の欲しくなる機能は何か」を想定して、製品

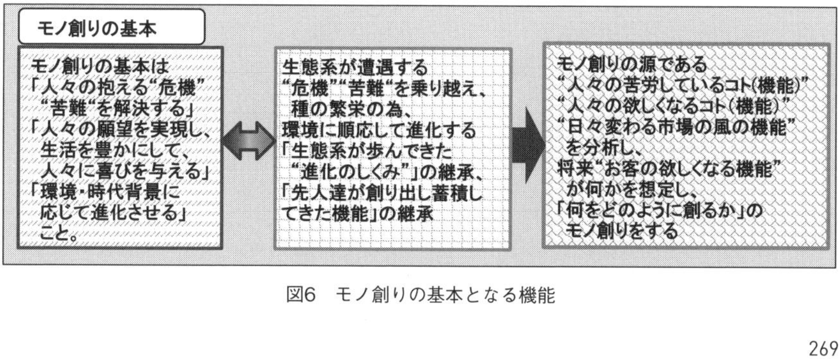

モノ創りの基本

モノ創りの基本は
「人々の抱える“危機”
“苦難“を解決する」
「人々の願望を実現し、
生活を豊かにして、
人々に喜びを与える」
「環境・時代背景に
応じて進化させる」
こと。

生態系が遭遇する
“危機”“苦難“を乗り越え、
種の繁栄の為、
環境に順応して進化する
「生態系が歩んできた
“進化のしくみ”」の継承、
「先人達が創り出し蓄積し
てきた機能」の継承

モノ創りの源である
“人々の苦労しているコト(機能)”
“人々の欲しくなるコト(機能)”
“日々変わる市場の風の機能”
を分析し、
将来“お客の欲しくなる機能”
が何かを想定し、
「何をどのように創るか」の
モノ創りをする

図6　モノ創りの基本となる機能

の生命である「人々の欲しがる機能」を目指し、開発者たちは入魂のモノ創りをしてきた。

「人々の欲しがる機能」を発明発見や生活環境などの時代環境に応じて進化させることにより、人々に好まれ使われている。そして、2章で述べたように、発明された新技術の活用や新しい発想で創り出された新しい機能を組み合わせた機能が時代を変革するイノベーション機能となり、そのイノベーション機能を持つ製品が世界の人々を魅了してスーパーヒットとなった。

新製品の開発者達は生態系を含めた先人達の発明・蓄積した機能群より新しい製品に必要な機能を選んで組み合わせると共に、次の時代に人々が渇望すると考えられる「新しい機能」を創り出し、それらの機能を組み合わせて魅力ある目標機能に創り上げることで、新しい製品に生命（いのち）を吹き込んでいる。すなわち、開発設計者達が製品に創り込んだ「人々の困難・苦しみを解決したり、夢を実現したりして、人々を幸せにする機能」が製品の生命の第一条件である。

本章では製品の生命となる目標機能の創造について、機能セルを用いて製品の機能構成を考え、製品の目標機能を機能セルによる組立て方法を記し、人々の欲しいモノ・人々を魅了するモノを満たすことのできる「製品の生命となる目標機能」をどのように創造していくかを考察する

6.1節　製品の機能の構成

(1) 機能セルと機能のツリー構造構成

生態系は4章で述べたように、たった一つの細胞として海の中で誕生し、厳しい環境を行く抜くために仲間と共生結合して多細胞生物へ、さらに生存に必要な幾多の機能を獲得して陸上生物に進化してきて、一つの機能を持つ細胞(Cell) から筋肉などの組織、そして心臓などの器官、動物へと進化してきた。すなわち、何十億年と厳しい苦境・環境に順応するため、進化してきた動物は図6.1.1に示すように、一つ一つが機能を持つ細胞ⓒが集まり、機能組織（筋肉、血管、神経等）ⓑを創り、機能組織ⓑを組み合わせて主要な機能器官（脳、心臓、肺、胃腸他臓器など）ⓐを創っている。

すなわち、動物は主要な機能器官ⓐの組合せで作られ、それら主要機能器官は機能組織ⓑの組合せで作られ、機能組織ⓑは機能を持つ細胞ⓒの組合せで作

られるという「ツリー構造の機能で構成するしくみ」を確立してきた。さらに、機能器官ⓐ、機能組織ⓑ、および機能をもつ細胞ⓒ自身が環境に対応するために、エンドサイトーシス機能（他生物機能の取り込み）、ミトコンドリアの代謝機能などの進化を続けて来ている。

生物が基本要素機能である「機能を持つ細胞（Cell）」、すなわち「機能Cell」から成っていることに学び、モノを構成する要素機能を「機能Cell（セル）」と呼ぶことにする。生態系が『機能を持つ細胞、すなわち「機能Cell」』から生物をツリー構造の機能で構成するしくみに倣って、モノ創りのしくみをツリー構造で考えると、図のように新製品を主要機能の「大機能セル」ⓐの組合せで構成し、その「大機能セル」を補助機能の「中機能セル」ⓑの組合せで構成、「中機能セル」を要素機能の「小機能セル（基本機能セル）」ⓒの組合せで構成すると考えた結果、「製品をツリー構造の機能で構成」と表せる。

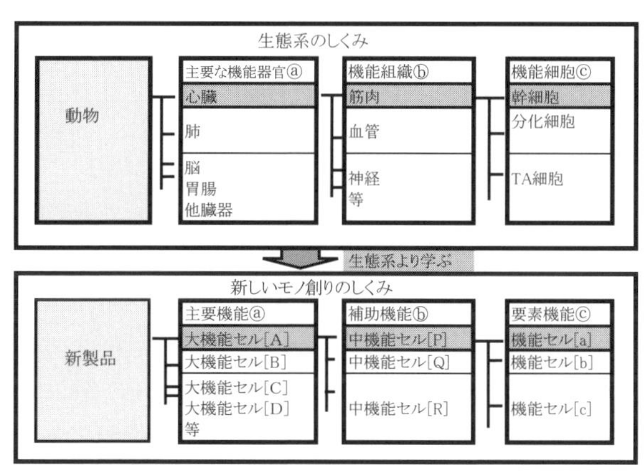

図6.1.1　生態系のしくみとモノ創りのしくみ

(2) 製品の機能構成

前述のツリー構造で製品の機能を考えると、エアコンの事例では図6.1.2に示すように、エアコン目標機能（T）は、①圧縮膨張蒸発熱変換機能、②除湿機能、③室温監視機能、④室内・室外熱交換機能、⑤リモコン操作機能等の主要機能（A）で構成される。また主要機能（A）の①圧縮膨張蒸発熱変換機能は省エネ駆動機能、圧縮機能などでの中機能（B）で構成される。さらに中機能（B）の省エネ駆動機能はインバータ機能などの要素機能（C）で構成される。

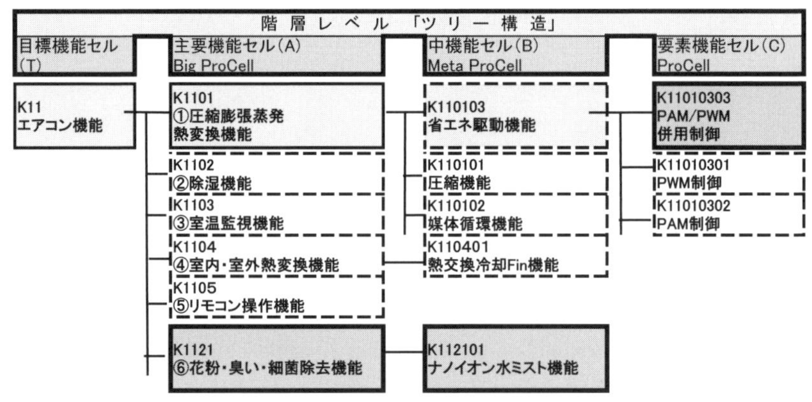

図6.1.2　エアコンの機能構成

(3) 新製品の機能構成

新製品（図のエアコン事例）の機能は「創るモノ（新製品)」へのお客様の要求するコトや市場動向・新技術動向から決定した「環境対応の新型エアコンの目標仕様」より、目標仕様に必要な要素機能①～⑤に加えて、新製品の魅力・個性を発揮させるKeyポイント要素機能を創造して、図6.1.2の薄墨色の機能⑥ほかが追加される。すなわち、生活環境の変化より花粉飛沫・大気汚染物質PM2.5対策や細菌除去へのニーズに対応して、ナノイオン水ミストによる室内塵埃除去機能活用の⑥花粉・PM2.5・細菌除去の新機能、および省エネの根強いニーズに対応したPAM/PWMを併用する新機能が新製品の目玉として追加される。このように、新製品の機能は先人達が蓄積してきた既存機能である①②③④⑤の機能と新製品として魅力・個性を発揮させるために追加する薄墨色で示す新機能⑥花粉・PM2.5・細菌除去機能、ナノイオン水ミストによる室内塵埃除去機能、とPAM/PWM併用機能などより構成される。すなわち、新製品は先人達に創り出され蓄積してきた既存要素機能と新製品の魅力・個性を創り出す新しい要素機能により構成される。

6.2節　製品の目標機能の創り方（機能セルによる組立）

(1)「目標仕様」に必要な目標機能・主要機能の分析・整理

製品の取り巻く状況のうち、①お客様が欲しがっているコト、②お客様が不都合を感じているコト、③変わり始めている市場の風、④市場の可能性を持つ新技術を考慮して、「目標仕様」に必要な目標機能を決めて、目標機能を構成する主要機能を分析・整理する。次にKeyポイント機能、㋑製品の魅力を発揮する機能、㋺製品の個性を発揮する機能、㋩数年後、10年後も必要不可欠な機能を分析・整理する。

開発製品の目標仕様に必要な目標機能を決定したら、次に図6.2.1に示すように、①決定した目標機能に必要な主要機能を分析し、数十種の主要機能｛主要機能Sys01・Sys02・Sys03…｝を定義する。更に、②前に定義した各主要要素機能に必要な補助要素機能を分析し、数十種の大機能｛大機能B01・B02・B03…｝を定義する。更に、③前に定義した各大機能に必要な補助要素機能を分析し、数十種の中機能｛中機能M01・M02・M03…｝を定義する。更に、④前に定義した各中機能に必要な補助要素機能を分析し、数十種の小機能｛小機能P01・P02・P03…｝を定義して、目標機能に必要な主要要素｛SysCell01・02、…｝、補助要素機能｛BigCell01・02、…｝｛MetaCell01・02、…｝｛ProCell01・02、…｝のツリー構造構成でモノを創る。

階層レベル「ツリー構造」				
目標機能 Target.Sys.Cell	主要機能セル Sys.Cell	大機能セル Big ProCell	中機能セル Meta ProCell	小機能セル ProCell
目標機能	Sys01	B01	M01	P01
	Sys02	B02	M02	P02
	Sys03	B03	M03	P03

図6.2.1　階層レベル「ツリー構造」

(2) 目標機能の主要要素機能・補助要素機能の構成事例

3章で述べた「電気自動車」の目標機能「電気自動車（EV）用電動駆動システム機能」に必要な主要要素、補助要素機能｛大要素機能、中要素機能、小要素機能｝の構成でモノを創る事例を図6.2.2に示す。「電気自動車（EV）用電動駆動システム機能」の主要要素機能｛SysCell｝は図のように駆動動力を発生する電動機機能｛Sys01｝、その電動機に駆動電力を供給し、電気自動車の走行距離を左右する充放電バッテリ機能｛Sys02｝、バッテリーの直流電源より電動機の力行・回生に必要な可変電圧・周波数の交流電源に電力変換する

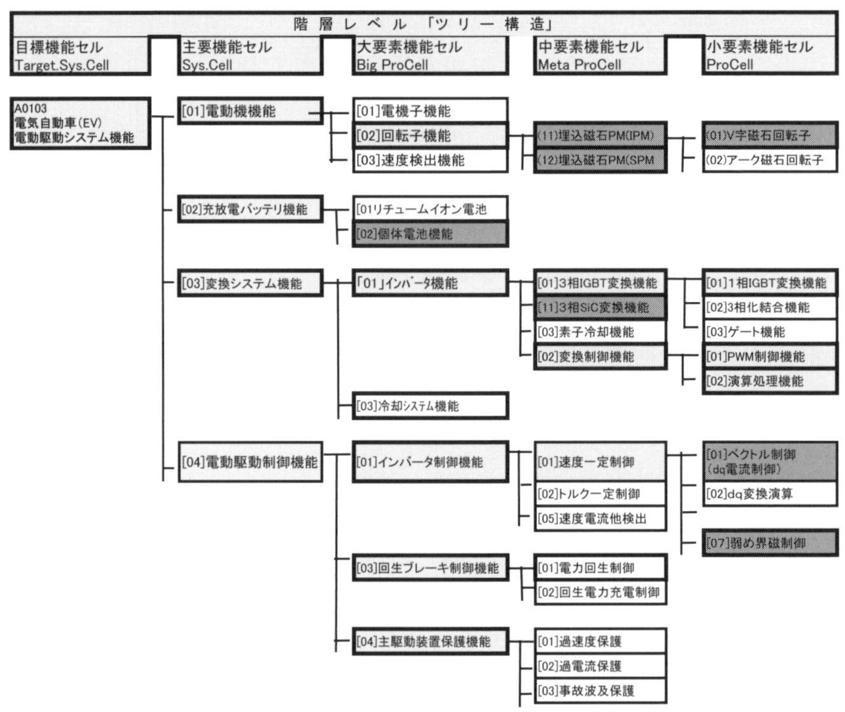

図6.2.2　電気自動車の電動駆動システム機能の目標機能構成

変換システム機能｛Sys03｝、電気自動車の加減速・乗り心地などの走行性能などを制御する電動駆動制御機能｛Sys04｝である。ただし、ここでは車体・車輪やステアリングなどの自動車に大切な基本機能を除いた『電気自動車のイノベーション機能「電動駆動システム機能」』に限定した。

環境対策で電気自動車の普及が進められているが、100年前に電池・電動機の性能でガソリンエンジン動力機能に敗れ去った電動機動力機能「電気自動車」の教訓を活かして、電動機機能の小形軽量化や高トルク化、電池機能の1充電での航続距離の長距離化、ガソリン車に匹敵する可変速性能を満たす変換システム機能の高度化に加えて、ガソリン車に出来なかった乗り心地性能を約束する電動駆動制御機能の高度化が進められている。

電動機機能の小形軽量化を図るため、誘導電動機より小形化できる「永久磁石型回転子機能を持つ同期電動機」の性能向上が進められ、図の薄墨色の埋込磁石PM（IPM）や表面磁石PM（SPM）が開発され、速度範囲を拡大できる弱め界磁制御可能なIPMの性能向上が進められている。さらに、マグネットトルクとリアクタンストルクを加算した大きなトルクを発生できるようなV字磁石回転子IPMの開発などの性能向上の開発が進められた。総合トルクを120%以上に向上することが出来ると共に、電動機重量も誘導電動機に比べ40%以上軽量化がされたV字磁石回転子IPMがプリウスなどで実用化されている。

過去の電気自動車での最大の課題であった「1充電での航続距離を確保する電池機能」の性能向上に関しては大電流連続放電が3C以上のリチュームイオン電池が開発された。航続距離性能向上機能が進められ、2021年現在では航続距離500km以上のEVも発売されている。

電気自動車への火付け機能として、電力半導体の自己消弧IGBT素子を利用した「電力変換システム機能」があり、その構成は小型、可変周波可変電圧の交流電源へのインバータ電力変換機能である3相IGBT変換機能と、基本波に近い正弦波交流を作る変換器制御機能であるPWM制御機能などで電動機を自由に可変速度制御する機能、および減速時の電力回生機能に必要な電力変換機能を実現し、更なる性能向上と小型化が図られている。

電動駆動制御機能は自動車としての乗り心地や操縦性能を左右する重要な機能に位置づけられる。電動機の可変速度制御機能はインバータ開発による速度制御機能とdq電流をベクトル制御する制御機能の開発により、静止状態からのスムーズな加速や急速加減速が可能な大きな力行・回生トルクを発生できる速度制御方式が確立された。また、発生トルクを弱めて最高速度を高くするq軸電流（界磁電流）を弱める「弱め界磁制御機能」もIPM回転子機能と共に確立されている。

これら上記目標機能を構成する主要機能（SysCell01、02、03、04）、補助大要素機能（BigProcell01、02、03、04…）、補助中素機能（MetaProcell01、02、03、04…）、補助小素機能（Procell01、02、03、04…）を確立された要素機能「機能セル」として登録しておくことにより、また、製品の目標機能を作成する「機能セル設計」方法で再利用することで、製品開発期間が従来よりも10分の1以下に短縮できる。

(3) 新製品に必要な新しい要素機能の作成

電気自動車事例

上記の電気自動車事例での新製品の機能構成は図6.2.3に示すように確立された既存機能（登録された機能セルの再利用できる機能）と新製品の魅力・個

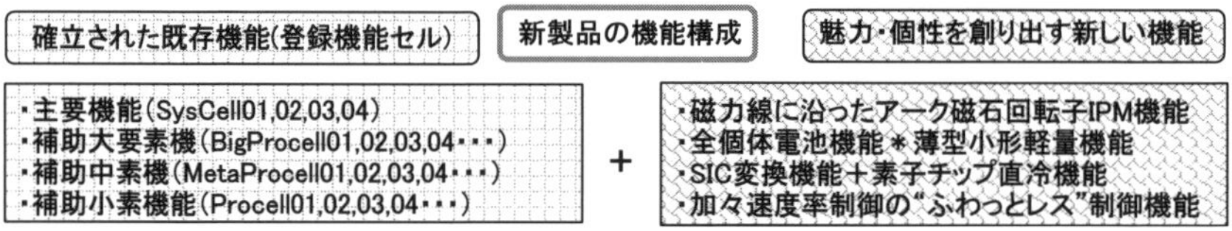

確立された既存機能(登録機能セル)

新製品の機能構成

魅力・個性を創り出す新しい機能

・主要機能(SysCell01,02,03,04)
・補助大要素機(BigProcell01,02,03,04・・・)
・補助中素機(MetaProcell01,02,03,04・・・)
・補助小素機能(Procell01,02,03,04・・・)

＋

・磁力線に沿ったアーク磁石回転子IPM機能
・全個体電池機能＊薄型小形軽量機能
・SIC変換機能＋素子チップ直冷機能
・加々速度率制御の"ふわっとレス"制御機能

図6.2.3　新製品の機能構成

性を創り出す新しい機能より構成される。したがって、新製品として創り出す必要な機能は、魅力・個性をもつ新しい要素機能である。

電気自動車の取り巻く状況を分析すると、何よりも1充電での航続距離の向上が要求されていることから、電動機機能面での効率向上策として、固定子磁力線に沿った形状磁石を埋め込むアーク磁石回転子IPM機能の開発、電池機能面では、小型大容量化が期待される全個体電池機能による薄型小型軽量機能の開発、インバータ電力変換機能ではスイッチング損失の少ない新しい半導体利用のSiC変換機能や素子チップ直冷機能、電動駆動制御機能では、自動車スタート時や停止時に加々速度率を一定値以下に制御される「ふわっとレス制御」機能など図の鱗模様で示した新しい要素機能が稀求されており、今後の開発競争の激化が予想される。

(4) 市場変化に伴う「市場の要求するコト（機能)」の変化

以前は人々の「苦労しているコト」や「欲しくなるコト」からなる「市場の要求するコト（機能)」＝有形物の製品名「掃除機」で代表されるように、このような製造現場の物造りが「ものづくり」として定着していた。近年の「市場の要求するコト（機能)」は図6.2.4に示すように①家電品の掃除機のように形を持つ「欲しいモノ（物）の提供」、②スマホのように多機能端末とインター

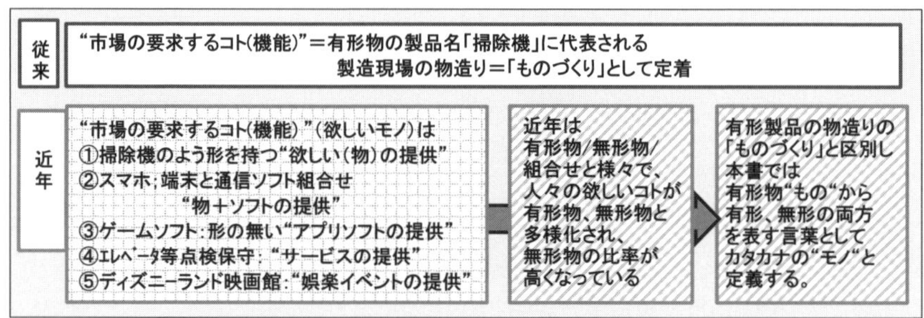

図6.2.4　近年の「市場の要求するコト（機能)」

ネット他通信ソフト組合せの「欲しいモノ（物＋ソフト）の提供」③ゲームソフトのように形の無い「欲しいモノ（アプリソフト）の提供」、④エレベータ・エアコン他設備の点検保守のように「欲しいモノ（サービス）の提供」⑤ディズニーランド、映画館のように「欲しいモノ（娯楽イベント）の提供」等有形物、無形物を問わず、その組合せのものなど、実に様々である

このように、人々の欲しいコトが有形物、無形物と多様化され、無形物の比率が高くなっているので、以前の有形製品の物造りに定着していた「ものづくり」と区別して、本書では有形物「もの」から有形、無形の両方を表す言葉としてカタカナの「モノ」を使う。現在販売されている製品を分類すると、①形を持つ「欲しいモノ」の製品開発（モノ創り）…TV/洗濯機等家電製品やインバータ装置など、②形の無い「欲しいモノ」の製品開発（モノ創り）…パソコン/スマホ等用のソフトや保守等のサービスや娯楽等のサービスなどと分けられる。

6.3節　製品の生命になる目標機能の創造

(1) 新製品の目標機能の創り方

新製品の目標機能は、図6.3.1のように、①目標仕様に必要な機能を分析、②製品の魅力・個性を創る機能の設計の順番で創る。①目標仕様に必要な機能の分析では、決定した「新製品の目標仕様」の設計情報を基に新製品に必要な主要機能、魅力・個性を創る目玉機能を設計する。「創るモノ（新製品）」への

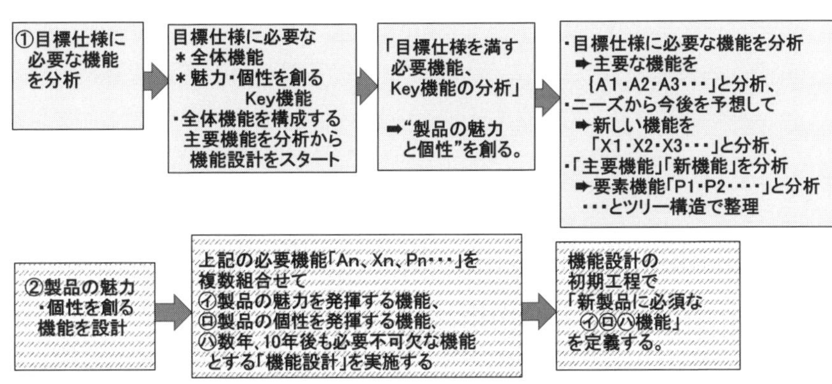

図6.3.1　新製品の目標機能の創り方

お客様の要求するコトや市場動向･新技術動向から決定した「目標仕様」から、目標仕様に必要な全体機能、製品に魅力･個性を発揮させるKeyポイント機能、及び全体機能を構成する主要機能を分析する。この「目標仕様を満足する為の必要機能、Keyポイント機能の分析」が「製品の魅力と個性」を創る上で最重要である。目標仕様を満たす為に必要な機能を検討し、主要な機能を「A1・A2・A3…」と分析、市場ニーズから今後予想される新しい機能を「X1・X2･X3…」と分析､更にそれら「主要な機能」「新しい機能」の要素機能「P1・P2・P3…」と分析して、新製品に必要機能を「An、Xn、Pn…」と整理する。次に②製品の魅力・個性を創る機能では、市場の動向やお客様の要求するコトの動向は同業者も分析・検討しているので、類似な製品仕様が開発されることが多い。したがって、目標仕様に必要な機能だけでなく、新製品としての魅力や個性を盛り込まなければならない。すなわち､前述で整理した必要機能｢An、Xn、Pn…」を複数組合せて、㋑製品の魅力を発揮する機能、㋺製品の個性を発揮する機能､㋩数年後､10年後も必要不可欠な機能とする機能の設計をして、初期工程で「新製品に必須な㋑㋺㋩機能」を定義して、目標機能を創ることが重要である。

(2) 経年変化の影響を受けない機能セルによる目標機能の設計法

従来のものづくり設計は、部品・モジュール等「寿命ある物」を組合せて、製品製作の「ものづくり図面」を作成していた。①寿命ある部品･モジュール等の物は時間経過で進化/変化するので、寿命ある物で設計された設計情報も経年変化で陳腐化してきた。②この設計方法で作成した「ものづくり図面」を標準化して設計財産にする方式は失敗だった。設計財産化した「ものづくり図面」は既存製品の仕様を1対1で実現する設計情報であるが、開発製品の仕様は既存製品の機能を90%以上踏襲するが、10%程度の既存製品機能は不要であり、既存製品仕様と1対1の「ものづくり図面」である設計財産はそのまま再利用できなかった。しかし、開発製品の仕様は既存製品の機能を90%以上踏襲することが多いので、モノ創りの経済性・短期開発の観点より、蓄積してきた設計財産を有効に利用することが不可欠である。そこで、この再利用出来ない問題を解決する手がかりを、何億年と永続的に進化させてきた「生態系のしくみ」に求め、『生物は環境に順応して進化する「機能を持つ細胞（Cell)」の組合せで構成』という貴重な教えに倣い、『経年変化の影響を受けないで永続的に残る「機能セル」で設計するモノ創りの方法』に到達した。時間的変化

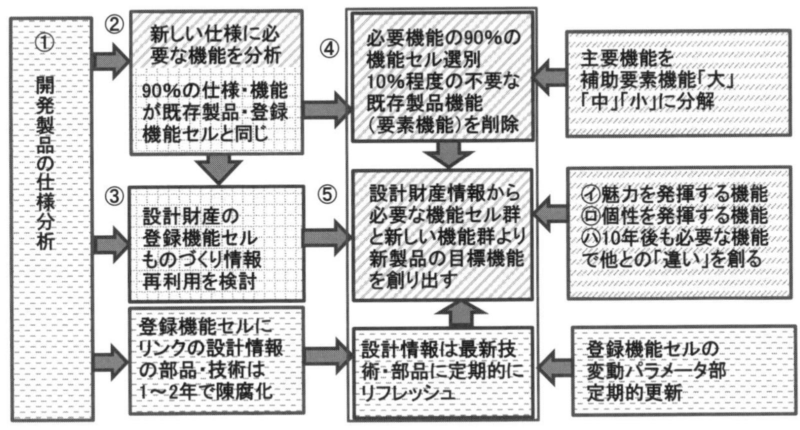

図6.3.2　経年変化の影響を受けない「機能セル」による新製品開発の流れ

の無い「機能セル（Cell)」で設計することで、「機能セル」で構成される設計財産から開発する新製品の必要機能を自由に選択し利用できると考える。

既存製品を確立して、設計財産として登録した「機能セル」群を利用した新製品開発の流れは図6.3.2に示すように、①開発製品の仕様を分析、②新しい仕様に必要な機能を分析（90%の仕様・機能が既存製品・登録機能セルと同じ)、③設計財産の登録機能セルのものづくり情報の再利用を検討、④必要機能の90%の機能セルを選別し、10%程度の不要な既存製品機能（要素機能）を削除するため、主要機能を補助要素機能「大」「中」「小」に分解し不要な要素機能を削除する。一方、登録した機能セルにリンクの設計情報の部品・技術は1

目標仕様設計 ➡ 機能設計			➡	詳細設計 ➡	生産設計
新製品の目標機能	数十～数百種の要素機能で構成される	要素機能[A]	[A]に1対1でリンク➡	[A]の詳細設計	[A]の生産設計
		要素機能[B]	[B]に1対1でリンク➡	[B]の詳細設計	[B]の生産設計
		要素機能[C]	[C]に1対1でリンク➡	[C]の詳細設計	[C]の生産設計
		⋮	⋮		
		要素機能[N]	[N]に1対1でリンク➡	[N]の詳細設計	[N]の生産設計

要素機能[A]	機能[A]とモノづくり図面が1対1で一致する（回路構成図・加工組立図）	機能[A]の回路構成図等モノづくり図面	機能[A]の加工組立図等モノづくり図面

図6.3.3　機能設計での要素機能に1対1で後工程の設計情報にリンク

～２年で陳腐化するので、それらの設計情報は最新技術・部品への定期的な更新が必要、⑤設計財産情報から必要な機能セル群と新しい機能群｛㋑魅力を発揮する機能、㋺個性を発揮する機能、㋩10年後も必要な機能で他との「違い」を創る｝より新製品の目標機能を創る。

このように、機能セルを組み合わせて新製品を設計する方法では、登録されている「機能セル群」および各機能セルにリンクした設計情報（モノ創り図面、ものづくり図面など）は最新技術・部品に定期的に更新されているので、魅力を発揮する機能・個性を発揮する機能・10年後も必要な機能などの新しい機能の創造に集中することが出来る。

(3) 機能セル単位で後工程の設計情報にリンクすることによる経年変化の影響排除

機能セルの機能自体は経年変化の影響を受けにくいが、機能を実現するモノづくりに必要な部材や技術は新しいモノへの更新が繰り返し行われ、1~2年で陳腐化するモノが多い。図6.3.3に示すように「分析して創った新製品の目標機能」を構成する数十～数百種の要素機能[A][B][C]…[N]に分割して、各要素機能を[A][B][C]…[N]と定義する。この「新製品に必要な要素機能を定義」することが新しい「機能セル設計」方法の重要なポイントである。図に示すように「定義した要素機能セル[A][B][C]…[N]」を基準に新製品の目標機能の設計以降、総てのモノづくり工程｛詳細設計、生産工程、製造工程｝で定義した機能セル[A] [B][C]…[N]｝と1対1でリンクする。その結果、モノづくり図面｛回路構成図・加工組立図｝が1対1で定義した要素機能セル[A]と一致している。したがって、設計財産化した既存製品の設計情報より新製品に必要な要素機能[A] [C] [F]…[M]をモノづくり図面付で自由に選択して再利用できる。

目標機能を目指す新製品は、機能セルの組合せで具現化するモノづくりが必要である。すなわち、各機能セルの機能を具現化する回路図・構造図等の詳細・生産設計情報を造り、機能セルに1対1にリンクする機能設計情報として付加する必要がある。これら製品を具現化する回路図等の詳細・生産設計情報には最新の部品名やソフトデータ等固有仕様データが含まれて、それらは経年や使い方で変動するので、機能セルの機能設計情報への付加時に、変動する「パラメータ部」を定義しておく必要がある。すなわち、機能セル自身とそれに1対1でリンクする設計情報には、経年変化しない「機能」部分と時代・お客により変化する「パラメータ」部分がある。例えば、「家庭用エアコン」事例では、「エアコン冷暖房機能」は経年変化しない機能部分であり、機能に付随する「6畳用機能」や「寒冷地仕様機能」などは用途により変動するパラメータ部分である。インバータ機能セルに付随する設計情報である電気回路構成図面のIGBT・抵抗部品は、その自己消弧素子機能・抵抗機能は経年変化しない機能部分であるが、それらの部品型式は経年変化するパラメータ部分である。

したがって、機能セルで設計する新しい設計方法においても、経年変化の影響を排除するため、機能セルを「永続的に変化しない機能部分」と「機能に付随し時間で変動するパラメータ部分」を分離して定義する。さらに、機能に付随する部品等、技術進歩で日々進化する固有仕様等の、用途・時間経過により変動するパラメータ部分の多い設計情報も、永続的に変化しない機能部分と用途や時間経過で変動するパラメータ部分とに分離して定義する。用途や時間経過により変動するパラメータ部は定期的に最新情報に更新する。

このように、最新情報にパラメータ部が更新される為、新製品の目標機能を構成する各機能セルは最新情報に更新されている。さらに、機能セル単位に1対1でリンクする設計情報のパラメータ部の技術・部品も最新なモノに定期的に更新されるため、目標機能を機能セルの組合せで構成設計された新製品は最新情報に更新された機能となると共に、各機能セルに1対1でリンクするモノづくり設計情報「回路構成図や加工組立図などのモノづくり図面」もパラメータ部「技術・部品など」も最新情報に更新されたモノで構成される。この各機能セルに付随する設計情報は、機能設計情報、詳細設計情報、生産設計情報、品質保証設計情報の全ての情報である。したがって、設計財産化した機能セル再利用による機能設計で、既存製品を踏襲する90%程度の機能部分を最新情報に更新された「機能設計・詳細設計・生産設計・品証設計で、全ての設計工程」を完結できる。このようにして、機能セルで機能設計された新製品は経年変化の影響を排除した最新情報でのモノづくりができる。(機能セル単位に詳細設計・生産設計・品証設計情報にリンクする詳細は書籍『機能セル設計』を参考にして下さい。)

(4) 製品に魅力・個性を創る目標機能の創造

市場の動向やお客様の要求するコトの動向は同業者も分析・検討しているので、類似な製品仕様が開発されることが多く、他と異なるの「魅力・個性を創る機能」の創造が課題である。2、3、5章に述べたように、先人達が創り出した機能は、基本原理・理論や技術・環境の変曲点での不連続な進化技術「発明・新技術・新部品など」を利用して、人々を魅了する数々のイノベーション機能を創り出してきた。しかし、2、3章で紹介した人々を魅了することになるイノベーション機能は市場をイノベーションするが故に、発表からしばらくは市場のニーズが立ち上がらずに着目されないことが多い。すなわち、新機能の適用拡大には使用ニーズ・技術・経済環境などの新機能・新技術の生態系進化が不可欠である。3章で紹介のイノベーション機能は1800年代の近代科学技術黎明期に発見された基本原理・理論で創造され、市場・人々の要望に応じて性能向上の進化が200年もの間続けられながら、人々の生活の一部として活躍している。このような基本原理・理論の発見は科学技術が進化した現代では見当たらないが、生態系が進化のため38億年に亘ってイノベーション機能を創造するきっかけとなる「危機・苦難の遭遇」は19世紀以降も感染症パンデミック、世界恐慌、世界大戦、大地震他の自然災害など次々と発生している。

製品の魅力・個性を創る機能の基本は市場の時代変化に応じて変化している「お客様が要求する機能」である。すなわち現在及び今後、人々が何に苦労しているか、何を欲しているか、社会・環境の直面している「危機」「苦難」は何かなどを分析して、それらの解決する要素機能を人々に提供する製品に盛り込むことが第一条件である。危機・苦難については現代も感染症パンデミックやCO_2排出による環境破壊・温暖化や自然災害など、社会・人々の困っているモノは枚挙にいとまがない。

2章で紹介した人々を魅了して来た製品の目標機能が、その製品発売以前に製品化されていない新しい要素機能、例えばコンピュータにおけるチューリンマシンやパソコンにおけるアラン・ケイのアイディアを使って構成し、イノベーション機能を創り上げている。「創造の秘密は他の領域からアイディアを借りてきて、それを組み合わせて発想する」とアインシュタインが云っていたように、他の領域からのアイディアを含む先人達の創造した要素機能を利用することが重要である。製品化されていない新しい要素機能という意味では4章で述べた生態系が進化過程で創り出した数々の機能は製品の目標機能を構成する要素機能として活用できると考えられる。

新製品の仕様の目標機能に必要な要素機能の90%程度が既存の製品の要素機能を利用して構成される。したがって、先人の創り出した「重要な要素機能」や他分野で創り出された「新しい機能の発明」をモノ創りの「要素機能セル」に整理して置き、新製品の目標機能に必要な要素機能に利用できる「6.3節の

(1)(2)(3)で述べた機能セル設計」の方法が有効である。すなわち、新製品の目標機能に不足する要素機能が他の領域からのアイディアを含む先人達の創った要素機能が無いかを調査分析し、可能な機能セルをそのまま、あるいは加工して利用し、さらに不足する要素機能を新しく創って上記に追加して、新製品としての「魅力・個性」を特徴づける目標機能を創り出す。

(5) 新しい魅力・個性あふれる目標機能を創る方法

製品の生命には、『「人々の苦労しているコト」「人々の欲しくなるコト」を実現し、生活を豊かに、人々に喜びを与える』『「日々変わる市場の風」を分析し、将来「お客様の欲しくなるコト」が何かを想定する』の機能を中心に、図6.3.4のような魅力・個性の目標機能を創る方法がある。利用者・開発者合同のブレーンストーミングの方法、環境の変曲点「温暖化危機、災害危機、経済危機など」を捉える方法、生態系の創った機能を参考に新しい機能を考える方法などが考えられる。

＊利用者・開発者合同のブレーンストーミング事例

新製品の仕様の目標機能に必要な要素機能の90%程度を既存の製品の要素機能を利用して構成する。著者が制御システムの開発を担当していた1984年当時、生産システムに関しては、全体システムの制御機能を高価なミニコンシステム、個別設備の制御機能を安価なシーケンサシステムの2種類の別々のシステムで行う自動化が盛んに行われていた。しかし、16ビットマイコンの発売が起爆剤となり、IBMPCも普及してきてミニコン中心の中大規模で高価なFAシステムへの「飽き」が出始めて、新しい模索が始まりつつあり、新しいシステム機能が要求されていた。背景は、(イ)魅力を発揮する機能、(ロ)個性を発揮する機能で、夢のFAシステムを要望してきたB社は、買収した海外会社の世界中の海外工場をB社方針で改革する必要があった。そこで、数年先にも機能的に最新であり続けて、世界複数工場の各種技術者が操作できる「夢のFA生産システム」を新製品の目標仕様に決めて、「使用状況を熟知するシステム活用者」と「システム創りの専門家」との若手KeyManが集まり、「将来のFA生産システム」への夢を語る会で「出来たら良いな～!」と思う機能を出し合った。その結果、①個別設備を高速(μs単位)でコントロールするシーケンサシステムに、低速(数十ms)な制御のミニコン機能までまとめるコントローラに出来ないか!②製品の売上拡大に応じて生産システムを拡張対応できるようにしたい!③作業者がほとんど居ない暗い生産現場に運んで使うの

製品の生命には、次の機能が必須
“人々の苦労しているコト”“人々の欲しくなるコト”を実現し、生活を豊かに、人々に喜びを与える
“日々変わる市場の風”を分析し、将来“お客の欲しくなるコト”が何かを想定し、モノを創る

製品に魅力・個性のある目標機能を創る方法					
方法	利用者要望反映	最新技術導入	市場の風反映	製品化前他分野アイディア	新しく創り出した魅力・個性を発揮する機能
利用者と開発者の専門家合同ブレスト1「夢を語る会」	◎専門家智慧	◎ASIC CPU 分散sys	◎分散システム	◎メモリ転写伝送	・コンピュータ・シーケンサ機能 ・拡張拡大自由な分散システム ・多言語対応プログラミングツール
LSI依頼者とLSI開発者の専門家合同アイディア	◎専門家智慧	◎LSI電卓	◎小形携帯化	◎コンピュータ機能	・プログラムで演算処理LSI（マイクロプロセッサ機能）
環境の変曲点を捉えた方法（地球温暖化対応ほか）	◎地球危機	◎CO2吸着	◎温暖化防止	◎EV アミン結合機能	・ハイブリッドEV、FullEV機能 ・空中CO2のDAC機能
生態系の創り上げた機能を利用（光合成・幹細胞機能・ミトコンドリア機能ほか）	◎地球危機	◎脱炭素化	◎新エネルギー	◎光合成幹細胞代謝機能	・人工光合成 ・IPS細胞の樹立 ・ブドウ糖からエネルギー生成

図6.3.4　新しい魅力・個性の目標機能を創る方法

で、分散した個々の設備用コントローラをシステム調整・保守するプラグラミングツールは「暗い処でも見える自己発光表示」「3kg以下の重さ」がほしい！④制御用C言語・ラダー言語・FA BASIC言語・フローチャート言語の４種が欲しいなどのFA現場での夢の機能が語られた。シーケンサ機能とコンピュータ機能をもつ新しいコントローラ「コンピュータ・シーケンサ」機能をシーケンサ演算SPU（ASIC）と発売予定の16ビットマイコンMPUで実現、さらにメモリ転写高速伝送とデータ通信のネットワークで繋ぐ分散コントローラ構成で拡張機能を実現、専用シートキーボード置き換で４制御用言語が使え、自己発光のEL表示で2.5kgのプラグラミングツールなどを実現し、「活用者の知慧とモノ創り者の知慧の集合脳」による夢を語る会のお陰で、世界に無い「夢のFA生産システム」を開発できた。

このように、「使用状況を熟知するシステム活用者」と「システム創りの専門家」との今後の夢を語るブレーンストーミングのような利用者・開発者で製品の魅力・個性のアイディアを出し合うことは有効な方法で、２章のマイクロプロセッサ機能も活用側の日本のビジコン社とLSI開発側のインテル社とが出し合ったアイディアから創造されたと考える。

＊環境の変曲点「温暖化危機、災害危機、経済危機など」を捉える事例

動力機能は電気エネルギー動力源とエンジン動力源となり、大半の発電所は

最も安いがCO_2を最も排出する化石燃料「石炭」を使用しており、さらに、13億台の自動車は大半が化石燃料「ガソリン」を使用し、加えて産業用設備にも化石燃料「重油・石炭」を大量に利用している。そのため、毎年330億トンのCO_2を排出し、海・森林で吸収するが、150億トンのCO_2が大気中に残留し続けている。そのため、産業革命以来の気温上昇は平均で1.5度にも達し、各地の氷河の消滅・後退が加速されている。また、各地で異常気象による集中豪雨災害や地震・火山噴火などの自然災害が頻発するなど、地球規模の危機と言える状態が続いている。

この環境変曲点を捉えた一つが、電気自動車（EV）機能の復活させるために、1充電での航続距離を対策する「バッテリの充電機能の向上開発」、バッテリ性能向上までの航続距離不足を補う「モーターとエンジンをプラネタリーギアでつなぐ動力分割機構」のハイブリッド機能の開発であった。また、「水素燃料電池で発電し、電動機の動力」で走る燃料電池自動車の開発や、水素を燃料にした水素エンジン車の開発も同時に行われている。

さらに、脱炭素発電も再生可能エネルギー化が進められ、水力に加えて風力・太陽光発電が急速に拡大しているが、化石燃料発電のシェアはまだ50%を超えている。また、福島第一原発事故以降に脱原発の流れの中で、脱炭素の切り札であった原発が停滞していたが、大型原子炉での冷却や安全性確保のメカニズムの問題がほぼ皆無といえる小型原子炉（SMR）発電システム機能が開発され、再拡大が期待されている。CO_2排出をなくせる燃料「水素、アンモニア」化の火力発電の開発も進められている。さらに、発電所などで発生した高濃度のCO_2は、CO_2の回収・貯留（CCS）で固定する試みが実現している、また大気中の二酸化炭素（CO_2）を直接回収して利用する技術「ダイレクト・エア・キャプチャー（DAC）」『ガス分子とアミン/アルカリとの化学反応を利用した「アミン担持無機多孔体による化学吸着/吸収機能」』の研究が進められている。そのほかにも、集中豪雨による崖崩れ災害の予防感知機能など温暖化危機に対する対策機能が考えられる。

＊生態系の創った機能を参考に新しい機能を創造した事例

4章に紹介した生態系が創り出した細胞レベルの進化機能、多細胞生物への進化機能、植物への進化機能、動物での進化機能など数々の機能で、現代の製品に展開されている代表的なモノは、①シアノバクテリアが創造した光合成機能を利用した「人工光合成機能」や、②多細胞生物に進化過程で創造した「幹細胞機能」のしくみを利用した「人工多能性幹細胞（iPS細胞）機能」などは、

mRNAワクチンを始めとして医療分野での展開が盛んに始まっている。そのほかにも、ミトコンドリアの代謝機能を参考にしたブドウ糖からのエネルギー生成機能およびエネルギー蓄積・放電機能での脱CO_2化や、動物の五感機能のしくみを利用したセンサー機能への展開が考えられる。また、「溢れんばかりの検出情報」を脳が瞬時に判断できるように、必要情報だけを強調し、他は取り除いてフィルタリングする最適な情報の選択機能は高齢化社会での補聴器の性能向上への展開など、製品に魅力・個性を創り出すアイディアが生態系の創り出した「4章5章で述べた1A～23D他」の機能に溢れていると考える。すなわち、生態系が38億年かけて創り出した機能の利用を検討することが有効と考える。

以上、魅力・個性ある目標機能の創造例を示したように、市場の変化を先取りした切り口で考察することにより、創造の苦難は伴うが、魅力と個性のある機能を創り出せると確信している。

まとめ

モノ創りの基本は人々の困難・苦しみを解決し、人々を幸せにする機能、人々の夢ほか人々の渇望を満たす機能、環境・時代背景に必須な機能を持つ目標機能を創り出すコトである。全ての目標機能を自分だけで創り出すのではなく、「創造の秘密は他の領域からアイディアを借りてきて、それを組み合わせて発想する」とアインシュタインが言っていたように、他の領域からのアイディアを含む先人達の創造した要素機能を利用することが重要である。

動物は主要機能器官の組合せで作られ、それら主要機能器官は機能組織の組合せで作られ、その機能組織は機能を持つ細胞の組合せで作られるという「ツリー構造の機能で構成するしくみ」を確立してきた。このしくみを参考に開発製品は、目標仕様に必要な目標機能を決定、その目標機能に必要な主要機能を分析し、数十種の主要機能を定義、その各主要要素機能に必要な補助要素機能を分析し、数十種の補助大要素機能を定義、その各大要素機能に必要な中要素機能を定義、更に、各中要素機能に必要な基本要素機能を定義して、目標機能に必要な主要要素、補助要素機能｛大｝｛中｝｛基本｝のツリー構造構成で創ることが有効である。

新製品の仕様の目標機能に必要な要素機能の90%は既存製品で利用している要素機能であるので、先人の創り出した「重要な要素機能」や他分野で創り出された「新しい機能」を整理した「要素機能セル」データベースから新製品の目標機能に必要な要素機能に利用する「機能セル設計」の方法が有効である。また、それらの機能セルにモノづくりに必要な詳細設計・生産設計・品証設計情報に1対1でリンクすることで設計期間を10分の1以下に短縮、経年変化の影響を排除できる機能セル設計が有効である。

すなわち、不足する要素機能を新しく創って目標機能を構成し、新製品としての「魅力・個性」を特徴づけるコトの創造に注力できる。すなわち、不足する要素機能を新しく創って目標機能を構成し、新製品としての「魅力・個性」を特徴づけるコトの創造に注力できる。

新製品の目標機能は目標仕様に必要な機能を分析し、機能セルDBにある要素機能を組合せて目標仕様の90%程度の機能を構成し、不足する要素機能を新しく創って製品に魅力・個性を創る機能「製品の魅力を発揮する機能、製品の個性を発揮する機能、数年後、10年後も必要不可欠な機能」を設計して、それらのKey機能を定義して目標機能を創る。

2、3章で述べたように製品目標機能に人々を魅了するイノベーション機能がスーパーヒットさせる原因となっているので、人々を魅了する製品の生命は人々を「救う」「喜ばす」機能である。また、生態系は進化過程での「生存の危機」「競争に勝つ進化」「環境変化に順応する進化」等の機能を38億年間創り続けてきた。これらは製品に生命を入魂する際の参考にすべきと考える。

すなわち、製品の生命は、『「人々の苦労しているコト」「人々の欲しくなるコト」を実現し、生活を豊かに、人々に喜びを与える』『「日々変わる市場の風」を分析し、将来「お客の欲しくなるコト」が何かを想定する』などの人々に第一条件で不可欠な機能を中心にすることである。そのために、製品を利用・開発する専門家の智慧を利用する方法、環境の変曲点「温暖化危機、災害危機、経済危機など」での緊急課題を捉える方法、まだ現代で活用されていない「生態系の創った機能」を参考に新しい機能を創り出して、魅力・個性を発揮するKey機能を製品で実現する方法などがある。

あとがき

テキサス・インスツルメンツ社によるIC電卓の開発（'67年）で、日本中心にエレクトロニクス技術が花開き始めた'69年、著者は日立製作所の大みか制御システム工場でモノ創り（製品開発）を開始した。この時代は世紀の大発明「トランジスタ技術」より進化した「IC・LSIのエレクトロニクス技術」、「サイリスタ・IGBTのパワーエレクトロニクス技術」、さらに「マイクロプロセッサからのマイクロエレクトロニクス技術」と次々と開花し、エレクトロニクス技術応用の家電製品や半導体DRAM生産が世界シェアの大半を日本が占めるなどで、書籍『ジャパン・アズ・ナンバーワン』が発行されるまでに日本工業製品の活況が90年代まで続いた。また、産業界でも生産工場の新設や設備投資が大きく開始され、著者が入社した工場にもインフラ用制御システムの注文が殺到していた。当時、インフラ用機器・制御システムは発展途上にあり、設備に必要な機能をお客様と一緒に検討する工場方針があり、お客様の創りたい機能・要望を一緒に検討でき、モノ創りで一番大切な「お客様の困っていること・願望」を聞くことができた。そんな環境で、入社1年目の著者にも交流電動機の可変速制御装置（サイリスタモータ）開発を「日立は誰もわかる人が居ないので、新人が初めても同じ」と岩田部長・泉工場長から開発指示され、モノ創りのいろはの薫陶を受ける幸運を得た。その開発以来30年以上にわたり次々と新製品開発を担当し、生態系を含めた先人の知恵を活用して、マイコンデジタル速度制御やコンピュータ・シーケンサ他15件の世界発の製品開発をはじめ、50件以上の製品開発に携わることができた。また、デジタル化・情報化による製品のデファクト化が進み、水平分業での東アジア工場生産で一気に製品のコスト低減が進んでいった。著者はこの苦境を逆に利用し、東アジア工場に打ち勝つProgressive Cell Concept生産改革を大みか制御システム工場で指導して、東アジア工場の生産より安価にモノづくりが出来る「Progressive Cell Concept生産システム」を確立することができた。

本書はこのように日本の工業製品・技術の発展途上の中で、殺到するインフラ設備ニーズにこたえ、新製品開発のモノ創り・モノづくりを通して、先人達が創り出した「人々を魅了するイノベーション機能」「モノ創りの智慧」、を整理・考察してきた。また、生態系が38億年の進化過程で苦境を回避するために億年単位の期間をかけて創り出した代表的な機能を整理し、現代への展開を考察した。加えて、30年にわたる新製品開発の実務から学んだモノ創りで、「人々の欲しいモノ」「人々を魅了するモノ」「モノ（製品）の生命（いのち）」とは何かを考察し、「製品の目標機能」を、生物が幹細胞より必要な機能器官を創り、それらを集めて「個性を持つ動物や植物」に成長するしくみより学んだ機能セル設計を利用した創り方、および、最も大切な製品の生命と考える「製品の生命」の創造を中心に記述してきた。本書がモノ創りの技術者の人々の願望する機能の創造の参考となり、日本のモノ創りの発展に貢献出来ればと考える。

最後に、執筆出版に至るまでにご指導ご支援頂いた沢山の方々に御礼申し上げます。特に執筆のご助言を賜った古川一夫様（元日立製作所社長、前NEDO理事長）に厚く御礼申し上げます。住川雅晴様（元日立製作所副社長、元日立プラントテクノロジー会長）には日立製作所勤務時代から事業開発・製品開発等を通して物事の考え方を終始ご指導頂きました。執筆原稿のご助言を賜った宮永俊一様（三菱重工業会長）に厚く御礼申し上げます。日立製作所入社時にモノ創りの心を指導頂いた泉初代場長はじめ、新しいモノ創りのご指導・ご支援をして頂いた浅野・森田・桑原・井出・長谷川元工場長他、諸先輩及びモノ創り・生産改革の荒川、谷口他仲間同志に御礼申し上げます。また、本書出版にあたって、出版ノウハウや編集を始め、種々ご指導頂いた三省堂書店／創英社の高橋淳氏、および製作して頂いたスタッフの皆さんに厚く御礼申し上げます。

2022年5月

梓澤　昇

●参考文献

(1) クレートン・クリステンセン：イノベーションのジレンマ
(2) クレートン・クリステンセン：ジョブ理論
(3) ポール・ナース：生命とは何か
(4) シュレーディンガー：生命とは何か
(5) ニコラ・テスラ：ニコラ・テスラ秘密の告白
(6) 内橋克人:幻想の「技術一流国」ニッポン
(7) 星野力：蘇るチューリング（コンピュータ科学に残された夢）
(8) 谷合稔：地球・生命—138億年の進化
(9) 梓澤昇：機能セル設計
(10) Sony History第1部、第2部
(11) 藤沢武夫：スーパーカブ誕生にあたって、スーパーカブはいかにして誕生したか
(12) 嶋正利：マイクロプロセッサ4004の開発
(13) 佐野正博：「マイクロプロセッサ Intel 4004の製品開発プロセス」
(14) GUI革命を先導している男と先導しかけた「alto」
(15) 林 伸夫「ディジタル維新—英雄たちの心のうち」人類の進化を加速させた「手で触る情報操作」
(16) アラン・ケイ基調講演「IT 25・50 Symposium “Alan Kay Keynote」
(17) 高杉 良：挑戦つきることなし
(18) 舛岡 富士雄：フラッシュメモリ開発物語
(19) 稲垣 公夫：ダイソンが独創的な製品を編み出せた理由
(20) Wikipedia：「ファミリーコンピュータ」
(21) 稲垣 公夫：ダイソンが独創的な製品を編み出せた理由
内橋 克人：「匠の時代」「幻想の技術一流国ニッポン」
(22) Windows95開発秘話 Simple is Beautiful
(23) ジェフ・ベゾス講演「才能と選択の違いを知ること」
(24) 多機能携帯電話（i-mode、カメラ付きなど）
(25) 自動車歴史館：プリウス誕生秘話
(26) iPS細胞は、こうして生まれた
(27) 榎本幹朗：iPod誕生の裏側、iPhone誕生物語
(28) 蒸気機関・内燃機関
(29) 田坂広志：これから何が起こるのか
(30) 発電機とモータの歴史年表
(31) 自動車誕生前史（1）～（20）、自動車誕生から今日までの自動車史
(32) 梓澤：”サイクロコンバータ方式サイリスタモータ”日立評論
(33) Ohmae,Azusawa; "Microprocessor - Controlled Fast-Response Speed Regulator for Thyristorized Reversible Regenerative DCM Drives" IECI '78 Proceedings-Industrial

(34) 梓澤他：マイコンによるモータの制御「直流電動機」オートメーション
(35) 梓澤：”最新の鉄鋼用インバータドライブシステム”日立評論
(36) 梓澤：最新制御理論を用いたACドライブシステム、OHM
(37) 梓澤：新潟大学院講座資料：「グローバルTOPを目指した製品開発事例1」
(38) 梓澤：新潟大学院講座資料：「生態系から学んだモノ創り（1)」「モノ創り企業の発展と衰退」
(39) 井出利憲：生物の多様性と進化の驚異
(40) 博物倶楽部：地球と人類46億年の謎を楽しむ本
(41) 水谷仁：生命の誕生と進化の38億年
(42) 真鍋真：深読み「せいめいのれきし」
(43) アン・B. パーソン：『幹細胞の謎を解く』
(44) 宮田隆：『眼が語る生物の進化』（1996年，岩波書店）
(45) 増田敦子：『解剖生理をおもしろく学ぶ 』サイオ出版
(46) 栗原堅三：味覚のメカニズム
(47) 岩村吉晃：ヒト触覚受容器の構造と特性
(48) 中村哲也：ヒレから指へ、上陸の進化史を探る
(49) 木下 俊則：環境変動に対する気孔開閉制御、
(50) 鳥類・人間・昆虫の呼吸システム
(51) 佐藤昭夫、佐伯由香：『人体の構造と機能 』
(52) 古畑種基：「血液型の話」、岩波書店
(53) 松尾友香：『最新 血液型の基本と仕組み』
(54) 水谷仁：人体に隠された進化史
(55) 木村直之：脳とは何か
(56) 水谷仁：生命の科学（最初の生命、進化、生命創造など）
(57) 水谷仁：脳と心、脳のしくみ
(58) 池谷裕二：脳と心のしくみ
(59) 阿部竜：可視光応答型半導体光触媒の開発

著者略歴

梓澤　昇（あずさわ　のぼる）

1947年	埼玉県生まれ
1969年3月	群馬大学電気工学科卒業
'69年4月	日立製作所入社、同社大みか工場設計部門に配属
'69~83年	電動機の可変速制御システムの開発に従事
'84~92年	電力・鉄鋼ほか産業用制御システムの開発に従事（主任技師）
'92~97年	大容量インバータドライブシステムの開発、工場全体の開発プラン指導に従事（副技師長）
'69~97年	世界初の製品開発15製品ほか50以上の新製品を開発
'98~2000年	大みか工場の開発・技術総責任者（工場全体の製品開発及び工場全体の設計改革、生産改革を指導）
'00~06年	情報制御システム事業部（旧大みか工場）副事業部長（工場全制御事業の経営、製品開発・設計/生産改革） （LT1/5化）指導、モノ創りの「Progressive Cell Concept」を発表
'03~06年	兼情報制御システム事業部大みか事業所長兼海外合弁会社3社を設立・経営
'06~10年	同社電機グループ技師長兼CTO兼インバータ推進センター長、電機グループの事業開発及び管掌（制御,鉄道）工場の製品開発・設計/生産改革の指導
'11年3月	日立製作所退社
'11年4月～	（株）AZUSA PROCELL http://www.azusa.co.jpを設立¦国内外企業の製品開発、設計改革、生産改革関係のコンサルティング業務¦中国の風力用PCS開発をセルコンセプトで指導し、中国でのシェア20%を達成。
'18年9月	魅力あるモノの開発設計を10倍化する「機能セル設計」を出版

人々を魅了する製品（モノ）の「生命」とはなにか
生態系の進化と製品の創造に見る、イノベーション機能の進化学

2022（令和４）年10月26日　初版発行

著　　者　梓澤　昇

発行・発売　株式会社 三省堂書店／創英社
〒101-0051　東京都千代田区神田神保町1-1
TEL：03-3291-2295　FAX：03-3292-7687

装　　幀　川浦　建

印刷・製本　大盛印刷株式会社

ISBN 978-4-87923-182-6　C0053